Autoportrait
d'une psychanalyste

Françoise Dolto

Autoportrait
d'une psychanalyste

1934-1988

ENTRETIENS AVEC
ALAIN ET COLETTE MANIER

Éditions du Seuil

EN COUVERTURE :
Photo A. de Andrade
Archives Ana

ISBN 2-02-016478-7
(ISBN 2-02-010934-4, 1re publication)

© Éditions du Seuil, octobre 1989

> « Je vous le dis, il faut encore avoir
> du chaos en soi pour mettre au
> monde une étoile dansante. »
>
> NIETZSCHE.

Le 29 mai 1988, les circonstances et l'influence d'amis psychanalystes communs amènent Alain Manier et Françoise Dolto à se retrouver pour un dernier face-à-face. Après un contrôle de deux ans passionnant pour eux deux, ils sont restés longtemps sans se voir. Manier travaille sur la psychose à propos de laquelle il est en train d'élaborer une théorie qui lui est propre. Il est intrigué par la façon dont elle est devenue psychanalyste dans une famille où la place qu'elle occupait aurait pu la mener tout droit à la psychose, justement.

Peut-on comprendre ce qui s'est joué là? Ce qui a permis qu'au total tout cela tourne bien pour cette petite fille si inquiétante pour les siens? Peut-on, à partir de cette histoire, tirer des conclusions théoriques? Elle semble bien placée pour répondre à ces questions. Mais l'entretien les emporte bien loin de ce qui était prévu. La relation de confiance qui s'établit entre eux – si différents l'un de l'autre mais, en même temps, si proches en des points essentiels quand il s'agit d'aborder la souffrance humaine – les amène à partager ce livre qui sera le dernier où elle parle de sa vie de psychanalyste (l'autre livre posthume sera celui que nous avons fait ensemble, avec la collaboration de Colette Percheminier, dans lequel elle s'adresse aux adolescents, *Paroles pour adolescents, ou le Complexe du homard*).

9

Il était venu avec des questions théoriques, elle va d'abord répondre par un long détour et lui raconter sa vie. Elle l'a déjà fait, mais autrement : ce qu'elle dit est différent parce que c'est lui, parce que c'est elle et parce qu'ils savent tous les deux qu'elle va bientôt mourir. On pourra dire qu'elle se dérobe à la réflexion théorique, qu'elle répond à côté; chacun est libre de sa lecture.

Pour nous, qui avons beaucoup travaillé sur ce texte, il nous a paru évident, en l'approfondissant dans la paix qui a suivi sa mort, que, bien au contraire, elle répondait tout à fait claire-ment aux questions d'Alain Manier, mais à sa façon.

Dans ce récit, on rencontre une clinicienne de quatre ans et demi exerçant un don d'observation organisé sur sa propre famille et sur elle-même. Prise dans le tourbillon d'événe-ments des plus dramatiques – deuils, guerre, névrose fami-liale – elle sauve sa peau en étant la clinicienne de cette saga. La psychanalyse, avant même qu'elle ne la nomme ainsi, fut pour elle une question de vie ou de mort symbolique. Ne vivant pas à une époque où l'on menait les enfants question-nants pour leur entourage consulter un psychothérapeute, elle prit les choses en main elle-même. Aussi, quand elle arriva à l'hôpital, elle avait des années d'avance sur les autres pour ce qui est de la clinique.

Elle était par contre incroyablement « décrochée de la lune » pour tout ce qui concernait le social et le politique, ayant été élevée en vase presque hermétiquement clos au sein de cette famille dans laquelle les conventions sociales s'unis-saient à la névrose familiale pour épaissir les murs supposés protéger des influences extérieures une jeune fille à marier. Ce mélange de sagesse, d'ouverture à l'autre par l'observation et de naïveté lui restera toute sa vie. Elle était mue par un besoin profond de trouver du positif dans toute situation. Elle était à la recherche du moyen de « faire avec », dans le « sens de la vie », plutôt que de se cabrer sur une idée ou un principe. Parfois, cela lui jouera des tours. Sa force était dans sa capacité de dire ce qu'elle croyait juste, même au prix du ridicule qu'elle ne craignait jamais, en même temps qu'elle pouvait accueillir avec un intérêt sincère toutes les critiques que l'on pouvait lui faire. Le rapport peu banal qu'elle entretenait avec son narcissisme, comme elle l'évoque dès le début de l'entretien, lui donna une incroyable liberté.

Elle fut, je crois, une grande psychanalyste mais ce n'est pas à moi, qui ne le suis pas, d'en parler. Elle fut aussi un personnage qui marqua incroyablement son époque et la vie de ses contemporains. Cette petite fille qui troubla tant sa famille et dont l'avenir semblait si sombre à ses parents allait recevoir des milliers de lettres de reconnaissance venant des gens les plus simples comme des plus instruits. Plus de trente écoles, crèches, lieux de vie, portent son nom depuis sa mort, ainsi qu'une salle de réunions à l'hôpital Trousseau et une rue dans une ville nouvelle de Bretagne. Par ailleurs, une médaille à son effigie sera frappée par la Monnaie de Paris, en 1990.

Qu'on l'aime ou qu'on ne l'aime pas, il y a là quelque chose d'incontournable. Cela ne m'empêche pas de voir où elle a pu se tromper ni de reconnaître les erreurs qu'elle a pu faire. Il y en eut, c'est évident. Dans quelle vie humaine n'en trouve-t-on pas ? Elle était la première à l'admettre.

En nous quittant, elle nous a confié ce texte qu'elle n'avait pas eu la force ni surtout l'envie de relire. Lors de cet entretien, elle était à la fois formidablement présente mais déjà ailleurs. Certains enjeux n'étaient plus les siens, ses préoccupations étaient loin des nôtres.

Quelques jours après l'enregistrement complémentaire du 14 juillet, je la roulais, en fauteuil, jusqu'à son bureau, ce lieu si fortement marqué par sa présence et son labeur pendant près de cinquante ans. «C'est un joli bureau, dit-elle en l'observant, il est gai, très agréable... mais ce n'est plus le mien», ajouta-t-elle amusée et étonnée à la fois par cette découverte.

Nous voici face à une femme encore dans le jaillissement de la jeunesse, bien qu'elle s'apprête à quitter un vieux corps usé, cette forme, comme elle l'appelait, qui ne peut plus la mener bien loin.

Elle mourra d'insuffisance respiratoire, refermant étonnamment la boucle de sa vie : à l'âge de huit mois déjà, elle avait tenté de mourir d'amour et de nostalgie au moyen d'une double bronchopneumonie quand on l'avait brusquement séparée de sa nurse irlandaise, sans un mot d'explication (*cf. Enfances*). C'est au prix de cette mort frôlée par manque de souffle qu'elle retrouvera le tendre murmure de la voix de sa mère qui la garda contre sa poitrine quarante-huit heures durant. Françoise était prête à tout pour trouver du sens à la vie.

Elle s'est toujours sentie « atypique », et je crois qu'elle l'était vraiment, en effet. Elle fut psychanalyste, elle fut bien plus que cela aussi, tout en ne cherchant jamais à savoir vraiment ce qu'elle représentait. Elle menait avec beaucoup de sérieux tout ce qu'elle entreprenait mais elle ne s'est jamais prise au sérieux, ça la rendait légère à vivre et elle le fut jusqu'au bout. Elle se raconte, une des dernières envies de sa vie fut de faire ce récit-là.

Alain Manier qui était venu avec quelques questions se retrouva face à l'étrange tâche d'établir ce texte posthume. Je le remercie d'avoir accepté cet avatar du destin avec humilité.

Colette et Alain Manier, par leur travail minutieux sur ce texte, m'ont permis d'accomplir mon devoir filial, en le présentant tel quel aujourd'hui.

Pour ma part, j'y vois un dernier message d'espoir lancé aux autres « atypiques » et à leur entourage car ils avaient dans son cœur une place privilégiée.

Catherine Dolto-Tolitch

L'enregistrement du texte que l'on va lire a eu lieu en deux fois :
— le dimanche 29 mai 1988, de 15h30 à 22h30 dans le bureau de Françoise Dolto, Colette Manier s'occupant de l'enregistrement.
— le jeudi 14 juillet 1988, de 11h30 à 13h30, de son lit dont elle ne pouvait plus se lever, pour des précisions, compléments, mises au point.

Lors de ces entretiens, elle nous a donné le nom de tous les personnages cités dans ce texte. Nous avons choisi de les publier pour les membres de la famille, les psychanalystes et psychiatres, les personnalités ayant un intérêt historique. Nous n'avons conservé que les initiales pour les autres, hormis une exception, dont le lecteur découvrira la raison p. 62, et une autre, autorisée par la personne concernée (p. 123 et n. 61).

On trouvera en annexe des renseignements destinés à éclairer la parole de Françoise Dolto par les repères qu'ils apportent.

Comme le lecteur pourra s'en rendre compte, Françoise Dolto tenait beaucoup à ce que les enjeux, moments et circonstances de sa vie qui furent marquants soient connus avec précision.

Le lecteur attentif de ce texte, et qui a encore en mémoire La Cause des enfants *et* Enfances *sera frappé par quelques contradictions, principalement de dates, avec ces textes antérieurs.*

Nous nous pensons en mesure d'affirmer que les dates énoncées ici doivent être tenues pour rigoureusement exactes car nous les avons minutieusement vérifiées.

Quand je parlais, mon père me disait toujours :
« Mais enfin, Françoise, c'est dangereux une
imagination pareille ! C'est dangereux. Qu'est-
ce que tu vas en faire ? »
Et moi, je ne savais pas que c'était de l'imagination. Je répondais : « Pourquoi dis-tu que
c'est de l'imagination ? C'est peut-être vrai. »

Françoise Dolto, p. 21.

Je veux vivre comme un cristal, je m'en brise-
rai peut-être.

Françoise Dolto,
Correspondance, 1940.

Le cadre de l'enfance

FRANÇOISE DOLTO : Alors, c'est pour me poser des questions sur ma «dingoterie» que vous venez me voir aujourd'hui?

ALAIN MANIER : *En fait, je voudrais vous interroger sur ce qui vient à la place de la «dingoterie» dans votre vie, et qui est ce qui me paraît le plus intéressant.*

C'est très poli d'appeler cela «venir à la place»...!

Non, pas du tout! C'est tout autre chose que poli.

En tout cas, je suis désolée qu'on n'ait pas l'histoire de la vie de Lacan. Je trouve que là, il a manqué à son devoir de psychanalyste. Car c'est un devoir pour les psychanalystes de livrer ce qu'ils peuvent livrer d'eux-mêmes, même si c'est très entaché de narcissisme. D'un narcissisme, comment dire?... tricheur.

Il l'est forcément?

Non, pas forcément. Je crois que le narcissisme est une force vitale, quelque chose comme la force vitale de Dieu en nous, qui ne peut se nier. Mais quelquefois, il comporte aussi une part de déguisement – pour le miroir de soi –, et ça, je ne

peux pas l'éviter. Ça fait partie de ce que les autres analyse-
ront.

Bien. En ce qui me concerne, comme vous le savez, il y a
longtemps que je voulais vous poser ces questions. Et ma
curiosité a été ravivée par la lecture de votre livre
Enfances. *Car, en y lisant l'histoire de votre enfance telle*
que vous la décrivez, je me suis dit que s'y trouvaient réu-
nis à peu près tous les éléments que j'ai, comme analyste,
tant et tant de fois rencontrés chez des psychotiques
– parce qu'ils sont constitutifs de cette structure –, et
notamment les trois principaux :
– un père plutôt absent, physiquement en raison de
son travail et langagièrement surtout, dont, en tout cas,
on peut soupçonner qu'il n'a pas dû beaucoup intervenir
dans la vie psychique de ses enfants, au moins pendant
les premiers mois de leur existence ;
– une mère «monstrueuse», vous passant dans ses
mots sa propre monstruosité pour pouvoir vous en
accuser, c'est-à-dire vous utiliser de la manière la plus
sauvage comme psychanalyste, comme sa psychanalyste ;
– enfin, une toute petite fille très précoce, vive et intel-
ligente qui veut savoir, qui exige des réponses et n'obtient
rien qui mette en place pour elle ce qu'elle ressent – sur
qui, donc, le langage ne joue pas son rôle de symbolisa-
tion et ne lui permet pas, à son tour, de s'exprimer spon-
tanément et pleinement par le langage.

Ce que vous décrivez en disant la «mère monstrueuse», c'est
la mère qui croyait se savoir laide, bête et méchante parce que
son père, qu'elle adorait, le lui avait dit. C'était une chose très
importante la conviction qu'elle avait de son infériorité dans
la vie. De façon curieuse d'ailleurs. Par exemple, elle se disait
petite – elle mesurait un mètre cinquante. C'est peut-être
petit, je n'en sais rien. Mais moi, je ne trouve pas cela petit :

Catherine, ma fille, mesure un mètre cinquante et je ne la trouve pas petite, je la trouve même très grande. L'importance du côté physique, c'est quelque chose qui m'étonnait chez ma mère : elle croyait qu'elle était petite, elle croyait qu'elle était laide. Et puis aussi, elle croyait qu'elle était bête et méchante; et elle le soutenait. Parce qu'elle était passionnée et agressive. Elle disait : « Je suis méchante. » C'est drôle, hein?, de parler comme cela.

Elle avait besoin de parler et d'analyser tout cela, et elle ne l'a jamais parlé, sauf à vous.

Si, elle le disait à tout le monde. Elle nous agressait parce qu'elle s'agressait elle-même tout le temps.

Mais il y a là quelque chose qui semble s'être plus focalisé sur vous que sur les autres. Peut-être parce que vous étiez une fille, peut-être parce que vous étiez la deuxième fille?

Oui, et puis je crois que ça s'est focalisé sur moi parce que ma sœur est morte et que c'est moi, qui ressemblais à ma mère, qui aurais dû mourir, selon elle. Ma sœur était blonde aux yeux bleus, comme le père de ma mère, et elle aurait dû vivre parce que, pour ma mère, elle était la fille de l'inceste[1].

Mais quand votre sœur est morte, vous étiez déjà relativement âgée. Tous les enjeux psychiques étaient déjà en place pour vous à ce moment-là.

Avant, ma mère ne s'était pour ainsi dire jamais occupée de moi. Elle était occupée par les aînés. J'avais la vie « pépère ». Je vivais ma vie dans une famille nombreuse où je trouvais que les autres perdaient beaucoup de temps à se disputer tandis que moi je n'avais jamais assez de temps pour me quereller avec quelqu'un. J'étais toujours occupée à faire quelque chose. C'est cela qui a été la particularité de mon être dans cette famille nombreuse : j'étais toujours occupée à faire quelque chose qui m'empêchait de perdre mon temps à me disputer.

C'est-à-dire que vous aviez un usage du langage et un rapport à l'Autre autre que ceux des autres.

Sûrement, sûrement. Je les considérais comme des gens de manège qui s'agitent beaucoup. Et pendant ce temps-là, moi, j'étais en train de faire une broderie, une peinture, un meuble de poupée, quelque chose qui était toujours plus urgent, que de discuter le coup avec le voisin... qui m'avait pris les ciseaux pendant ce temps-là ! « Bon, où sont-ils ? Qu'est-ce que tu en as fait ? Bon, bon, je vais les chercher. » On n'en fait pas une histoire, sinon, alors qu'on était très content, on se serait disputé.

D'ailleurs, en psychanalyse, ça m'a beaucoup aidée. C'est une chose, je crois, qui m'est particulière comme psychanalyste : la polémique ne m'a jamais intéressée. « Après tout, vous avez peut-être raison. Moi, je n'ai pas de temps à perdre puisque je ne vois rien d'intéressant dans ce que vous dites. »

De ce point de vue-là, ça veut dire que vous étiez pleinement membre de votre famille...

Tout à fait, oui.

...et en même temps, quelque peu spectatrice.

Tout à fait spectatrice, très tôt.

Très tôt, donc, d'une certaine façon, peut-être pas capable de résoudre les problèmes qui se posaient.

19

Pas du tout!

Mais assez lucide pour les voir.

Tout à fait, et amusée.

Donc, réfugiée dans une sorte d'humour très, très tôt, de vivacité d'esprit, de lucidité et d'humour.

Oh! oui. Je me rappelle un petit détail. C'était le début de la guerre. Le mari de la cuisinière, qui ne travaillait pas à la maison, couchait là-haut; on ne le voyait pas. Il avait été mobilisé comme tout le monde. Et nous avions des paons dans le jardin[2] : je revois le magnifique spectacle de leur queue, quand il faisait beau. Naturellement, les paons disaient «léon-léon». Or, il se trouve que le mari de la cuisinière s'appelait Léon. Je trouvais que c'était extraordinairement bien trouvé puisqu'elle pouvait, cette femme qui pensait sans arrêt à lui tout en faisant la soupe et en épluchant les légumes, dire : «Léon, les paons t'appellent!» Moi qui étais petite fille, je me disais : «Mais qui l'appelle? Parce que, quand il n'était pas à la guerre, ils disaient toujours "léon" et elle ne le notait pas. Maintenant qu'il est à la guerre, elle dit que les paons l'appellent, mais ils l'appelaient peut-être déjà avant.» Et je réfléchissais. Je n'avais pas de réponse mais je trouvais très drôle qu'elle n'ait découvert que les paons appelaient son mari qu'à partir du moment où il avait été mobilisé. Alors que d'ordinaire, il était toute la journée parti, et qu'elle ne le voyait que le soir quand elle montait dans sa chambre.

C'est comme si vous aviez été, tout enfant, attentive à tous les aspects de la réalité et sensible à la moindre modification.

Ça me posait question...

*...que les autres ne tiennent pas compte des modifications
de tel ou tel aspect de la réalité?*

C'est ça! « Où va-t-elle chercher tout ça? » Quand je parlais, mon père me disait toujours: « Mais enfin, Françoise,
c'est dangereux une imagination pareille! C'est dangereux.
Qu'est-ce que tu vas en faire? » Et moi, je ne savais pas que
c'était de l'imagination. Je répondais: « Pourquoi appelles-tu
ça de l'imagination? C'est peut-être vrai. »

*Dans Enfances d'ailleurs, en répondant aux questions de
Catherine, vous dites que c'est quelque chose qui vous a
marquée dès l'enfance, que beaucoup aient été soit
inquiets, soit irrités ou angoissés de ce qu'ils appelaient
votre folie, votre originalité, votre imagination, vos
idées... Le curé, par exemple!*

Ah! le curé... Il était inquiet comme tout! « Qui est-ce qui vous
a mis ça dans la tête? » Alors que, moi, ça m'était venu simplement en faisant, comme tous les autres enfants, ce qu'il
avait demandé: « Apprenez par cœur l'Évangile de saint
Matthieu. » Je l'avais appris par cœur et ça m'avait fait réfléchir. Je n'en avais parlé à personne. Et quand il avait
demandé: « Est-ce que vous avez une question qui vous tra-
casse? » Moi, il n'y avait qu'une question qui me tracassait:
saint Judas! Pourquoi en veut-on tellement à Judas et pourquoi dit-on que c'est un salopard, alors que sans lui, la Passion n'aurait pas pu se déclencher et que le Christ lui a dit:
« Ce que tu as à faire, fais-le! », en même temps qu'il disait à
saint Jean: « Celui qui doit me trahir met la main au plat en
même temps que moi »? C'était Judas. Et il dit à Judas, en lui
tendant le morceau qu'il lui donne: « Ce que tu as à faire,
fais-le! » Judas qui aimait le Christ et qui avait été choisi par le
Christ qui l'aimait, voulait que tout le monde sache que le
Christ était le fils de Dieu. Le Sanhédrin n'y croyait pas.

21

Judas se disait : «S'il vient chez eux et qu'ils l'entendent en chair et en os, ils comprendront que c'est Dieu qui parle.» Alors, il fallait monter tout un truc pour que Jésus aille devant le Sanhédrin et qu'enfin on découvre la vérité. Il se pensait très malin d'avoir monté ce truc, en disant aux Romains : «Pour trente deniers, je vous le vends.» Ainsi, Jésus irait leur parler. Le désespoir, c'est que ça n'a pas marché. Mais ce désespoir découle de ce qu'il avait tout misé. Et quelqu'un qui mise tout sur son amour, ce ne peut être qu'un saint.

Quand ensuite, je racontais tout cela, il fallait voir l'effet que ça produisait autour de moi. On aurait vraiment dit une fourmilière dans laquelle on aurait lancé un caillou. Toutes les petites filles et les petits garçons – c'était à la veille de la première communion – disaient : «Oui, c'est vrai!» J'étais convaincante. Alors, l'abbé R. – il est devenu Monseigneur plus tard et il était con comme la lune! – voyant tout le remue-ménage que ça provoquait a dit : «Écoutez, il s'est pendu. Or, on n'a pas le droit de se pendre, puisqu'on ne s'est pas fait naître.» Je n'ai rien dit puis, au moment de la sortie : «Françoise Marette, venez me voir.» Je viens et il me demande : «Qui est-ce qui vous a mis ça dans la tête? Qui vous a donné ces idées-là? – Personne.» Et j'ai redit ce que j'avais raconté, mais de façon plus détaillée. Alors il m'a dit cette phrase, extraordinaire pour moi, qui m'a beaucoup travaillée : «Je vois qu'il n'y a pas matière à recommencer votre confession générale.» Donc, ce n'était pas un grave péché; c'était tordu, mais ce n'était pas un grave péché. Puis, il a ajouté : «Il y a une chose que je vous demande : demain, quand vous recevrez Jésus – le jour où on reçoit Jésus pour la première fois, c'est extraordinaire toutes les grâces qu'il peut faire – vous allez le prier pour qu'il vous accorde de ne plus penser, parce que, quand vous pensez, ça ne va pas. Alors, vous allez prier Jésus de ne plus penser.» Et vraiment, je l'ai fait! Je croyais qu'il ne fallait plus penser, parce que depuis le temps que je pensais et que c'était toujours à côté de la plaque...!

22

Voilà. Vous voyez, quand vous racontez une histoire comme ça – celle-là, je ne la connaissais pas en détail...

Elle amusait follement mon mari!

...mais au cours du contrôle que j'ai fait avec vous, puis dans vos livres, ou en vous entendant, j'en ai connu bien d'autres – ce qui me frappe, c'est que ce sont des histoires très sérieuses et très importantes dans lesquelles il y a beaucoup d'enjeux...

Oui, beaucoup d'enjeux, en effet.

...vécus sans beaucoup de recul. Ce qui me frappe c'est, en somme, votre façon de prendre ce qui vous est dit par l'autre au pied de la lettre...

Absolument!

...puis avec un immense sérieux, et à l'aide d'une grande activité intellectuelle d'en tirer toutes les conclusions possibles, de déployer toute une logique à partir de ce qui est donné.

Oui, parce que j'ai été très malheureuse d'être marginale.

Mais, marginale, vous l'étiez peut-être justement en raison de ce processus-là. Vous m'avez dit une fois que vous considériez que votre principale qualité c'était non pas d'être géniale comme le disent bien des gens, mais d'être débile...

C'est vrai.

...c'est-à-dire de mettre à plat la parole de l'autre et de la faire fonctionner avec une sorte de naïveté logique.

J'écoute autrement, en effet.

Oui, comme si vous n'arriviez pas à être – comment dire? – roublarde dans le langage, comme si peut-être, pour le dire en termes plus psychanalytiques et plus lacaniens, une certaine dimension de la métaphore ne fonctionnait pas pleinement, comme si la parole était prise un peu comme argent comptant.

Oui, oui.

Alors, effectivement, comme vous le dites, c'est marginal. C'est-à-dire qu'il n'en faudrait pas tellement plus pour qu'on passe du côté d'une pensée tellement singulière qu'elle se couperait complètement de l'autre; on pourrait dire folle si on veut, mais peu importe...

Mais moi, je croyais que les grandes personnes avaient raison. Et ça, c'est important.

C'est ça qui vous a sauvée: il y avait de l'Autre ainsi.

Tenez, je me rappelle ceci, par exemple. Nous allions souvent à Deauville, puisque c'est là que nous passions toutes les vacances. Et il y avait une phrase que disaient les grandes personnes et que j'entendais depuis ma petite enfance : « Les crevettes demandent à être cuites vivantes. » On cuisait des crevettes sans arrêt. Je me disais : « Comment les grandes personnes ont-elles compris qu'elles demandent ça? » Et, quand je posais la question : « Qu'est-ce qu'elle est bête, celle-là! » mais on ne me répondait pas. On ne me disait pas que c'est une façon de parler. Du coup, j'en concluais que les adultes étaient très malins d'avoir compris ce que disent les crevettes.

> *De ce point de vue-là, enfant, vous étiez un peu dans la situation d'un de ces personnages, généralement de la campagne, dans certains fabliaux du Moyen Age, à qui quelqu'un dit par exemple: «Si tu veux gagner ton procès, il te faut graisser la patte du juge», et qui se rendait au palais de justice avec de la graisse d'oie... Une certaine fonction de la métaphore, là, se trouve bloquée.*

Tout à fait, c'est ça exactement. Et il y avait aussi le problème de la compréhension dans l'après-coup. Par exemple, je pense à ce conte dans lequel on demande à un type de transporter je ne sais combien de faux. Il est très fatigué quand il arrive, car, alors qu'il avait sa charrette, il les a portées sur son dos. On lui dit: «Mais tu n'avais qu'à les mettre sur le foin!» Et lui: «Qu'est-ce que je suis bête de n'avoir pas pensé à ça!» Et, la fois d'après, son maître l'envoie porter quelques aiguilles à sa dulcinée pour qu'elle fasse une broderie. Alors il met les aiguilles dans la charrette de foin et quand il arrive, on lui dit: «Qu'est-ce que tu es bête! On ne peut plus les retrouver, maintenant qu'elles sont dans le foin!»

Une explication valant pour un cas, utilisée telle quelle dans un autre cas... Je me souviens très bien que j'étais comme ça: Gros-Jean comme devant, à cause d'une logique qui était de faire confiance à ce qu'on m'avait dit. «Je me le tiens pour dit. Ce sera pour la fois d'après!» Et la fois d'après, il aurait fallu raisonner autrement! Donc, il m'a fallu assez vite trouver à me défendre. Et, c'est arrivé le jour où j'ai compris que les grandes personnes disaient n'importe quoi, qu'elles ne savaient pas ce qu'elles disaient. C'est là que ma compassion pour les grandes personnes a été telle qu'alors je ne les ai plus crues. J'ai vu que j'étais aussi bête que les grandes personnes puisqu'au bout de trois jours je faisais comme elles et que j'arrivais à vivre aussi bien en ne sachant pas où on allait. Je me suis dit : « Elles ne sont pas plus bêtes, on est tous bêtes. »

C'est là que vous vous êtes tirée d'affaire?

C'est là, certainement!

En même temps, le mot «compassion» est important. Il indique qu'à partir de ce moment-là vous alliez essayer de faire quelque chose pour les autres.

Oui, mais ça je ne le sentais pas. Je sentais qu'on était tous des pauvres malheureux, quoi! Qu'il fallait faire avec. C'est très important, l'expression «faire avec». Accepter comme c'est et ne pas vouloir redresser les torts. On est comme on est.

Donc, tout enfant, vous avez fait l'expérience de la folie du langage, de la folie dans le langage.

Comme vous le dites, sûrement en ne comprenant pas la métaphore. Est-ce une métaphore de dire : « Si c'est des faux, il faut les mettre dans le foin »?

Là, non, je ne crois pas que ce soit une métaphore. C'est «graisser la patte» qui en est une, ou «les crevettes demandent à être cuites vivantes».

C'est ça. Là, c'était plutôt avoir de l'esprit pratique à la façon des grandes personnes. Mais il me fallait ma façon à moi, parce qu'en suivant les conseils des grandes personnes, ça ratait une fois sur deux.

Par ailleurs, il y a quelque chose qui m'a beaucoup, beaucoup frappée quand j'étais jeune. C'était de m'apercevoir le soir que la journée avait été quelques fois très désagréable alors que le matin je m'étais réveillée en me disant : «C'est simple : il n'y a qu'à obéir aux grandes personnes pour que tout se passe bien.» Mais, j'avais beau n'avoir que cette visée en tête «obéir aux grandes personnes», il y avait toujours un moment où j'échappais à l'obéissance par une idée à moi, une idée de l'ordre de «à quoi penses-tu?». Et je pensais une imbécillité! J'étais grondée pour mon imbécillité ou pour mon impertinence : «Madame Untel est une idiote! – Et pourquoi? – Parce qu'elle vient chercher son fils ici sous prétexte qu'il a disparu, mais il n'est pas chez nous.» Ainsi, au début de la guerre, comment comprendre les paroles de personnes annonçant qu'un fils avait disparu, qu'un fils était porté disparu? Je me disais : «Qui l'a porté disparu?» Je ne comprenais pas les mots.

C'était contradictoire dans les termes!

Tout à fait! De même que les sanglots de cette femme que j'aimais, qui était enfermée avec maman dans son bureau, et qui, à travers la porte du bureau, avait l'air de rire aux éclats! Elle faisait les bruits du corps de quelqu'un qui rit aux éclats en parlant de sa douleur, de son fils et des nouvelles qu'elle avait eues indiquant qu'il était porté disparu.

C'est un contresens qui m'évoque un peu celui des petits enfants qui entendent leurs parents avoir des relations sexuelles.

Tout à fait! Là, c'était le désespoir de cette femme qui se traduisait en un hoquet de douleur qui paraissait des rires. Et, comme c'était une personne gaie avant, qu'on aimait beaucoup car elle racontait des histoires très drôles aux enfants avec toutes les peluches, elle inventait des tas de choses... une femme adorable! alors je me disais : «Il est disparu et elle vient le chercher ici. Elle rit aux éclats, alors que, quand elle est arrivée, je l'ai vue pleurer.» Je n'y comprenais rien du tout. Alors, le soir, je disais : «Lolotafé, elle est bête.» Et c'était dramatique d'avoir dit que «Lolotafé» était bête : cette femme était si malheureuse...! Toute la famille participait avec elle au drame de la mort de son fils, d'autant que ce fils – ce que je ne savais pas à l'époque – était en train de caresser le projet d'épouser Jacqueline. Lolotafé était donc souvent à la maison à l'époque où son fils était un polytechnicien jeune et valeureux qui aimait Jacqueline, ma sœur aînée.

Tout cela, c'est quoi? C'est avoir des références qui sont contradictoires avec ce que l'intelligence ou le cœur peut comprendre. Ce sont des langages différents dont je ne comprenais pas qu'ils étaient liés. Ne le comprenant pas, j'étais comme tous ceux qui ne comprennent pas que quelqu'un est cohérent : je disais qu'il était bête ou fou. J'étais avec les autres comme ils étaient avec moi.

Vous pensiez cela des autres car vous y étiez contrainte.

Naturellement! Mais quand ils disaient que c'était moi qui avais tort, à ce moment-là, j'étais convaincue qu'ils avaient raison; que c'était moi qui avais tort.

Ça, c'est une différence qui a été salvatrice parce qu'elle vous a poussée au travail.

Énormément! Ainsi, à la Société de psychanalyse, quand les gens se fichaient de moi, je me disais que c'était moi qui m'étais mal expliquée; puisque si ce que je faisais dans ma pratique était opérant, ce le serait également si quelqu'un d'autre le faisait.

Une telle attitude pousse à la réflexion, au travail et à la communication avec l'autre.

28

C'est très important, en effet.

> *Dans ce que vous dites là, il y a autre chose qui me frappe beaucoup : ces enjeux, ces logiques différentes dont il est question aussi bien dans* Enfances, *dans ce que vous dites maintenant que dans d'autres propos que j'ai entendus de vous, vous les situez principalement dans votre rapport aux grands, aux adultes. Mais avec les autres enfants, avec vos frères et sœurs ou avec les autres enfants, à l'école, vous vous sentiez, aussi, différente d'eux?*

Pas du tout! En fait, j'étais peu en liaison avec les autres enfants parce que j'allais à ce que l'on appelait un «cours pour jeunes filles». On avait un programme, on travaillait chez soi et on allait «faire sur table», comme on disait, un exercice qui prouvait qu'on avait acquis, ou non, ce qu'on avait vu comme programme dans la semaine. Donc, j'étais peu en contact avec les autres; juste pendant les récréations. La seule chose dont je me souvienne et qui m'ennuyait parce que je croyais que ce n'était pas bien non plus, c'est qu'on me disait : «Françoise, moins de volume, moins de volume!» Je crois que tous les autres petits enfants devaient être épatés de tout ce que je racontais pendant la petite récréation qui avait lieu dans une petite cour de rien du tout. Je me rappelle très bien la préposée de la classe. J'ai d'ailleurs rencontré récemment sa nièce qui travaillait là-bas et qui m'a dit : «Vous étiez drôle quand vous étiez petite! Vous étiez drôle!» Moi : «Oui, mais je ne m'en apercevais pas. – Non, vous ne vous en aperceviez pas, c'est ça qui était drôle. Et ça ne m'étonne pas que vous soyez devenue connue dans votre travail, parce que vous étiez si drôle!»

> *Et, avec vos frères et sœurs, vos proches?*

Je les aimais beaucoup.

Vous n'aviez pas de relations?

Si, beaucoup. Ainsi avec mon frère qui avait deux ans de plus que moi : nous ne pouvions pas nous endormir sans nous parler. Et, c'était le premier qui tombait de sommeil qui ne répondait plus. Par exemple, moi, je lui disais : «Bonsoir Jean!» Il me disait : «Bonsoir, Françoise!» «On est bien, hein? On s'aime!» «On s'aime, Françoise!» «On s'aime, Jean!» J'ai toujours dormi dans une chambre où nous étions quatre, jusqu'au moment où nous avons déménagé. Là, il y a eu chambre des filles et chambre des garçons. Mais jusqu'à mes quatre ans et demi, nous étions quatre à dormir dans la même chambre. Il y en avait toujours un qui s'endormait en même temps que moi : c'était celui qui avait deux ans de plus que moi et que j'aimais énormément. Nous étions très jumelés. Nous ne mangions pas à table le soir, les petits. On commençait à dîner à la table des grands à partir de huit ans. Les petits étaient couchés à l'heure où les grands dînaient. Je me rappelle qu'avec Jean nous nous aimions tout simplement. Ça se vivait de s'aimer et, jamais, nous ne nous disputions. Jean et moi, nous ne nous sommes jamais disputés de notre vie!

Vous vous parliez? Vous vous racontiez des histoires? Il connaissait votre histoire d'ange gardien[3]?

Non.

Vous la gardiez pour vous?

Peut-être l'a-t-il connue, je ne sais pas. Il disait : «Mais, pourquoi tu fais ce que tu fais?» Par exemple : «Pourquoi as-tu fait un poste à galène? C'est idiot. A quoi ça sert? Tu entends :

ti. ti. ti; à quoi ça sert?» Je lui expliquais : «Tu sais, c'est de l'alphabet. – Comment, c'est de l'alphabet? – Mais oui! Il y a des journaux où on peut apprendre à lire les *ti. ti. ti.* Regarde.» Alors, je disais à mes frères des mots en morse. Le moment à partir duquel ils ont commencé à m'écouter, c'est quand je leur ai annoncé des nouvelles avant qu'ils ne les aient entendues, ou ne les aient apprises par le journal. Dans les petits journaux de sans-filistes que j'achetais – un petit journal par semaine – on expliquait comment monter l'appareil; on donnait aussi l'alphabet et on disait les heures où la tour Eiffel diffusait des exercices pour débutants, d'autres de niveau moyen, d'autres enfin de niveau déjà plus relevé. Moi, je captais les exercices pour débutants qui donnaient les signes de morse à un rythme lent. Alors, j'essayais de comprendre. Ensuite venait la traduction. On instruisait ainsi les gens en morse par radio-télégraphie sans fil.

Or, c'est tout de même mon père qui est à l'origine de mon intérêt pour tout cela, parce qu'en tant qu'ancien élève de Polytechnique, ça l'intéressait. Et Édouard Branly avait donné une conférence sur la scène du Trocadéro intitulée «Initiation aux ondes Marconi». Je me rappelle très bien ce jour-là (je devais avoir sept ou huit ans) : il a mis d'un côté un circuit, de l'autre côté, un autre circuit, puis il a fait des trucs magiques et ce qui était d'un côté est allé de l'autre. C'était le transfert sans fil. Tous les ingénieurs, tous les gens pouvaient monter sur la scène pour vérifier : ce n'était pas du cirque, il n'y avait pas de fil. En revenant, j'en ai parlé avec mon père, qui m'a sûrement donné des explications très savantes, et ça m'a intéressée.

Pathé-Marconi, les ondes hertziennes, tout cela entrait dans la relation que j'avais avec mon père, ainsi que l'idée que les humains pouvaient avoir relation entre eux sans que ça passe par la matérialité du fil. Ça m'avait semblé très intéressant. Aussi, quand j'ai vu en vitrine, accroché par une pince à linge, *Le Sans-Fil*[4] (sans fil, ça m'intéressait), avec le peu d'argent

31

que j'avais gagné pour mes bonnes notes en classe et mis de côté, je l'ai acheté et je suis tombée sur : «Vous pouvez fabriquer vous-même votre poste à galène, vous aurez l'heure juste.» Or, l'heure juste, c'était ce que donnait l'horloger qui était dans une petite bicoque, toute petite. Il réparait les montres et, au moment de vous rendre la montre réparée, il disait : «Attendez, je vais vous donner l'heure juste.» Et moi : «L'heure juste, c'est quoi?» «C'est l'heure de la tour Eiffel, Mamzelle! Et je l'ai grâce à cet appareil; vous voyez, c'est un poste à galène qui va me donner l'heure de la tour Eiffel.» A cette époque-là, la radio donnait l'heure de la tour Eiffel tous les je ne sais combien. On attendait donc cette heure-là : «C'est maintenant! J'aime mieux la mettre directement à l'heure plutôt que la mettre sur ma montre qui l'a prise ce matin.» Alors, il mettait son casque, il titillait sa galène puis il attendait : «Vous avez l'heure de la tour Eiffel.» C'était magique! Alors, moi aussi, je voulais avoir l'heure de la tour Eiffel!

Il n'y a pas là-dedans que des aspects techniques!

Non, bien sûr! Il y avait mon père qui était là-dedans; il y avait la tour Eiffel qui était phallique et qu'à l'époque, on commençait à louer pour la publicité, de Citroën par exemple. Enfin, je ne sais pas si c'était à ce moment-là ou si je ne suis pas un peu en avance; je crois que c'est un peu plus tard qu'elle a été vraiment électrifiée, et qu'on a commencé à s'y intéresser vraiment[5]. Avant, c'était de bon ton, quand on était une famille intelligente, de dire que c'était génial d'avoir fait une tour Eiffel mais que c'était tellement laid qu'on n'aurait pas dû la garder au-delà de l'Exposition. L'avoir faite pour l'Exposition suffisait à montrer le génie de l'ingénieur, mais l'avoir laissée défigurait Paris. Nous, nous étions devant la tour Eiffel : de nos fenêtres, nous la voyions. Pour revenir à ce que je disais, il y avait la tour Eiffel, il y avait l'heure juste, il y avait papa, il y avait eu cette conférence de Branly qui avait l'air d'un «savant Cosinus» tout à fait étonnant à l'époque. Plutôt, c'était le savant Tournesol; Branly était le Tournesol de Tintin.

> *Il y a aussi d'autres éléments. Il y a quand même la possibilité de capter ce que d'autres disent! Et la communication sans fil!*

Oui. Et d'ailleurs, à ce moment-là, il n'y avait que cela. Après, est venue l'heure (c'est tout de même intéressant qu'on ait eu très tôt l'idée de dire l'heure...) et, curieusement, très vite est arrivée la musique. Mais, au moment où j'ai construit mon poste à galène, il n'y avait pas de musique.

> *Il y a autre chose qui me paraît tout à fait remarquable dans cette histoire : vous êtes psychanalyste, et la première prouesse que vous avez faite dans votre vie, prouesse technique, dans la filiation de votre père, du côté du symbolique et du phallique, c'est la mise en œuvre d'un procédé ou d'un protocole pour pouvoir entendre ce que disent les autres, qui, sans cela, ne seraient pas entendus.*

Oui, oui! C'est cela.

> *Ça, c'est déjà une première manière d'être psychanalyste!*

Enfin, disons qu'il s'agit d'une possibilité de communication jusque-là inconnue.

> *D'écoute.*

C'est ça, d'écoute.

> *D'écoute, parce que c'est à sens unique.*

Exactement. Mais je reviens à la question que mes frères me posaient toujours : « Mais pourquoi fais-tu ça ? Pourquoi ? » Ils ne comprenaient pas.

Voilà! C'est la même question que je vous pose là sous une autre forme : pourquoi vouloir écouter les autres ?

« Parce que je sens que c'est le bien. » Je n'avais jamais d'autre réponse. « Françoise, elle est dans le bien...! Elle est ridicule, elle est dans le bien, tant pis pour elle ! » Alors, je me gelais à arranger mon antenne toute seule parce que personne ne voulait m'aider. « Débrouille-toi, nous ne voulons pas avoir froid. » Je ne sais pas pourquoi, c'était toujours l'hiver que l'antenne se déglinguait. Il fallait arranger l'antenne avec un manche à balai et des isolateurs en porcelaine. C'était très compliqué pour une petite fille qui n'avait pas les bras assez longs pour dépasser facilement le balcon. J'aurais voulu être aidée par les grands mais ils ne voulaient rien savoir. Même Jean qui m'aimait beaucoup me regardait sans bouger ; il trouvait ça bizarre. Il voulait bien jouer avec moi mais à d'autres jeux : le jacquet, le jeu de dames. On jouait beaucoup en famille.

Vos parents jouaient aux échecs quotidiennement.

Oui, mais pour moi, c'est plus tard que sont venus les échecs avec mon père. Déjà, mon grand-père jouait au tric-trac. Les enfants ont toujours vu leurs ancêtres, enfin les vieux, jouer à la maison et avec eux. Très petits, ils nous ont appris à jouer : « Tu fais une partie ? Je vais t'apprendre à jouer au jacquet, aux dames, etc. » Moi, j'aimais les jeux mais je n'aimais pas me disputer. Et, dès que mes frères commençaient à jouer, ils se disputaient à cause du jeu. Alors, ça ne m'intéressait plus. Mais, Jean et moi, jamais, jamais, nous ne nous sommes disputés.

Et puis, il y avait autre chose : c'étaient les jeux dits de société. Je ne sais pas comment sont les autres enfants dans ces jeux-là, mais moi je les vivais avec énormément de fantasmes imaginaires. Ainsi le jacquet était une société : tous ces pions étaient à mon service, ou au service de l'adversaire, comme si les blancs, les noirs étaient des chevaliers. Il y avait un autre jeu qui s'appelait l'Alma : un jeu avec des triangles aux couleurs musulmanes, vert et jaune, et des pions faits comme des toits de minarets. Pour gagner il fallait arriver le premier de l'autre côté avec tous ses pions et empêcher l'autre d'y parvenir dans l'autre sens. Pour moi, ça se passait avec des yatagans, des types à cheval, etc. Je jouais, mais j'avais devant les yeux tout un tableau fantasmatique, à une époque où il n'y avait pas de cinéma.

Tout cela venait chez vous à la place des disputes chez les autres.

Sûrement.

Comme si ça remplaçait l'affect des autres, d'une certaine façon...

C'est-à-dire que, puisque ces pions représentaient des minarets et que j'imaginais que c'était le sultan Trucmuche qui avait gagné sur l'autre, il n'y avait pas matière à ce que ceux qui jouent se disputent. Ça faisait partie du jeu qu'il y en ait un qui gagne, et il n'y avait pas de quoi voir les deux joueurs se disputer pour cela.

S'ils se disputaient, les autres, c'est sans doute parce qu'ils s'identifiaient pour une part aux enjeux.

Oui, et ils croyaient que c'était eux qui étaient battus par l'autre. Tandis que moi, je savais que c'était un jeu auquel j'assistais et dont j'avais une image. J'étais un peu comme Gulliver assistant à une bataille de Lilliputiens. La bataille se passait de telle ou telle façon; je prenais plaisir à voir comment ça se passait. Mais moi, je n'étais pas battue si mon sultan était battu. C'était intéressant. A la fin, on se disait: «On fera la revanche.» Avec Jean, ça se passait toujours ainsi, sans dispute. Mais quand c'était avec Pierre ou Jacqueline ou Philippe...!

Il y avait de l'affect qui venait tout brouiller.

Tout de suite! «Non, c'est pas vrai, tu as triché...» Qui trichait? Tu, tu, c'était qui: tu? C'est un jeu, ce n'est pas moi.

Vous étiez déjà une logicienne de l'imaginaire alors qu'eux étaient encore pris par des affects œdipiens.

C'est vous qui le dites, je ne sais pas. Mais je vois la différence que ça faisait.

En effet! Mais il y a un autre point sur lequel je voudrais vous poser une question, encore à propos de ces histoires. Parce que, pour moi, comme je vous l'ai dit, le poste à galène a une grande importance dans votre être-analyste...

Sûrement! Et, en plus, j'ai été une des premières Françaises à entendre Gershwin.

Ah? Mais avant d'en venir à la musique, il y a donc un autre aspect, si vous voulez bien, que je voudrais interroger. La question m'est venue à l'esprit en écoutant votre façon de raconter votre expérience. La TSF, le sans-fil de Branly: est-ce que ça ne fait pas une connotation avec la télépathie, c'est-à-dire la capacité pour quelqu'un de

*transmettre des idées, des sons, à quelqu'un d'autre, hors
de toute présence et de tout lien? C'est-à-dire du langage
qui fait le lien abstrait. Est-ce que ça n'évoquait pas,
pour vous, quelque chose de tout-puissant, de magique?*

De l'illusionnisme? De la magie? Non, parce que c'était
scientifique.

*C'est quelque chose qui vous a intéressé par la suite, la
télépathie?*

Non, pas du tout. Mais elle a eu une importance énorme pour
ma mère à la mort de ma sœur. Dramatique, même, parce
qu'elle voulait absolument que je lui lise des choses spirites.
Elle me faisait lui lire les livres de Richet sur les ectoplasmes
qui se mettaient à parler en prenant la forme de la personne
morte[6].

*Elle voulait continuer à entrer en communication avec sa
fille morte?*

Elle voulait entrer en communication avec Jacqueline, oui.
Elle me racontait tout cela, et moi je lui disais: «Écoute,
maman, tout ce que tu me racontes, après, ça me fait peur la
nuit! Quand je m'endors, ça me fait peur.» Alors, elle me
disait: «Oui, j'ai tort, je ne devrais pas. Mais tu es la seule
personne à qui je peux parler.»

Là encore, elle vous prenait comme psychanalyste.

Tout à fait. Elle m'a tout à fait prise comme psychanalyste.
Mais à cette époque-là, j'étais grande, j'avais douze ans. Et
elle m'avait aussi demandé de jouer un rôle tout à fait extraordinaire, puisqu'elle me disait: «Prie! Prie!...» C'était la
veille du jour de ma première communion, le fameux jour où

37

j'ai eu cette histoire avec l'abbé R. qui m'avait signifié qu'il n'y avait pas matière à confession mais qu'il fallait prier pour ne pas penser. Lui, il m'a demandé de prier pour ne pas penser. Or maman, le soir, m'a révélé que Jacqueline, sa fille chérie, était perdue. Elle m'a appris que, selon les médecins, il n'y avait aucune possibilité de la sauver et que si elle guérissait, ce ne pourrait être qu'un miracle[7]. Et elle pensait que, si un miracle était possible, c'était le jour de la première communion d'un enfant. Ma mère était protestante et pas très férue des choses de l'Église mais, tout de même, la première communion... Et puis, son espoir que sa fille guérisse était si fort qu'elle était prête à n'importe quoi! Alors elle m'a donné la charge de prier pour que Jacqueline soit sauvée « parce que Dieu fait parfois des miracles, quand la prière est faite par quelqu'un qui a le cœur pur. Et on ne peut pas être plus pur que le jour de sa première communion ». C'était une première communion solennelle. Ma mère avait été éduquée dans le christianisme par son père qui, tout en étant protestant, avait, exprès, épousé une Française catholique pour être français (il venait d'Allemagne du Sud). Dans son esprit, être français c'était être pour les Droits de l'Homme de 1789 et catholique. Sans ça, on n'est pas français! Il avait épousé une catholique, ma grand-mère, qui s'en fichait complètement. Elle n'est devenue grenouille de bénitier que sur le tard, mais quand elle était jeune, elle s'en fichait tout à fait et n'éleva pas chrétiennement ses enfants. Elle n'allait à la messe que parce qu'il le fallait. Tandis que maman avait été élevée vraiment dans l'enseignement de la Bible par son père qui était protestant, croyant, et qui élevait sa fille dans les préceptes du Christ. Elle avait donc l'idée que, le jour de la première communion catholique (la communion privée n'avait pas lieu à quinze ans comme chez les protestants mais dès sept ou huit ans), bien que moi je n'aie communié pour la toute première fois que lors de ma communion solennelle à onze ans, un miracle était possible. Et elle m'avait donné ce but de prière.

Prières que j'ai
addressés spécialement
pendant mon action de grâces.

J'ai d'abord demandé à
l'oncle Pierre d'intercéder
auprès de Dieu pour l'ac-
complissement de mes
demandes.

J'ai demandé en premier
la guérison de Jacqueline
et je suis sûre qu'elle s'opé-
rera car il m'a semblé
entendre une voix qui
me disait que ma prière
avait escaucée. J'ai demandé ensuite la conversion
de Papa et je vois qu'hier
il s'est levé de bonne heure

L'un me demandait de ne pas penser, l'autre me chargeait de sauver Jacqueline : j'ai raté sur tous les plans !

Ce qui me frappe dans ce que vous dites là, c'est qu'au fond, ce que vous a demandé votre mère, des milliers de gens vous l'ont demandé par la suite, mais en l'exprimant autrement.

Certainement, oui.

Elle vous a demandé de résoudre un problème de biologie, un problème médical qu'on ne pouvait pas résoudre en l'état de la science de cette époque-là. Et, elle vous a demandé de le faire par une parole qui n'est peut-être pas la parole la plus appropriée.

Elle m'a demandé de l'obtenir de Dieu.

En revanche, dès que vous avez été psychanalyste, des centaines, des milliers de parents sont venus vous présenter des cas désespérés. Certains même disant – vous me l'avez raconté bien des fois – : « Il n'y a que vous qui pouvez sortir cet enfant d'affaire. » Je me souviens du cas de ce petit qui était venu, ici, de Normandie, le père ne voulait pas vous payer à la fin, vous vous souvenez ? Et, après avoir parlé avec eux, vous êtes allée le chercher dans votre salle d'attente et il est venu en marchant, alors qu'il ne marchait plus depuis je ne sais combien de temps, qu'il ne parlait pas...

C'est ça. En lui disant : « Mais non, tu ne marches pas. » Alors, il s'est mis à marcher.

Autrement dit, toute votre vie, cette demande s'est répétée, mais concernant des problèmes psychiques et avec une

40

*parole d'analyste. Par votre mère, vous avez bel et bien
été très, très tôt assignée à une tâche...*

C'est ça, mais pour vous répondre, je n'avais pas d'attirance
pour la télépathie.

Mais le «sans-fil» vous a marqué, quand même.

Le sans-fil m'a marqué parce que c'était associé à mon père, à
la science, au nouveau, à la tour Eiffel, à l'heure juste. Et que
l'heure juste c'était drôle parce qu'on ne l'avait jamais. Maintenant, tout le monde a l'heure juste, mais ça n'existait pas à
l'époque.

*Vous qui aviez un tel imaginaire, vous vous représentiez
comment ça marchait ce «sans-fil»? C'étaient des ondes
qui se promenaient?*

Oui, mon père m'avait raconté que c'étaient des ondes. Alors,
je voyais des ondes, comme l'effet d'un caillou dans l'eau. Il y
avait des appareils sur ces ondes, qui les percevaient et les
faisaient entendre aux gens. Il y avait une médiation percep-
trice qui était sur une autre onde et je me représentais les éva-
nouissements de la musique qui venait d'Amérique – on
appelait ça du *fading* – comme des nuages électroniques, on
ne sait pas très bien, en tout cas moi, je ne sais pas. Je trouvais
cela extraordinaire parce que c'était comme une lutte, comme
les sultans dans mon jeu : c'était une lutte contre les ondes de
ceux qui ne voulaient pas que les ondes aillent transmettre le
message dont elles étaient porteur. Tout, pour moi, était
représenté imaginairement. J'étais très visuelle et je le suis restée. J'écoutais et ça s'évanouissait, puis ça revenait. Ce rythme
me donnait une image de l'immensité de l'espace alors que
les ondes ne m'avaient donné jusque-là que le temps, sous la
forme de «l'heure exacte». Avec l'écoute des Américains,

41

j'étais dans l'espace, moi qui vivais une petite vie très, très réduite à la maison, car nous étions vraiment les uns sur les autres. La TSF me donnait le monde entier à partir de 20 heures, quand venait l'obscurité...

Ça a donc fonctionné comme une ouverture.

Tout à fait! C'était l'ouverture sur le monde, sur toutes les chansons de Montmartre.

Sur l'autre, la parole, la musique.

On a d'abord entendu la musique, ensuite les paroles, par exemple des poèmes qu'on chantait au Lapin Agile. Il y avait une soirée du Lapin Agile par semaine; une soirée de musique de jazz qui commençait à être populaire; il y avait une soirée de récits historiques. Enfin, tous les soirs, ils faisaient quelque chose en paroles. Avec la voix de Radiolo. Je ne sais pas si vous vous souvenez de Radiolo: il avait une voix, très grave, très belle. J'étais amoureuse de Radiolo[8].

Moi, je situe aussi dans la même logique que le poste à galène, quoique l'objet soit empiriquement très différent, comme les faux et les aiguilles, votre désir de devenir médecin d'éducation, qui est à peu près contemporain. Chronologiquement, c'est vers la même époque? Le poste à galène, c'est la guerre de 14?

C'est après. Les postes à galène ont commencé pendant la guerre de 14, dans les tranchées, mais moi, c'est après. Je devais avoir huit ans et demi. Mais, à la réflexion, comme j'avais dix ans à l'armistice, c'était donc avant la fin de la guerre. Ce qui est curieux, c'est que je ne me souviens pas des communiqués de guerre à la TSF. Je me rappelle beaucoup plus ce qu'ils racontaient à propos de la SDN[9]. Je ne comprenais pas grand-chose mais je comprenais que les gens essayaient de construire une autre manière de se parler qui permettrait qu'on ne se batte plus, qu'on ne se tue plus. En fait, il faudrait savoir, par l'histoire réelle, quand ont commencé les postes à galène. Je ne saurais pas le dire[10]. Enfin, c'est sûrement au moment où ça a commencé que *Le Sans-Fil,* vu en vitrine, titrait : « Construisez vous-même votre poste à galène. » Alors, j'ai voulu l'acheter et c'est ce que j'ai fait. J'avais déjà suivi la conférence de Branly, car mon père nous emmenait, quand il y avait des conférences intéressantes, au Trocadéro, dans une salle où on instruisait le grand public.

Comme aujourd'hui le palais de la Découverte?

Oui, c'était un peu ça, avec quelque chose du TNP en plus quand même, parce que, par exemple, je suis allée assez jeune voir *Cinna* et *Le Cid* pour les enfants, au Trocadéro. Ça avait un petit côté d'instruction populaire, de vulgarisation de domaines jusque-là réservés aux élites : la physique, la chimie. Il y avait aussi des conférences sur le fond des mers, sur les séismes, etc. Et mon père nous y emmenait en ribambelle quand quelque chose l'intéressait. Il disait à ma mère : « C'est jeudi, il faut envoyer les enfants là; c'est quelque chose de nouveau; il faut qu'ils entendent parler de ça. » Ou encore : « C'est fait pour les enfants, c'est bien qu'ils puissent y aller. » Il veillait à ce que nous nous intéressions à ce qui était nouveau.

Quoique ce ne soit pas directement par sa parole à lui. Il utilisait un relais qu'il commentait après, éventuellement, je suppose.

Oui, c'est ça. Mais il était très silencieux en général à la maison, toujours plongé dans un livre ou dans une de ces réussites qu'il faisait à longueur de journée. Après, si sa femme voulait bien, ou moi, il jouait aux échecs. Ainsi, il était toujours occupé, lui. Comme moi d'ailleurs. Mais, ce qu'il avait – que moi je n'avais pas – c'était la capacité de ne pas entendre ce qu'on disait autour de lui. Moi, j'entendais tout ce qui se disait!

> *Vous, vous captiez tout! Vous étiez l'«idéal du poste à galène»...*

J'étais comme un radiotélescope.

> *Un radiotélescope géant pour capter la parole des autres. Effectivement, rien ne vous en échappe, mais c'est pour en faire quelque chose.*

Oui, c'était pour en faire ce que je croyais être le bien, mais sans savoir ce que c'était.

> *Eh bien, ça allait être «médecin d'éducation». C'est sans doute là sa première formulation.*

Oui, ça s'est certainement formulé ainsi en premier lieu.

> *Vous souvenez-vous dans quelles circonstances ça vous est venu à l'esprit pour la première fois d'être «médecin d'éducation»?*

Quelle surprise ça a été pour moi de l'avoir dit!

> *C'est votre inconscient qui l'a dit?*

Sûrement. «Mais qu'est-ce qu'elle va inventer là?»

> *Vous vous souvenez à qui vous l'avez dit?*

44

A mes parents : « Moi, j'aurai un métier plus tard ! » Mes frères : « Quoi ? Qu'est-ce que tu auras comme métier ? Qu'est-ce que tu dis, ma pauvre fille ? Qu'est-ce que tu auras comme métier ? – Eh ! bien, je serai médecin d'éducation. » Tout le monde pouffant de rire : « Qu'est-ce que c'est ? – Je ne sais pas. Je ne sais pas, mais il faut que ça existe. » Là-dessus, j'ai raconté que les docteurs ne savaient pas que les enfants pouvaient être dérangés pour des choses qui étaient en eux, et qui n'étaient pas des microbes. « Alors, tu sais mieux que tout le monde, toi ? » Je vous passe les commentaires. Mais, il y a une chose qu'il faut que je vous raconte : quand j'ai eu quatre ans, nous avons déménagé. C'était en 1913. Jusque-là, nous habitions à Passy, rue Gustave-Zédé, en face du lycée Molière. Quand Philippe est né, nous nous sommes trouvés trop nombreux à cinq enfants dans ce petit appartement qui convenait bien pour trois enfants mais pas plus. Mes parents ont donc cherché un autre appartement qu'ils ont trouvé dans un immeuble moderne, comme on disait, avenue du Colonel-Bonnet – rue Singer d'un côté, avenue du Colonel-Bonnet de l'autre et rue Raynouard[11]. C'est intéressant parce que cet immeuble en pierres de taille a été construit à l'emplacement où se trouvait la fragile maisonnette en bois sur laquelle avait été placé le premier paratonnerre et qu'avait habitée Franklin quand il était venu à Paris. C'était gravé dans la pierre sur notre immeuble : « A cet endroit s'élevait la maisonnette sur laquelle le premier paratonnerre de Franklin a été expérimenté », etc.[12]. Moi, ça m'amusait : nous étions dans une maison construite à l'emplacement où la foudre avait été, comment dire ?...

Où quelqu'un avait fait quelque chose de bien, là aussi.

Avait fait quelque chose de bien *avec* la science – parce que tout de même je croyais à la science. Pas à celle des docteurs, mais à une autre qui était les relations humaines.

Et c'était ça, « médecin d'éducation »?

En effet, pour moi, c'était ça, « médecin d'éducation ».

C'était lier la science et le langage, la compréhension...

La compréhension des affects humains. Mais je me rappelle très bien que, la première fois que je l'ai dit, j'ai été épatée. Comme cette autre fois où j'ai dit – c'est une phrase qui a été dite aussi par je ne sais plus qui, je ne l'avais jamais entendu dire, mais mes parents l'ont répétée parce que ça leur est resté sur « la patate » (« Mais enfin, où vas-tu chercher tes idées? ») – où j'ai donc dit d'un air navré et assez fort, presque avec une pointe de rejet envers eux, car je sentais que j'étais très malheureuse d'être dans une famille qui ne me comprenait pas : « Je vois que je suis née trop tôt dans un siècle trop vieux. » Alors, ils se sont regardés : « Elle est complètement folle! » J'avais huit ans. Je me souviens très bien que c'était autour de mes huit ans et dans un moment de : « Je vais rater ma vie parce que je suis née trop tôt dans un siècle trop vieux qui ne me comprend pas. » J'étais malheureuse et je leur ai dit cela sur un ton de reproche, qu'ils ont très bien senti. Je crois que c'est une citation d'un auteur, je ne sais pas lequel, et que c'est la raison pour laquelle je n'ai pas été grondée[13].

Moi, je vois dans tout cela des mises en place progressives de ce qui vous a permis de survivre à la folie, de travailler, de penser, de vous socialiser.

Oui, surtout d'avoir un métier. Je cherchais quel métier. Je savais qu'il fallait que j'aie un métier depuis le début de la guerre. Car j'avais vu les décrépitudes des veuves bourgeoises qui n'avaient pas de métier, à la différence des travailleurs manuels ou des commerçants qui n'étaient pas dans l'obligation de changer le mode de vie de leurs enfants, leur statut économique et social. Elles avaient le chagrin de la mort de leur mari, mais elles n'en devenaient pas folles pour autant et la marmite continuait à bouillir. Tandis que c'était affreux de voir, dans ces beaux quartiers, des femmes habillées comme l'étaient mes parents, enfin ma mère, qui mendiaient et qui, folles ou pas, délirantes ou pas, racontaient à notre institutrice : « Si vous ne me donnez rien, si on ne m'aide pas... » Elles devaient dire : « Je n'ai plus qu'à faire le tapin pour nourrir mes enfants. » Moi, je ne comprenais pas : « Qu'est-ce qu'elle a dit qu'il faudrait qu'elle fasse ? » « Tu sais, la pauvre femme, elle est toute délirante, alors tu vois, je lui ai donné quelque chose. » C'est tout de même malheureux qu'il faille attendre, je ne sais pas combien, dix ans peut-être, surtout que c'était le début de la guerre, pour que la veuve d'un disparu puisse toucher de l'argent de la communauté ! Ça m'avait beaucoup frappée et je m'étais dit : « Il me faut un métier. » S'il arrive qu'on est veuf avec des enfants, il faut que celui qui reste, homme ou femme, ait un métier. Les hommes, eux, avaient un métier. Mais il faut que les femmes aussi en aient un parce que, sinon, elles ne peuvent pas faire vivre leurs enfants si le père n'est plus là. Il n'y avait pas de Sécurité sociale. Et même pour les gens qui disparaissaient du fait de la guerre, il fallait un temps fou pour prouver qu'ils étaient morts ; sans quoi on n'aidait pas la veuve ! Ceux qui étaient morts officiellement avaient une médaille ; la médaille donnait droit à un petit pécule qu'on versait à la femme. Et les blessés recevaient une pension leur permettant de se recycler dans un autre métier si l'infirmité ou la mutilation les obligeaient à changer de métier. Pour certaines familles, la guerre a provoqué un bouleversement complet au point de vue économique. Et je voyais que la raison principale en était que les femmes n'avaient pas de métier.

L'histoire politique et chronologique dans laquelle vous vous êtes trouvée prise vous a rendu nécessaire le choix d'un métier. Mais «médecin d'éducation», ça vient de votre logique à vous, de votre inconscient à vous.

Ça vient de ma logique à moi – et à ma surprise! De l'avoir dit, en fait, m'a vraiment fait être : à partir de là, je savais ce que j'étais.

Là, on peut supposer – mais c'est forcément hypothétique – que vous aviez, si j'ose dire, inconsciemment conscience qu'un enfant peut connaître de graves dangers et qu'il suffirait qu'il y ait un autre qui soit là, qui entende un peu quelque chose, pour le tirer de ce danger, et que vous alliez consacrer votre vie à cette tâche à partir de ce moment-là.

Absolument. Mais dans mon idée d'être médecin d'éducation, il n'y avait pas tellement le projet d'aider les enfants. Mon idée était davantage d'aider les parents à éduquer leurs enfants, à les comprendre.

Votre idée était donc plus de neutraliser le danger, plutôt que de soutenir les enfants eux-mêmes. S'il n'y avait pas un gros danger, naturellement les enfants iraient bien.

Sans doute. Tenez, je vais vous donner l'exemple de mon frère qui avait quatre ans de moins que moi et qui avait, à cette époque-là, trois ans. Son jeune frère était né, donc il était un peu jaloux et il nous faisait des histoires. Il y avait une Anglaise pour s'occuper de nous – parfois c'était une Irlandaise, ça dépendait. En tout cas, celle-là se saoulait avec l'eau de Cologne de maman. Quand elle était saoule, elle se disputait avec la cuisinière; celle-ci ne pouvait souffrir ces personnes qui, au lieu de manger avec elle à la cuisine, prenaient un plateau et chipotaient avec ce qu'il y avait au dessert. Ces nurses ne mangeaient ni avec les parents ni avec la cuisinière mais dans la chambre, avec le bébé dont elles s'occupaient. Et, un jour de dispute particulièrement vive, pendant que l'enfant mangeait sa bouillie, et que la cuisinière était venue poursuivre l'Anglaise pour lui dire des sottises jusque dans la chambre de l'enfant, le bébé a vomi sa bouillie. Il se trouve que j'étais présente. L'Anglaise a été alors obligée de dire à maman : « Philippe n'a pas pu manger sa bouillie. » (Avant elle, c'était une Française qui venait dire à maman : « Madame, je porte à votre connaissance que Monsieur Philippe s'est vidé par en haut. » C'était la femme de « Léon, les paons t'appellent ».) L'Anglaise, elle, ne s'exprimait pas en ces termes, mais elle disait, en anglais, à maman, que le petit n'avait pas accepté son repas. Maman, tout de suite, appelait le docteur qui s'appelait à ce moment-là D. Et D. disait : « Je viendrai demain matin; laissez-le à la diète en attendant. » L'enfant était furieux d'être à la diète. Il était sorti de l'ambiance de dispute et il n'avait plus du tout besoin de se vider en vomissant, pour se mettre à l'unisson de ces dames qui s'engueulaient! Il dégueulait pour qu'elles se dégueulent. Dans le même temps elles dégueulaient des mots et lui dégueulait ce qu'il avait à dégueuler. Et moi, je savais ce qui s'était passé mais je ne pouvais rien dire parce que, dans une famille, il ne faut pas cafter. Il y avait déjà assez de disputes entre mon frère aîné et les Anglaises pour que je n'aille pas encore aggraver les choses en disant : « En plus, elle se saoule! » Je voyais bien qu'elle laissait de l'eau de Cologne dans le flacon de maman qui disait : « Qui s'est servi de mon eau de Cologne? Elle a baissé ce matin, c'est honteux! » Naturellement, dans son esprit, c'était l'un de nous et elle venait nous flairer pour voir si on n'avait pas pris son eau de Cologne! Je savais, moi, que c'était l'Anglaise qui l'avait sirotée.

C'est à partir d'événements de ce genre que m'est venue

l'idée qu'il fallait faire comprendre aux parents que, si un enfant vomit, ce peut ne pas être de maladie, mais simplement dû au fait qu'il n'est pas content et que, dans ce cas, il faudrait lui donner un deuxième repas. Le plus terrible, c'est que, les jours suivants, c'était André – ou Philippe furieux d'être mis à la diète et de ne pas sortir – qui nous faisait des mistoufles pour s'occuper! C'était la vie de famille!

> *Le médecin d'éducation, si je comprends bien, est autant occupé de prévention que de soins.*

Oui, absolument! Autant de prévention que de soins.

> *Prévention du côté des parents et soins des enfants.*

Et il n'est pas toujours à faire des piqûres, donner des potions épouvantables et mettre à la diète, en attendant la prétendue incubation – parce qu'il y avait toujours une «possible incubation». Nous étions des incubes! Et, comme nous étions six enfants, ça incubait souvent!

2

Les fous du Dr Blanche et de l'immeuble moderne

Il se trouve ainsi que dans votre vie il y a une extraordinaire série de rencontres : vous rencontrez cette sorte de folie du langage, de la relation à l'autre, et à partir de là vous essayez de mettre en place quelque chose qui vous permette d'en sortir. Mais, en plus, vous rencontrez la folie dans l'écologie de votre vie : dans l'immeuble d'en face et même dans l'époque, avec la guerre.

Oui, mais ça m'a appris que la folie fait partie de la vie. Ce qu'on ne rencontre pas dans tous les immeubles!

Alors, commençons par l'immeuble. Vous habitiez à quel étage?

Au cinquième étage, et il y avait un seul appartement par étage. C'était au 2, avenue du Colonel-Bonnet. Les fenêtres qui ouvraient sur la rue Raynouard donnaient d'un côté sur le Sacré-Cœur, de l'autre jusqu'au Point-du-Jour[14]. Il y avait une vue fantastique. C'était très, très joli. Et, le 14 Juillet, on entendait tous les bals. Il y en avait beaucoup le long de la Seine et nous pouvions voir tous les feux d'artifice qu'on tirait de partout. Ça aussi, c'était très joli. Et, quand ont commencé les illuminations de la tour Eiffel, nous étions aux premières loges. Des amis de mes parents venaient voir les deux chevrons de Citroën. Enfin, c'était la Belle Époque!

Puis, en contrebas de la rue Raynouard, il y avait une grande surface occupée par la maison de fous du Dr Blanche. Elle était constituée de studios ayant un jardinet attenant – avec une table, un parasol, deux ou trois fauteuils –, séparé des autres par un grillage. Ces studios étaient réservés aux gens aisés. D'autre part, il y avait un grand jardin commun, pour ceux qui devaient occuper des chambres sans jardin privé. Tous les jours, quand il faisait beau, les pensionnaires se promenaient là de long en large, «péripatétitionnaient» sur place. Des jeunes femmes, de gentilles infirmières, vêtues de voiles blancs, venaient avec des plateaux leur apporter le thé. C'était comme un salon de thé spécial! Car on savait que c'étaient des fous qui étaient là.

Vous les voyiez de votre fenêtre?

Oui! Et c'était défendu de les regarder trop. Je regardais de derrière le voilage pour qu'ils ne voient pas qu'on les regardait, parce que c'est vrai que c'était désagréable pour eux.

C'était proche?

C'était tout proche! Il n'y avait rien d'autre que la rue entre nous et ce rez-de-chaussée. C'était de l'autre côté de la rue Raynouard. Et, parmi eux, il y avait Guy de Maupassant qui était visible quand il sortait. Il avait une petite chambre donnant sur un jardinet où il sortait. Mais, les jours d'orage, tous ces gens étaient d'une agitation extraordinaire, et, notamment Guy de Maupassant qui faisait des discours, qui hurlait : «Venez me sauver!» Moi, j'avais beaucoup de pitié pour ces gens qui hurlaient. J'étais étonnée de les voir hurler.

Il vous est arrivé de parler avec eux?

Non. Ils hurlaient comme s'ils voulaient tuer l'infirmière. Elle arrivait alors avec un lait chaud ou je ne sais quoi, le leur déposait et gentiment leur disait quelque chose. Ils continuaient de hurler mais ne lui faisaient aucun mal. Je pensais que c'était fou d'être dangereux en paroles et d'être un mouton en actes. Je trouvais ça très curieux et je posais des questions à l'institutrice qui m'expliquait : « C'est parce qu'ils délirent. Ils ne savent pas ce qu'ils disent. En fait, ils ont besoin d'être aidés par cette infirmière. Ils n'ont rien contre l'infirmière mais, quand elle n'est pas là, ils en ont contre tout le monde. – Alors elle, elle est tout le monde pour lui ?» Je réfléchissais à ce qu'elle me disait. Puis un jour, on apprenait par la concierge, qu'il y avait un pauvre malheureux qui s'était pendu, ou quelque chose comme ça... C'était ça la maison du Dr Blanche.

Vous avez l'impression d'y avoir vu Guy de Maupassant ?

Oui sûrement! Ce n'est pas une impression, je l'ai vu!

Vous êtes sûre ?

On le disait, en tout cas.

Je vais vous dire pourquoi.

Il n'y était plus à cette époque-là? Il était déjà mort?

Guy de Maupassant est mort en 1893, si je me souviens bien.

Eh bien, c'est ce qu'on racontait!...

Oui, c'est cela qui est intéressant d'ailleurs : la réalité de votre souvenir est prise dans le langage... Oui, Guy de Maupassant est mort en 1893. Il y a même là une histoire étonnante de convergences parce qu'il est mort, si je me souviens bien, en juillet 1893 et Émile Blanche est mort le 15 août 1893, quelques jours après, donc...

On parlait d'Émile Blanche aussi...

...et Charcot est mort le lendemain, le 16 août 1893.

Je n'ai pas du tout entendu parler de Charcot avant de faire mes études de médecine.

Émile Blanche avait pris la succession de son père, qui avait fondé la clinique...

C'est drôle ce que vous dites parce que je n'avais jamais fait le rapprochement entre Émile Blanche et le Dr Blanche...

Vous n'aviez jamais fait le rapprochement?!...

Non, je le fais aujourd'hui parce que vous le dites. J'entendais parler d'Émile Blanche, un homme de lettres...

C'était un lettré, c'est vrai, mais c'était un médecin, un psychiatre de formation.

Émile Blanche?

Mais oui! D'ailleurs il était en froid avec Charcot parce qu'en 1882 Gambetta qui était un ami de Charcot, avait confié à celui-ci la première chaire existant en France de clinique des maladies nerveuses, créée à la Salpêtrière – où vint en stage Freud l'hiver 1885-1886 –, chaire qu'Émile Blanche aurait voulu se voir attribuer. Non seulement c'était un psychiatre, mais en plus, il était fils de psychiatre.

Le Dr Blanche était donc Émile Blanche?

> *C'était Émile Blanche, le fils du fondateur de la clinique*[15].

Je ne savais pas. Pour moi Émile Blanche, c'était un académicien.

> *Certes, il était très mondain et fréquentait tout le monde littéraire et musical. C'est pour cela que furent hospitalisés dans sa clinique Nerval, Maupassant, et bien d'autres artistes, intellectuels et gens du monde.*

Pour moi, Guy de Maupassant était un pauvre malheureux qui avait attrapé une maladie («il ne faut pas parler de cette maladie!»). Voilà ce que j'entendais, petite fille. Il avait une maladie qui rend fou, qu'on attrape avec les femmes et dont il ne faut pas parler.

> *Vous n'aviez jamais fait le rapprochement entre Émile Blanche, le Dr Blanche et la clinique?*

Jamais! Émile Blanche, c'était un monsieur académicien; le Dr Blanche, lui, tenait une hôtellerie pour fous. Et pour moi, le Dr Blanche, c'était toutes ces dames blanches qui se promenaient...

> *Donc, Maupassant pour vous existait dans le discours de l'autre, où il devait être très présent!*

Maupassant était dans le discours. Mais ce qui est très curieux, c'est qu'une fille qui travaillait chez nous comme lingère – elle venait deux fois par semaine pour raccommoder – et qui s'appelait Suzane B. a épousé un fils de Maupassant qu'il avait eu d'une de ses dernières liaisons. Elle a eu un fils de ce fils de Maupassant marqué de syphilis et qui est mort très jeune. Cet homme avait un caractère épouvantable. Et le fils qu'a eu Suzanne B. avec lui fut un artiste raté qui se croyait doué pour la peinture. Cette femme gagnait son pain avec son aiguille pour ce fils qu'elle a élevé et fait vivre toute sa vie. J'ai continué à la voir. D'ailleurs, c'est elle qui est venue m'aider pendant la guerre, quand Jean était petit. Elle était restée dans la maison, de ma naissance jusqu'à mes quatorze ans; c'est là qu'elle s'est mariée avec ce fils, plus âgé qu'elle, de Guy de Maupassant, après avoir subi pendant la guerre de 14 le deuil dramatique de son fiancé que nous aimions tous beaucoup. Après cela, on croyait qu'elle ne se marierait jamais. Même moi, dans mon idée, je m'étais dit : « Elle entrera chez les bonnes sœurs. » Quand on ne se marie pas, n'est-ce pas ? Et, un jour, elle est venue parler à maman et lui a dit qu'elle avait rencontré un garçon qui avait été si malheureux avec un père ci, un père ça, que c'était un hérédo[16], mais que le docteur lui avait dit que cette hérédo pouvait être dépassée, qu'il pouvait avoir un enfant qu'on pourrait soigner tout de suite, etc. Et c'est ainsi qu'elle a eu ce fils qui d'ailleurs, lui, n'a pas eu d'enfants – ce qu'elle m'a raconté plus tard, j'étais devenue psychanalyste, quand elle est venue me voir avant de se retirer. Cette femme avait vingt-deux ou vingt-trois ans de plus que moi. Elle a donc assumé cet enfant. Puis elle a eu un deuxième enfant, une fille. L'un et l'autre vivaient vraiment dans la misère morale et physique, en traînant ce boulet d'être des « hérédos » dès la naissance. Son fils était homosexuel, et elle m'a dit : « Vous savez, je croyais que les homosexuels étaient des gens pas bien. Mais mon fils, ce n'est pas quelqu'un de pas bien ; seulement il n'est pas comme les autres. » Tout de même, le fils de Maupassant ! Moi qui, très tôt, ai adoré les nouvelles de Maupassant, je me suis dit : « Mais des fous qui écrivent des choses aussi belles, ce ne sont pas des fous[17] ! »

Le Dr Blanche, c'était donc en face de chez nous. Dans l'immeuble même, nous étions au cinquième étage.

Nous avons déjà parlé de la folie qu'il pouvait y avoir au cinquième étage...!

Au cinquième étage, la folie je la connaissais bien : je vivais dedans! Et il y avait six étages. Au sixième étage habitait un vieux monsieur qui s'appelait M. N. et qui était le P-DG, comme on dit maintenant, des gants N., du jersey N. qui servait à faire les guêtres d'hommes. A ce moment-là, les hommes portaient des petites guêtres, vous vous rappelez? Son magasin se trouvait avenue de l'Opéra. Les gants N. avaient l'air de suédine en n'étant que de tissu. N. c'était une marque, qui a disparu peu avant la guerre de 40.

M. N. était un vieux monsieur de soixante ans (maintenant je trouve ça jeune, mais à l'époque j'entendais parler d'«un vieux monsieur de soixante ans») qui, de temps en temps, devant la fenêtre de la pièce qui correspondait chez nous à la salle à manger, faisait descendre un gros sac au bout d'une corde et hurlait : « Je vais lâcher! Je vais lâcher!» Il croyait avoir mis sa femme par la fenêtre dans le sac! Or, sa femme était morte avant même que nous n'entrions dans l'immeuble! C'était un vieux monsieur qui avait été, paraît-il, très difficile avec sa femme avant qu'elle ne meure et qui, après sa mort, régulièrement délirait qu'il allait la jeter par la fenêtre. Mais ça ne descendait jamais plus loin que le milieu de la fenêtre. C'était aussi bien pendant le déjeuner que dans la journée. Et, comme la salle d'étude où nous faisions nos devoirs était à côté de la salle à manger, quand nous entendions glapir, nous allions voir : « Ah! M. N. est en train de pendre sa femme!» Alors on prévenait la concierge qui téléphonait au fils de M. N. Il venait avec une ou deux personnes qui devaient être des infirmiers. Il décidait son père à le suivre et on les voyait descendre avec des valises. M. N. était parti pendant un mois ou deux. Puis il revenait, tranquille jusqu'à ce qu'il recommence à jeter sa femme par la fenêtre. Nous, ça nous intriguait et, en même temps, ça nous amusait, sans qu'on ait le droit de le dire, parce que «c'est tout de même trop triste d'être fou à ce point!».

En vous, vous en pensiez quelque chose, enfant?

Moi, je pensais que c'était du folklore en même temps que c'était très triste que quelqu'un qui a aimé sa femme en soit réduit à croire qu'il la met dans un sac pour la menacer, comme un enfant, de la jeter par la fenêtre. Mais quand on le rencontrait, c'était un monsieur comme tout le monde, qui faisait un salut à ma mère et remettait son chapeau – à l'époque, un Cronstadt. Ce n'était même pas un melon parce qu'il était vieux. Une personne jeune comme mon père mettait le melon mais les vieux portaient le Cronstadt: un chapeau bas de forme, avec l'allure d'un haut-de-forme.

Dans nos consultations, combien de fois nous avons des psychotiques avec lesquels, il y a des moments où nous parlons, ils comprennent, ils parlent, nous comprenons, avec l'impression que ça circule et puis d'un seul coup: patatras!

Oui! Et lui, c'était un homme qui avait très bien dirigé sa boîte. Puis, son fils avait pris la suite. Voilà pour N. qui habitait au sixième.

En dessous de chez nous, il y avait le quatrième. C'était un lieu très curieux. Il y avait là une femme superbe, au physique superbe, habillée comme on habille les princesses telles qu'on les voit sur les peintures ou les dessins de l'époque parce qu'il n'y avait pas encore beaucoup de photos, seulement un petit peu: des photos des gens dans les calèches, des scènes de ce genre. Elle était habillée comme les dames dans les calèches, avec des dentelles, des perles. Elle parlait de façon raffinée, avec un léger accent mais elle était française. Elle portait un drôle de nom. On disait qu'elle était la fille d'un fabricant de savon de Marseille, très riche, qui avait épousé une femme russe. Fille d'une femme russe et de ce savon de Marseille, elle aurait épousé un comte russe qui s'appelait le comte S. Ce doit être vrai. En tout cas, c'est ce que nous en savions. Cette femme superbe, au type russe, avec un petit accent bien que française, était charmante avec nous quand elle nous rencontrait dans l'escalier – ce qui était très fréquent, parce que l'ascenseur était tout le temps en panne. C'étaient des ascenseurs très beaux mais qui ne marchaient pas souvent. Donc, Mme S. parlait souvent avec maman. Elle disait : « Je m'excuse pour ma fille, je m'excuse. » Elle avait une fille aînée, très grande et très belle, mais qui se tenait tout à fait courbée. Elle ressemblait à Dante, dans mon souvenir, avec son visage assez jaune. Elle était gentille, tout en ayant l'air d'une sorcière; mais vraiment gentille quand elle nous parlait. Elle déambulait, cette géante, avec un nain bossu, un monsieur dont Mme S. disait : « J'aimerais tellement que ce soit plus clair. Qu'il soit mon gendre, au moins! Mais c'est impossible avec Olga, c'est impossible! Elle ne peut se passer de lui, mais il faut qu'ils se disputent sans arrêt. C'est un érudit, madame, c'est un érudit. » Je ne sais plus ce qu'il faisait; il travaillait à la Bibliothèque nationale, ou je ne sais où. Et ce petit homme qui ne perdait pas un pouce de sa taille, était terriblement déformé par son énorme bosse. Dans son enfance, il avait été frappé d'infirmité à la suite d'une atteinte du mal de Pott, la tuberculose osseuse, et en avait gardé une gibbosité[18]. C'était d'ailleurs un ancien « Berckois[19] ». En plus, ils avaient un basset, un basset long – vraiment, une caricature de basset! Et ce trio – la géante courbée, le nain bossu et le basset allongé – parcourait sans arrêt l'avenue du Colonel-Bonnet dans les deux sens. Ils n'allaient pas plus loin parce qu'elle avait une peur phobique de dépasser la rue. Elle était comme ça tout en étant très gentille. Mais ça faisait drôle, quand nous partions nous promener, de les voir toujours sur ce trottoir. Ils attendaient que le basset ait fait sa crotte et puis ils redémarraient.

Ils parlaient, lui en faisant de grands gestes, et elle en secouant fortement la tête. On passait, en disant : « Bonjour mademoiselle S. ! » Elle répondait : « Bonjour, ma petite fille ! Vous allez vous promener ? Eh ! bien, bonne promenade ! » Elle était vraiment très gentille cette caricature extraordinaire. Quant au monsieur bossu, il ne disait pas un mot : ça le dérangeait qu'elle parle à quelqu'un d'autre. Le chien, non plus, il ne disait rien ! Et puis, on les retrouvait quand on revenait de promenade, faisant toujours la rue dans tous les sens. Voilà pour cette fille-là.

Il y avait une autre fille – peut-être l'aînée, peut-être la seconde, je ne sais plus – qu'un infirmier venait chercher tous les jours avec une calèche. Il la prenait, la portait et l'asseyait dans la jolie calèche pour l'emmener pendant deux heures prendre l'air au Bois. Cette fille-là était anorexique mentale et elle est morte de faim. On racontait qu'à la fin de sa vie, elle ne pouvait manger, avec difficulté, que deux à trois grains de riz que son infirmier arrivait à lui mettre entre ses dents serrées pour qu'elle puisse les avaler. Elle ne voulait plus manger depuis un amour malheureux remontant à ses dix-huit ans, et elle en est morte. C'était vraiment un squelette qu'on portait. C'était frappant ! Elle était très gentille aussi. Tant qu'elle a pu, elle a souri, cette tête de squelette. Elle me souriait à moi, petite fille, qui sortais et la regardais effrayée en sachant que c'était quelqu'un qui était un squelette ; elle me souriait à moi qui étais rondelette et qui aurais bien voulu être fine et svelte, mais qui étais grosse comme une boule qui roulait. J'admirais quelqu'un qui était arrivé à ne pas manger au point d'être si maigre. Tout de même, je n'aurais pas tellement voulu être ainsi ! Mais c'était très curieux, et on appelait cela « une folie ». Comme elle était si gentille, je ne comprenais pas qu'elle était folle et que, de ce qu'elle avait aimé quelqu'un, elle ne mangeait plus... Je ne comprenais pas très bien, mais enfin, c'était ainsi. Mme S. parlait d'elle à maman : « Je suis bien inquiète pour mon

Alexandra; ça ne va pas en ce moment. Elle est dans une mauvaise période.»

Par ailleurs, Olga la dingue, de temps en temps, ne supportait pas le bruit que nous faisions, nous les enfants. C'est que nous étions nombreux au cinquième étage et on se disputait, on se cognait dans les murs du grand couloir, on se courait après... Alors, Mlle S., quand elle n'était pas contente de nous ou pas contente d'elle, je ne sais pas, nous l'entendions parcourir le même couloir que nous mais à l'étage inférieur (puisque les appartements étaient les mêmes). Ces couloirs avaient six ou sept portes. Elle les claquait toutes, les unes après les autres, «toc, toc, toc, toc, toc», jusqu'au bout! Puis elle revenait, en rouvrant les portes, et «toc, toc, toc, toc, toc», elle les reclaquait. Et ainsi de suite. Ça pouvait durer une heure. Et je me disais: «C'est aussi insensé que ce que ferait le basset s'il courait.» Et, en effet, c'était tout à fait pareil. D'autres fois où elle n'était pas contente de nous, elle prenait une tête de loup – un balai – et elle cognait dans le plafond. A sa mère, maman disait: «Elle doit abîmer le plafond, à force! – Oui, le plafond est démoli! Il faudra que je fasse venir quelqu'un pour le faire réparer. Ça ne vous gêne pas trop? Vous savez, mes pauvres enfants sont marqués d'une hérédité que nous ne connaissons pas.»

Enfin Mme S. avait un fils superbe; aussi superbe qu'André Breton, que j'ai rencontré un peu plus tard. Mais lui avait un visage aux traits réguliers et non la tête léonine de Breton. Il était beau comme sa mère, d'une beauté régulière. Cet homme, grand, jeune, et fort – il paraissait jeune: dans mon esprit, il avait dix-huit, vingt ans – habitait lui aussi dans cette même avenue du Colonel-Bonnet; lui, on le rencontrait toujours avec une pomme entamée à la main. Toujours croquant une pomme et tournant sur lui-même, avec ses vêtements qui faisaient du vent autour de lui. Et, quand nous passions, sans un mot, l'institutrice disait: «Ne le regardez pas, mes enfants, passez, c'est un pauvre homme! Il a des idées dans la tête.»

Donc nous passions; on ne nous faisait pas stopper. Un jour, Mme S. nous a parlé de lui et nous a expliqué pourquoi il tournait ainsi : « Il n'est pas méchant, il n'est pas dangereux, c'est pourquoi il reste à la maison. Mais il est très coûteux parce qu'il fait le tour de tous les grands tailleurs de Paris. Il n'en trouve aucun qui puisse lui faire aussi bien du linge de corps que des vêtements qu'il ne sentirait jamais sur lui. Il ne veut pas sentir le toucher d'un vêtement sur sa peau. C'est très difficile à trouver. Les seuls moments où il ne sent pas ses vêtements, c'est quand il tourne sur lui-même dans des vêtements taillés très large. Alors là, il me dit : "Maman, enfin, j'ai la joie d'avoir des vêtements qui ne me touchent pas le corps." » Moi, ça m'intéressait beaucoup de voir cet homme qui faisait la toupie pour que ses vêtements ne lui touchent pas le corps. Mais c'est tout. Je n'en ai jamais su davantage. Puis, un beau jour, on ne l'a plus revu : il avait dû être placé dans une maison de santé en province. Il tournait trop dans Paris. Quelquefois, il gênait, en virevoltant ainsi dans la rue, sur le trottoir ou sur la chaussée. Il assumait une idée déli-rante. Voilà, ça, c'était le quatrième étage.

Au troisième, habitait un monsieur seul qui avait un drôle de nom : il s'appelait Quatrebarbes. Il n'avait qu'un menton, Quatrebarbes! Ça me donnait à réfléchir! Mais, en dehors de cette particularité, il était gentil, un peu précieux, assez pari-sien, c'est tout. On ne savait rien de lui. On chuchotait : « C'est Quatrebarbes! »

Et au deuxième étage...

Mais la façon dont vos frères l'appelaient aussi...?

Comment l'appelaient-ils déjà?

Troispoils!

Oui, Troispoils! Naturellement, ils avaient déformé! Trois-poils, Quatrebarbes... si bien que je ne savais pas s'il s'appelait Troispoils ou s'il s'appelait Quatrebarbes. Aussi, pour être polie, quand on me demandait de dire bonjour, je ne savais pas s'il fallait que je dise « Monsieur Troispoils » ou « Monsieur Quatrebarbes ». Ce qui faisait se marrer mes frères qui me disaient toujours que c'était... l'un ou l'autre ! L'institutrice a fini par me dire : « Écoute, tu diras "Bonjour monsieur", c'est tout. N'en parlons plus ! »

Donc, au deuxième étage, il y avait une dame folle. Celle-là, on l'appelait « la dame folle ». Elle était atteinte de folie mystique. Sa folie mystique se manifestait les jours de lune. Ainsi, en rentrant, nous pouvions la voir devant sa fenêtre, revêtue de voiles blancs et criant très, très fort : « Oh ! Tanit ! Oh ! Tanit ! » On l'entendait de très loin. Il est vrai qu'il n'y avait pas beaucoup de voitures qui roulaient à l'époque, seulement un fiacre de temps en temps. En plus, la rue où nous habitions était une voie privée. Je ne savais pas ce que cela voulait dire, à l'époque. C'était affiché : « Voie privée. » Le sol était recouvert de dallages en bois. Et elle ne s'appelait, pas encore avenue du Colonel-Bonnet. Ce nom ne lui a été donné qu'après que le colonel Bonnet eut été tué à la guerre. Auparavant, elle s'appelait avenue Mercedes[20], et était la propriété des usines Mercedes qui l'avaient fait percer et avaient fait construire les immeubles qui la bordent. Nous avons été les premiers occupants de notre appartement. Et dans l'immeuble, seul M. N. nous avait précédé. L'immeuble était d'ailleurs encore en construction quand mes parents ont loué cet appartement où il y avait l'électricité, le gaz, l'eau courante, chaude et froide, et le chauffage central, mais pas dans les chambres à coucher. C'est très curieux : les chambres à coucher étaient glacées mais il y avait le chauffage central dans les salles de réception ! Tandis que dans l'appartement de la rue Gustave-Zédé que nous quittions, il n'y avait que l'éclairage au gaz dans les salles de réception et la bougie dans les chambres. Et pas de chauffage au gaz. On se chauffait à l'aide de fourneaux à ronds de fonte où on mettait du charbon. Il n'y avait pas non plus de salle de bains; on se lavait dans un tub à la cuisine. Nous avions donc changé pour le «confort moderne», comme on disait. Mais, dans cet immeuble avec le confort moderne, on rencontrait aussi tous les fous de la terre!

Donc, au deuxième étage habitait cette dame atteinte de folie mystique les jours de pleine lune. De plus, elle allait à la messe tous les matins, je ne sais plus à quelle heure, mais quand nous partions pour aller à l'école ou faire une course, nous croisions Mme de G. qui revenait de l'église de la Sainte-Table, rue de l'Annonciation, marchant toute raide, comme une caricature, comme si elle revenait de la communion pour reprendre sa place dans l'église. Elle parcourait ainsi tout le chemin jusque chez elle. C'était une exhibitionniste de sa religion. Quand la guerre est arrivée, notre cave est devenue un abri pour le coin. C'est là que j'ai ressenti une contradiction entre la componction où me mettait le spectacle de la piété de cette dame – encore que je trouvais curieux de prier la lune – et la découverte de ce que c'était une vache qui faisait crever sa bonne; la bonne était là et le racontait aux autres personnes autour! Comme cette femme était riche, elle avait une table chauffante – c'était en réalité une table de jardin avec une lampe à alcool en-dessous. Alors, comme une personne qui rassemble ses oies, elle nous disait: «Venez, venez les enfants! Venez prier près de la table chauffante, vous aurez moins froid!» Nous nous disions: pourquoi pas? et nous allions nous mettre près de la table chauffante. En même temps, il fallait la regarder du coin de l'œil parce que, dès qu'on entendait un bruit, une bombe qui tombait, elle obligeait tout le monde à se lever et à prier pour les pauvres âmes qui comparaissent au Jugement. Certaines allant en Enfer, il fallait réciter je ne sais combien de «Je vous salue Marie» pour elles; d'autres allant au Purgatoire, il fallait aussi prier pour elles. Elle les triait, mettait les gens dans des cases, et l'on priait pour les cases différentes de ces gens qui devaient paraître devant le Seigneur; tout cela parce qu'on avait entendu la grosse Bertha! Pendant ce temps-là, la bonne pouffait et racontait qu'elle, elle n'avait droit, chaque jour, qu'à une pomme de terre dans du lait avec deux morceaux de sucre; que tout était fermé à clé; qu'elle crevait de faim chez cette M. de G. et qu'elle n'y restait que parce que la famille de sa patronne était très gentille avec elle et lui donnait de l'argent; mais qu'elle était obligée de se nourrir de son côté, Mme de G. ne voulant pas davantage la nourrir. Alors je me disais: «Des gens aussi saints et aussi salauds en même temps, c'est tout de même drôle!» Et notre institutrice à qui je posais toutes mes questions m'a répondu: «Tu sais, ce n'est pas de la vraie sainteté. C'est de la folie mystique. Elle se croit très bien avec le bon Dieu mais, tu vois, ce sont des idées qu'elle a dans la tête. Quand on est bien avec le bon Dieu, on est gentil avec les humains. Or elle, elle n'est pas gentille avec les humains, mais elle fait des prières pour les âmes du Purgatoire et les gens qui vont en Enfer. Ces prières ne font de mal à personne, mais ce qui est embêtant c'est la façon dont elle traite les vivants.» Tout cela me donnait à réfléchir. De voir une personne qui se comporte d'une façon qu'on pourrait croire exemplaire sur un certain plan et puis qui vit complètement en contradiction avec son état spirituel apparent. C'était ça, alors, la folie, cette contradiction qui déjà m'avait frappée chez Guy de Maupassant qui écrivait des choses si belles... Maman me disait: «C'est bien juste pour ton âge de lire déjà Maupassant!», à quoi mon père répondait: «Mais, non! Il vaut mieux lire de la belle littérature. Ou on comprend, et c'est qu'on est en âge de la lire, ou on ne comprend pas, et c'est qu'on n'était pas en âge de la lire.» Mon père avait tout à fait raison. D'ailleurs, mes parents n'ont jamais limité mes lectures, jamais. C'est ainsi que, comme ils avaient Guy de Maupassant dans leur bibliothèque, je lisais Guy de Maupassant. J'en entendais parler comme d'un fou et je ne savais pas qu'il n'était pas actuel puisque, dans mon idée, il l'était!

3

La vie de famille

A quel âge êtes-vous arrivée dans cet immeuble-là?

A presque cinq ans, au mois de septembre 1913. J'allais avoir cinq ans en novembre. Philippe qui est le frère qui vient après moi, est de mars 1913. Il est le dernier à être né dans la maison précédente.

Vous aussi, vous êtes née dans la maison précédente?

Oui, 18 rue Gustave-Zédé. Je suis née à la maison, avec une sage-femme qui s'appelait Mme P. et qui était une brave femme qui a accouché maman de tous ses enfants jusqu'à Philippe. Pour Philippe, c'était déjà la mode de «bourrer le mou» des dames bourgeoises pour qu'elles accouchent chez un accoucheur, mais malgré cela, maman a encore accouché à la maison. Cependant, comme il paraîtrait qu'elle aurait été un peu déchirée, pour André, elle est allée chez un accoucheur. C'était la première fois que maman s'en allait pour accoucher chez un monsieur qui avait un appartement aménagé à cet usage. Mais, tant qu'elle a accouché à la maison, tout était prévu pour le travail de la sage-femme, en particulier la cafetière.

Pour se maintenir éveillée?

Probablement...

> *Parce que le travail peut être long; alors la cafetière, c'est le premier outil?*

Un outil personnel, tout à fait. D'ailleurs, à la maison, il y avait la cafetière de P. C'était sacré. Et, quand il n'y avait pas d'accouchement, elle restait dans un coin de placard : c'était la cafetière de la sage-femme, «pour quand elle reviendra». Ces souvenirs qui remontent là, ce sont comme des flashes de sociologie.

> *Oui, mais c'est aussi ce dans quoi vous avez vécu votre enfance : à la fois la réalité et le langage.*

Oui, absolument.

> *Là, vous avez à peu près cinq ans, et je dirais que toute la scène est en place. Il y a donc la folie, dans la relation à l'autre, dont vous avez parlé tout à l'heure, maintenant il y a la folie sociologiquement installée un peu partout, dans l'immeuble, à la clinique du Dr Blanche en face, la guerre qui éclate; et puis, comme par hasard, c'est aussi le moment où, «au moins trois jours», vous avez été «schizoïde» pour reprendre les termes dont vous vous servez dans* Enfances.

C'est vrai, mais c'était un peu avant. Nous étions encore rue Gustave-Zédé. C'était l'époque où nous allions tous les jours au Bois en traversant cette passerelle. En fait, cet épisode doit se placer à peu près deux ou trois mois après la mort de mon grand-père maternel, qui ne m'avait pas laissé de traces. Mais, en y réfléchissant maintenant, je pense que c'est la mort de mon grand-père qui avait rendu urgente la réponse à la question : «Qu'est-ce qu'il y a après la mort?» Cette question se posait à moi depuis longtemps, tous les jours, au moins une fois par jour. Nous faisions donc deux fois par jour l'aller-retour jusqu'au Ranelagh. La rue Gustave-Zédé donne dans la rue du Ranelagh : on traversait l'avenue Mozart et, au bout, il y avait la passerelle qui passait par-dessus la voie de chemin de fer de la petite ceinture où des trains à vapeur passaient sans arrêt. Il n'y avait pas le nombre de taxis et d'autobus qu'il y a aujourd'hui. La petite ceinture était très fréquentée. Presque tous les jours, au moins une fois sur les quatre passages sur la passerelle, nous étions pris dans la fumée. Et, si ça ne se produisait pas, nous attendions un peu parce qu'il y avait des trains toutes les dix minutes. On pouvait toujours passer un peu de temps dans la boutique du cordonnier chez qui on déposait les chaussures à ressemeler; sa petite bicoque était sous la passerelle[21]. C'était amusant. Ainsi on retrouvait chaque jour ce nuage qui permettait d'être en plein ciel et de rêver d'ailleurs.

> *On avait dû vous dire que votre grand-père était monté au ciel...*

Oh! oui. Sûrement! Je ne me souviens pas.

> *Et dans ce nuage, vous rejoigniez le grand-père, un petit peu?*

Eh non, justement! C'est ça qui était le pire. D'ailleurs, je ne cherchais pas à le rejoindre. C'était quelqu'un d'un peu lointain. Pour moi, il était comme les grands-parents de *L'Oiseau bleu*[22]. Je le voyais tous les jours en train de faire sa partie de dames, dans son jardin, car nous allions tous les jours lui dire bonjour. Cet homme âgé était gentil mais ne s'occupait pas beaucoup des enfants. Pour une fête, il donnait toujours à chacun de nous un louis d'or, une petite pièce de dix francs en or. C'était son cadeau de jour de fête. Peut-être pour notre anniversaire, peut-être pour le sien? Je ne sais plus. Mais je garde le souvenir de ce grand-père qui sortait d'une petite poche de son gilet une petite pièce de dix francs : «Voilà, Françoise! C'est pour toi, pour ta fête, tu la mettras bien de côté.» Je n'avais pas beaucoup de relations personnalisées avec lui; il était trop âgé et un peu impotent. Ma mère, elle, adorait son père dont elle porta le deuil quand elle était enceinte de Philippe.

Donc, quand nous étions dans la nouvelle maison, nous allions moins souvent à la passerelle puisque nous habitions plus loin. Mais comme notre cours se trouvait 119, rue du Ranelagh, à côté de la passerelle, les jours de cours – ma sœur allait en cours trois fois par semaine, et j'allais l'accompagner – nous allions en promenade au Ranelagh, mais une seule fois. Donc, nous ne faisions plus les quatre passages alors. D'autant que nous revenions par La Muette, c'est-à-dire sans passer par la passerelle. Nous habitions désormais près de La Muette ou plutôt près de la place de Passy. En allant chercher Jacqueline à son cours, nous allions au Ranelagh en traversant la passerelle. Nous remontions ensuite à pied par la gare qui est sur la place de La Muette, puis là, nous prenions la rue des Vignes, pour aller directement rue Singer et arriver à notre rue. Nous faisions toujours beaucoup de marche à pied parce que maman exigeait que nous prenions l'air. Dans la famille, il fallait prendre l'air matin et soir. C'était sacré. On prenait donc l'air. C'est peut-être pour cela que je n'en prends même plus. Je prends l'air ailleurs aussi[23]. A cette époque-là donc, mon grand-père étant mort, Philippe allant naître et venant de je ne savais où, je me posais la question de ces lieux où l'on est en compagnie de gens invisibles. Je me disais : «Il faut que je pose la question! Que je n'oublie pas de poser la question!» Et un beau jour, je n'ai pas oublié. Or, ce jour-là, je me suis aperçue que Mademoiselle n'arrivait pas à me répondre, tout en étant très sincère d'ailleurs. Elle m'a dit : «Tu sais bien! On dit que d'abord on enterre les morts mais c'est seulement leur corps, et de l'âme, on dit qu'elle va au Ciel, quelquefois au Purgatoire parce qu'on n'a pas été très bon sur Terre. Moi : « On dit ! Mais, on ne le sait pas ! Personne n'est revenu le dire ! » Elle était bien embarrassée : « Oui, on dit. C'est la religion qui le dit. » Moi : « Mais si la religion disait autre chose, on dirait autre chose ! » Elle : « Oui, mais on dit ça. » Alors, c'est là que je lui ai demandé : « Comment se fait-il que les gens puissent vivre en ne sachant pas où ils vont et qu'ils trouvent ça très drôle et très bien ? » Puis je me suis prostrée. Je suis revenue à la maison prostrée, « schizoïde », comme je l'ai dit. Et, là, je me suis accroupie devant la grande fenêtre – celle qu'on avait garnie de molleton tellement on avait froid, quand il y a eu les grands froids d'hiver car il n'y avait pas de chauffage dans les chambres à coucher – et je regardais les gens passer dans la rue en disant : « Mais cette personne-là, elle ne sait pas ce qu'il y a ! Elle court : elle court vers quoi ? Elle va mourir et elle est très contente ! Elle ne sait pas où elle va. Et l'autre, là-bas, elle ne sait pas non plus où elle va ! » Puis je me suis endormie et je suis restée dans cet état deux jours. Le troisième jour, c'était encore pareil, mais je me suis dit : « Je suis aussi bête que les grandes personnes ! » A partir de là, je me suis vraiment sentie aussi bête que les grandes personnes. Je me disais : « C'est tellement drôle de vivre quand on ne sait pas ce qu'il y a après ! » C'est dans ces conditions que mon ange gardien a pris tellement d'importance, alors qu'il n'en avait pas rue Gustave-Zédé. L'ange gardien, et saint François d'Assise à partir de sept ans. Parce que, à sept ans, j'ai quitté le lit d'enfant que j'avais jusque-là, un lit à barreaux qui venait de la rue Gustave-Zédé. Et ma mère m'a acheté comme cadeau pour mes sept ans un lit rustique de style Louis XVI, canné, mais pas ancien, le même que celui de ma sœur, pour la chambre des filles. C'étaient pour ainsi dire deux lits jumeaux. C'est aussi à partir de ce moment-là que j'ai su que ma mère m'avait donné comme patron, pas du tout sainte Françoise, mais saint François d'Assise. Elle était furieuse quand des gens me souhaitaient ma fête! Elle refusait leurs cadeaux en disant : « Mais pas du tout, ce n'est pas sa fête! Elle s'appelle Françoise parce que j'ai voulu lui donner comme patron saint François d'Assise et pas du tout sainte Françoise. Saint François d'Assise vivait avant le schisme, sainte Françoise ne m'intéresse pas du tout. » Saint François, lui, est un saint qui est reconnu par les protestants[24].

Une manière aussi de dire, peut-être, qu'elle ne vous acceptait pas comme fille. En tout cas, elle vous mettait au masculin.

Peut-être. Elle a appelé aussi ma sœur Jacqueline à cause de saint Jacques. Tous mes frères portent des noms d'apôtres. C'était très protestant. Oui, sûrement, les êtres masculins ont plus de succès auprès de Dieu que les femmes. Maman était très misogyne, les femmes n'avaient pas de valeur pour elle; elle-même était très soumise.

Quelque chose de son propre rapport au féminin, là?

Sûrement, sûrement. Pour elle, les femmes n'étaient bonnes à rien d'autre qu'à être les servantes des hommes. Et c'était déjà bien beau d'avoir l'honneur d'élever les enfants des hommes. Elle avait été élevée vraiment dans cet esprit par son père. Cependant, elle vivait d'une façon très moderne pour son époque car elle servait de secrétaire à son père et l'accompagnait dans tous ses voyages à l'étranger. Et comme il n'y avait pas encore de machines à écrire, elle écrivait tout à la main. Tous les papiers des affaires de mon grand-père étaient rédigés de l'écriture manuscrite de maman. En échange de quoi, elle a fait des voyages superbes à partir de dix-huit ans pour accompagner son père.

Et c'est ainsi qu'elle a connu mon père – en réalité, sa voix d'abord, avant de le connaître lui-même, car elle travaillait derrière un paravent d'où elle entendait, sans voir personne ni être vue, ce qu'elle avait à prendre en notes. Et un jour, ce fut mon père, faisant à mon grand-père un rapport sur l'usine où il était employé. Mon grand-père l'avait engagé à sa sortie de Polytechnique comme ingénieur à l'usine de Montbard, en Bourgogne, dont il était le patron.

Un jour, mon grand-père s'y est rendu pour le mariage de la fille du directeur de l'usine. Or, cette fois-là, il s'est fait tomber sur lui l'armoire de sa chambre, dans l'hôtel où il avait l'habitude de passer la nuit quand il allait à son usine, une fois par semaine. Mon père s'est empressé auprès de lui et lui a immobilisé la jambe avec des attelles. Comme c'était la fête au patelin – pensez! la fille du directeur de la petite usine qui se mariait –, il n'était pas question de déranger qui que ce soit : tout le monde était pris dans la folie du mariage. Mon père, lui, s'est entièrement consacré au directeur de Paris, s'est occupé de lui, l'a accompagné dans le train jusqu'à Paris, l'a ramené à la maison auprès de ma grand-mère et lui a dit qu'il viendrait toutes les semaines lui faire le rapport de l'usine puisque lui ne pouvait plus venir. Pendant tout le temps où mon grand-père a été immobilisé par sa fracture de la jambe, il est donc venu faire son rapport. Et maman – Suzanne – se tenait derrière le paravent, à prendre en notes tout ce que disait le jeune ingénieur.

Puis, un jour, mon grand-père a gardé le jeune ingénieur à dîner et ils ont fait connaissance. Et c'est mon grand-père qui a beaucoup poussé sa fille à épouser mon père, alors qu'elle était éprise d'un autre jeune homme, un peu farfelu, musicien – maman était très musicienne – qui, finalement, dans la vie, a été, comme on dit, un fruit sec. Il était malin, c'était un artiste mais il n'a finalement rien construit. Protestante comme son père, ma mère voulait épouser un protestant blond aux yeux bleus : mon père était un catholique brun aux yeux bruns. C'est mon grand-père qui a tranché en disant : «Ce garçon-là

ne fera jamais rien dans la vie! Tu n'épouseras pas un fruit sec.
Tu épouseras Henri Marette qui est beau. Tu n'as pas à te
plaindre, c'est rare de voir un homme aussi bien...» Ce qui est
vrai, mon père, que vous voyez là-bas en photo[25], était très
beau. Il mesurait 1,84 m et maman 1,50 m.

Et, de fait, ils ont été très heureux jusqu'à la mort de ma
sœur. C'est leur manière de souffrir différente à tous les deux
qui a été terrible. Lui, il ne pouvait pas ne pas parler de sa
fille. Tout le conduisait à parler d'elle et des bons souvenirs de
l'époque où ils étaient jeunes. Tandis qu'elle, rien que le fait
d'entendre prononcer le nom de sa fille la faisait hurler
comme une tigresse blessée. C'était affreux. Alors, elle prenait
tout ce qu'elle avait sous la main, n'importe quoi, et cassait
tout : les assiettes, les plats, etc.; ou elle flanquait une chaise
dans la fenêtre et partait en claquant les portes, comme la fille
folle d'en dessous. Nous voyions notre mère devenir folle tout
d'un coup parce que mon père avait eu le malheur de dire à
table : «Tu te rappelles, on était avec Jacqueline...» C'était
affreux. Et lui était malheureux ensuite que son nom lui ait
échappé. Pour lui, c'était un moment de détente de penser à
sa fille alors qu'elle, elle l'avait idéalisée. Il y avait sa photo
avec des bougies allumées partout dans la maison. Elle voulait
la faire reparler grâce aux tables tournantes; elle participait
aux groupes Richet, à la Société métapsychique dont Charcot
s'était déjà occupé un peu. Richet, professeur à la faculté de
médecine, disait qu'il fallait étudier ces phénomènes scienti-
fiquement, alors que les gens en parlaient à tort et à travers.
Par la suite, Jean Rostand lui aussi s'en est beaucoup occupé.
Il a été un de ceux qui ont soutenu ces recherches. Il m'en
parlait de temps en temps. Évidemment, il en a conclu qu'il y
avait là, peut-être parfois, quelque chose de surprenant et
d'inexplicable mais que la plupart du temps, c'était superche-
rie d'un médium pour entretenir ce qui le faisait vivre. Il
n'avait jamais rien vu de véritablement probant et, pourtant, il
continuait à suivre toutes les séances de métapsychique. Je ne

sais pas si cette Société de métapsychique existe encore[26]...
Mon père, lui, vivait des souvenirs heureux. C'est étrange de
voir comme deux personnes peuvent souffrir différemment...
Des compensations à sa souffrance, mon père en trouvait de
cette façon. Pour lui, la vie continuait.

Alors que ma mère, qui jusque-là faisait une partie d'échecs
avec lui tous les jours après le déjeuner ou après le dîner, n'a
plus eu le cœur à jouer. Elle m'a dit : « Tu devrais jouer avec
ton père ; il aime bien faire une partie d'échecs après le déjeuner ou le dîner. » Je lui ai répondu : « Mais, tu sais, je n'en
serai pas capable. – Tu verras ; peut-être il t'apprendra à
mieux jouer. » Et, en effet, j'ai appris, mais tout en faisant mes
versions latines pendant la partie d'échecs. Lui, se concentrait
de façon incroyable sur la partie : ça durait trois heures! Tandis que moi, une fois que j'avais réfléchi sur un coup pendant
quatre ou cinq minutes, ça me suffisait! Ce qui est curieux,
c'est qu'il ne s'apercevait même pas que je faisais mes devoirs
ou que je lisais un bouquin, pas du tout. Il réfléchissait en
étant tellement absorbé qu'il ne voyait pas ce que je faisais,
puis, quand il avait joué, il me disait : « Maintenant, c'est à toi
de jouer! » Je sortais de mon bouquin, je cherchais quoi faire,
je jouais et je savais qu'alors j'avais une demi-heure de tranquillité devant moi. C'était drôle! Il jouait aussi à son cercle
des anciens de Polytechnique, où il allait une fois par
semaine. Maman disait, du temps de leur gaieté : « Je veux
bien croire que Mme Untel est la tenancière de votre restaurant... » Parce qu'ils avaient acheté en commun, je crois, le
fonds d'un restaurant qui s'appelait « Le Fin Bec ». Ils
s'étaient mis à une vingtaine de polytechniciens de sa promotion pour subventionner ce restaurant qui était très bon, et qui
se trouvait derrière la rue de Miromesnil. Le jour où il allait
au « Fin Bec », ça s'appelait « le jour des cocons ». Et c'était
sacré, le jour des cocons. Ça s'appelait ainsi parce que c'était
le jour où ils étaient supposés cocufier leurs femmes. Je ne
crois pas que ç'ait été le cas de mon père. Ma mère, d'ailleurs,

était certainement convaincue qu'il était fidèle. Peut-être était-ce le cas d'un ou deux d'entre eux...? En tout cas, ce qui était très amusant, c'était le côté enfantin de mon père, enfin adolescent. Il revenait toujours très joyeux des cocons et son récit commençait invariablement par : «G. s'est encore surpassé ce soir!» «Ah!, disait ma mère, qu'est-ce qui s'est passé? – Eh! bien, tu ne sais pas? il a dit merde d'une façon tellement particulière que je crois n'avoir jamais entendu dire merde comme ça!» Et il riait en racontant des histoires de cocons dont tous les polytechniciens avaient fait des gorges chaudes! Moi, je ne comprenais rien aux histoires qu'il racontait et qui le faisaient tant rire – un peu comme ces adolescents, vous savez, qui rient de quelque chose qu'on ne comprend pas. Ils se tapent les cuisses, ils rigolent, ils donnent une bonne bourrade à l'autre : «T'es formidable!» C'était cela les «cocons» de papa. Et puis il revenait aussi avec les dernières nouvelles de la politique et de l'économie : le cartel de l'industrie, le cartel de l'aciérie, les discours sur l'organisation politico-économique du monde qui se développaient tout de suite après la guerre, etc.

Tout cela, vous ne le compreniez pas beaucoup, je suppose, mais ça vous intéressait.

Je n'y comprenais pas grand-chose mais ce qui m'intéressait c'était de savoir ce qui intéressait mon père dans la vie.

La politique vous a intéressée dans la vie?

Enfant ou adolescente, c'était difficile parce que je n'entendais que des disputes à propos de politique. Je ne savais jamais quelle opinion politique adopter : ma mère était royaliste et mon père trouvait cela très drôle. Elle était pour Léon Daudet et Maurras; mon père était, je crois, mettons, conservateur-centriste. Mais sa sœur préférée, une blonde aux yeux

76

bleus, était mariée à un artiste-graveur qui, lui, était SFIO. Et, deux fois par semaine, quand ils venaient à la maison, il y avait des disputes politiques : une fois avec le côté de ma mère, une fois avec le côté de mon père.

Le côté de Maurras et le côté de Jaurès...

Voilà! Et puis il y avait tous ces hommes politiques dont on a beaucoup parlé après la guerre de 1914-1918 et qui étaient les bêtes noires de maman, une passionnée qui devenait rouge de colère dans la discussion. Elle ne pouvait mettre son beau-frère à la porte, mais c'était tout juste! « Du calme, du calme, Suzanne...! », disait papa. « Ce ne sont tout de même que des mots; nous sommes en train de discuter, il n'y a rien d'autre en jeu en ce moment. »
  Voilà : la politique pour moi, c'était tout cela.

Et c'en est toujours resté là, pour vous?

Oui, toujours.

Vous avez eu un frère qui a fait de la politique.

Ah! oui, le dernier qui fut un valeureux sénateur à trente-six ans, après avoir suivi de Gaulle à vingt ans. C'était un élève de Schumpeter, un économiste très célèbre, dont il était l'un des fervents disciples. A cette époque-là, il pensait devenir inspecteur des Finances. Puis la guerre est arrivée et il a suivi de Gaulle. A partir de là, son destin politique était noué. Pendant la guerre, il rendit de grands services aux réseaux de Résistance français et anglais, grâce notamment à sa connaissance de l'allemand[27].

Il connaissait parfaitement l'allemand?

Absolument comme un Allemand! Et cela grâce à moi. Lorsque mon frère est né j'avais quatorze ans. Ma mère a fait une crise de désespoir en voyant que ce n'était pas une fille blonde aux yeux bleus mais un garçon brun aux yeux marron, et elle a démissionné en disant : «Je suis trop vieille!» Ma sœur Jacqueline était morte deux ans avant, presque jour pour jour, et maman avait failli mourir de «fièvre cérébrale», pour dire les choses comme on le disait à l'époque, pendant les semaines qui ont suivi la mort de Jacqueline, et que nous avons passées en Auvergne. Mon père avait été appelé d'urgence par un médecin que Jean avait fini par trouver après avoir parcouru des kilomètres à bicyclette. En un premier temps, il ne voulait d'ailleurs pas venir voir maman. Mais, pris de pitié pour ce garçon qui avait à ce moment-là quatorze ans et qui cherchait un médecin pour sa mère, parce que le médecin du patelin où nous séjournions ne savait pas la soigner, ce jeune ancien interne des Hôpitaux de Paris récemment installé dans la région se fit expliquer l'état dans lequel se trouvait ma mère. Elle avait 41° de fièvre, elle délirait, et quand elle voyait l'un de nous, elle l'appelait «serpent» ou «vipère». Nous étions les vipères. Elle ne nous reconnaissait même pas comme ses enfants, tant elle était folle de douleur à cette époque où elle n'était plus dans un lieu où avait vécu ma sœur. C'était d'ailleurs précisément pour cela que nous étions venus en Auvergne. Finalement, il s'est déplacé et il est resté pendant vingt-quatre heures auprès de maman. Il ne l'a pas lâchée; nous lui devons vraiment beaucoup. Il a téléphoné à mon père pour lui dire : «Monsieur, il faut que vous reveniez tout de suite! Vous ne pouvez pas laisser votre femme seule dans cet état une demi-journée de plus. Il faut absolument que vous veniez.» Mon père est donc venu immédiatement et s'est enfermé dans une pièce avec le médecin pour parler de la situation pendant le déjeuner qu'on leur a servi à tous les deux. Comme maman délirait toujours, le médecin a dit : «Je m'occupe de votre femme pendant quarante-huit heures, je pense qu'elle sera remise d'ici là. Ensuite, vous la ramenez à Paris et vous laissez les enfants avec l'institutrice à Vic-sur-Cère (c'est là que nous étions) finir leurs vacances. Vous vous occuperez de votre femme et il faudra, dès que ce sera possible, qu'elle ait un autre enfant. Il n'y a qu'une autre naissance qui la sauvera.» Alors mon père lui a répondu : « Bon! Mais ce sera peut-être un garçon. – Ça ne fait rien, c'est une femme! Elle est cornélienne, votre femme, elle fera son devoir et son devoir la sauvera.» C'était vrai, et c'est ce qui s'est passé et qui lui a permis de sortir de son délire dans lequel elle disait qu'elle voulait que sa fille se réincarne en elle. De sorte que mon père n'a jamais désiré ce fils. Il l'a fait vraiment comme un devoir pour guérir sa femme. Toutefois, maman est toujours restée comme une vieille femme en deuil à partir de là. Mais elle a repris vie petit à petit, surtout grâce à son fils aîné qui était à Saint-Cyr à ce moment-là. Elle a conçu Jacques, le dernier, dans le même temps où Pierre, l'aîné, lui faisait honneur en étant reçu à Saint-Cyr. Et c'est avec Pierre qu'elle sortait promener le bébé le dimanche. Mon père restait faire des réussites à la maison. D'ailleurs, nous avons des photos où maman a écrit en légende «le jeune ménage», alors qu'elle y figure avec son fils aîné et le bébé. Et celui-ci appelait Pierre «Père»; c'est même le premier mot qu'il a dit, «père», et c'était pour Pierre. Bébé, il n'a jamais dit «maman», mais «Dadla». «Dadla», c'était moi, qu'on appelait «Vava» à la maison. J'étais «Dadla» et Pierre «Père»; nous étions ses deux référents. Maman, il l'aimait bien, mais ce n'était pas sa maman au sens vrai. Elle l'avait nourri au sein, pendant dix-huit mois, alors que nous, elle ne nous a nourris qu'un an. Elle disait : «Laissez-moi le bonheur de le nourrir aussi longtemps que je le pourrai puisque c'est le dernier.» «Comme vous voulez, madame! Pourquoi pas?» lui a répondu le médecin. Et Jacques est ainsi resté au sein jusqu'à dix-huit mois tout en étant un enfant très déluré, très intelligent. Pour tout le reste, c'est moi qui m'en occupais. Je l'avais dans ma chambre et je me souviens que je le berçais tout en faisant mes versions latines, et l'année d'après, mes devoirs de philosophie. J'étais en admiration devant l'intelligence d'un enfant.

> *C'est en même temps la première fois que vous avez été concrètement médecin d'éducation.*

Tout à fait! Mais, pas médecin : grande sœur. Ce qui est curieux, c'est que je ne me sentais pas du tout, vraiment pas du tout, maternelle avec lui. Je me sentais vraiment grande sœur.

> *Alors que lui vous prenait pour sa mère.*

Non; il me vivait comme une référence. Peu après, ma mère a fait revenir l'institutrice qui s'était occupée de nous avant et qui nous avait appris à lire à moi, à Philippe et à André, avant que nous allions à l'école. Elle avait déjà été l'institutrice de maman dans sa jeunesse!

Elle était venue chez mes grands-parents pour s'occuper de la sœur de maman qui avait huit ans de moins qu'elle. C'était « Mademoiselle » que plus tard nous avons, nous, appelée « Mémé »; elle s'appelait Élisabeth W. Elle faisait partie de la famille, un peu comme une tante. C'était une femme très intelligente qui avait été éduquée à l'École normale luxembourgeoise. Dans cette École normale, on formait des institutrices libres, férues de la méthode Fröbel. La méthode Fröbel – méthode allemande – fut la première méthode active européenne[28]. Et c'est grâce à cela que notre institutrice a su nous élever très intelligemment. Elle est arrivée à la maison, la première fois, pour aider maman durant l'été de 1911. Cet été-là, passé à Deauville comme d'habitude, maman était fatiguée. En outre, elle tenait à rester à Paris parce que son père était très malade. Donc, «Mémé» – Mademoiselle à l'époque – était venue avec nous à Deauville.

Dans le passage d'*Enfances* où je raconte mon apprentissage de la lecture, je rappelle que Mademoiselle s'est intéressée à la petite personne que j'étais. C'est la première fois que quelqu'un s'est intéressé à moi. Je m'en suis rendu compte et je lui en ai toujours été reconnaissante. Mais qu'elle était drôle! Ainsi, quand on allait à la plage, elle nous disait: «Allez! Allez! On n'est pas là pour s'amuser!» Je me demandais d'ailleurs pourquoi on allait à la plage si on n'était pas là pour s'amuser! On était sans doute là pour creuser des trous. Pourquoi pas? Elle était toujours occupée avec une petite broderie, un tricot, un raccommodage quelconque, sous le parasol, tout en nous surveillant. Elle voyait que j'aimais beaucoup la regarder travailler, que j'aimais beaucoup regarder les vagues de la mer; et elle appelait ça «baguenauder», ma manière d'être à ne rien faire et à regarder. J'étais ainsi faite quand elle est arrivée. Et, un jour, elle m'a dit: «Ça t'intéresse?» J'ai répondu: «Oui, c'est intéressant, cette aiguille qui prend de la laine, qui en fait quelque chose.» Et une autre fois: «Eh bien, j'ai pensé à toi, je t'ai préparé cela!» Elle m'avait commencé un tricot pour moi, exprès, pour m'apprendre. Que j'étais contente! Tout enfant j'étais déjà très adroite de mes mains. J'ai donc fait mon premier tricot: une couverture pour ma poupée entièrement au même point. Alors elle m'a dit: «Maintenant que tu sais faire le même point, on va faire des carreaux.» Quatre mailles comme ça, quatre mailles dans l'autre sens, je trouvais ça marrant, merveilleux! Et c'est ainsi que Mademoiselle a gagné ma confiance.

Par ailleurs, elle faisait faire leurs devoirs de vacances aux grands. Et il y avait beaucoup de livres à la maison parce que mon père avait été un brillant élève du lycée Michelet. Pendant toute sa scolarité, il avait eu de nombreux prix chaque année. Il avait tous les prix, papa. A cette époque-là, on donnait vraiment des prix merveilleux dans les lycées. Or, parmi tous ces livres, il y en avait un, rouge et or, dont je connais encore le titre : *Les Babouches de Baba Hassein*[29]. Ce livre me semblait magique du fait que je croyais que ses images bougeaient et qu'à ma grande surprise elles ne bougeaient pas. Je l'ouvrais, je baguenaudais, puis je revenais regarder l'image : c'était toujours la même, elle n'avait pas bougé! Alors, un jour, mes frères me lancent : « Mais, qu'est-ce que tu as à regarder cette image? Tu as l'air tout épatée. – Oui, je crois toujours qu'elle va bouger et quand je rouvre le livre, elle est toujours à la même place. » C'est intéressant, parce que maintenant que les enfants ont à leur disposition des images qui bougent, ce qui correspond à ce qu'ils désirent, ils ne peuvent plus faire cette invention et ils ne peuvent plus être questionnés par ce cheminement, dans leur imaginaire, d'une image qui, sur le papier, reste la même. Dans ce livre, il s'agissait de gravures en noir et blanc qui racontaient l'histoire d'un marchand d'Afrique du Nord. On voyait son petit bourricot, son échoppe et ses fameuses babouches en cuir. Les scènes se déroulaient dans les ombres et les lumières, que je trouvais tellement jolies, de ces souks qui sont couverts de branchages. Un jour, Mademoiselle ayant remarqué mon manège : « Il t'intéresse ce livre? – Oh! oui. Je voudrais savoir ce qu'il raconte. – Eh! bien, pour cela, il faut savoir lire; mais, si tu veux, je peux t'apprendre à lire! » Bien sûr que pour *Les Babouches de Baba Hassein,* je voulais apprendre à lire! Voilà comment j'ai fait mon apprentissage de la lecture, qui m'a tellement déçue par la suite. Je crois que s'il n'y avait pas eu cette motivation, je n'aurais jamais appris à lire. Un jour, l'institutrice a dit à maman : « Françoise saura bientôt lire. » Je me suis dit : « Elle est complètement absurde! Qu'est-ce qu'elle appelle savoir lire? C'est tellement idiot ce qu'elle me fait faire! » Il fallait vraiment que j'aie confiance dans cette femme pour continuer à aller tous les matins vingt minutes dans sa chambre pour apprendre cette méthode de lecture. Je

H. BALESTA

LES BABOUCHES

DE BABA-HASSEIN

ILLUSTRATIONS DE J. GEOFFROY

PARIS
LIBRAIRIE CH. DELAGRAVE
15, RUE SOUFFLOT, 15

crois que j'en parle dans *La Cause des enfants*. Combien de personnes m'ont écrit en me disant : «C'est exactement ce que j'ai vécu mais, c'est curieux, je ne m'en souvenais pas avant de vous avoir lue.» Ah! ça, je m'en souviens de mon apprentissage de la lecture, comme si c'était aujourd'hui, et de cette absurde activité, complètement idiote, qui s'appelait apprendre à lire! Je ne comprenais absolument pas où ça me menait. Absolument pas. Ça n'avait rien à voir avec ce que je ressentais devoir être «apprendre à lire». Rien. Et puis, un beau jour, cloc! j'ai su lire. C'était enthousiasmant et je me suis dit : «Ça y est, je vais lire *Les Babouches de Baba Hassein!*» Mais *Les Babouches de Baba Hassein* n'avaient aucun intérêt! Le texte était complètement idiot, sans aucun intérêt comparé à tout ce que les images avaient suscité en moi. Alors, ça me faisait drôle leurs cris : «Ça y est, elle sait lire! Françoise sait lire : ça n'a pas été long!»

J'avais appris à lire en trois-quatre mois, mais j'avais trouvé cela horriblement long et idiot. J'en pleurais, à la fin. Il me fallait un mouchoir. Vraiment, sans l'autorité de Mademoiselle et la confiance que j'avais en elle je n'aurais pas continué. Ce qui m'a sauvée, c'est qu'elle me disait toujours d'écouter ce que je lisais. Moi, j'ânonnais d'une voix tendue, les yeux fixés sur le texte pour assembler les lettres. Et, naturellement, un texte ne veut rien dire quand il est ânonné syllabe après syllabe. Alors, elle me disait : «Écoute ce que tu lis! C'est très, très bien, tu lis parfaitement, mais écoute ce que tu lis!» Et puis, un beau jour, j'ai réussi à écouter : c'étaient des syllabes séparées, mais qui voulaient dire quelque chose si on les joignait entre elles en les écoutant, en les faisant se relier. Alors je savais lire et je ne voulais plus lâcher le texte. Je voulais continuer. «Non, ça suffit pour aujourd'hui. Voilà une heure qu'on y est, tu reviendras demain!» Le lendemain, j'ai dévoré *Les Babouches de Baba Hassein* pour m'apercevoir que c'était con comme la lune et que, vraiment, savoir lire, ça ne servait à rien! Alors, j'ai décidé de désapprendre. C'est extraordinaire, le travail que j'ai fait pour tenter de désapprendre à lire! Je le lui disais d'ailleurs. Mais, elle, elle voulait que je continue. «Il faut s'entretenir, disait-elle. Il faut que tu viennes tous les matins lire un peu, pas longtemps, mais lire un peu.» Et puis, dès que j'achoppais, elle reprenait la sacrée méthode et il fallait revenir à telle page de la méthode. C'était le système de Mademoiselle : la «méthode». Mais ce qui est amusant, c'est que, pour moi, c'est très important que la psychanalyse ce soit une méthode.

C'est un mot que vous utilisez souvent, en effet.

Que j'utilise beaucoup parce que, en fait, c'est con comme la lune, une méthode : si on la suit, ça marche! Mais quand je lui disais : «Je veux désapprendre à lire, je ne veux plus lire», elle me répondait : «Tu sais, je ne crois pas que tu y arriveras.» Alors, j'essayais : «Voilà! – Non, tu désaccommodes, tes yeux ne regardent pas le texte parce que tu regardes la fenêtre. Et quand tu vois bien la fenêtre, tu ne peux pas voir l'écriture; mais si tu regardes l'écriture, tu ne pourras plus ne pas la lire.» Et elle avait raison. J'étais furieuse de cette saloperie où on m'avait entraînée : apprendre quelque chose qu'on ne peut pas désapprendre! En plus, mes frères et ma sœur se gaussaient de moi avec mes histoires de désapprendre à lire. Je ne suis jamais arrivée à désapprendre. Alors j'ai lu d'autres livres, puis d'autres encore, qui m'ont intéressée; peu à peu, toute la bibliothèque de la maison à Deauville y est passée. C'est devenu un bonheur de me lever tôt et, dans les rais des lumières filtrant entre les persiennes, de lire, en même temps que dans d'autres rais de lumière je voyais la danse des poussières. J'étais tranquille jusqu'à ce que la horde soit réveillée. Alors il n'y avait plus de tranquillité du tout. A partir de ce moment-là, je faisais de la couture, de la broderie, du tricot, mais je ne pouvais plus lire parce qu'ils faisaient trop de boucan.

85

Et alors, vous avez appris l'allemand à votre jeune frère?

Non, je ne lui ai pas du tout appris l'allemand, car je ne le savais pas. Mais Mademoiselle, en nous promenant nous parlait allemand et nous récitait des poésies en allemand. C'était très joli ces poésies en allemand! Et puis ma mère était originaire d'Allemagne du Sud par son père, qui était arrivé en France à douze ans, ne parlant pas le français. Il avait été élevé au Prytanée avec ses sept frères – les huit frères Demmler. Ses quatre sœurs, elles, furent élevées à la Légion d'honneur. Leur père était précepteur des enfants du duc de Wurtemberg, à la cour de Wurtemberg, qui était une petite Cour à la «mords-moi-l'œil» incroyable, mais où on faisait tous les jours de la musique poussiéreuse, mais absolument quotidiennement. D'ailleurs, moi aussi, j'ai été élevée à faire de la musique tous les jours, de la musique d'ensemble. Donc, il était précepteur à Tübingen. Et Napoléon III s'y est rendu en visite officielle : il allait dans les petites Cours de ce genre au moment où se préparait la grande Allemagne sous l'égide de la Prusse. Or, les habitants du Wurtemberg étaient fous de rage de devenir un suppôt de la Prusse qu'ils haïssaient, car les Allemands du Sud détestaient les Allemands du Nord et n'aimaient que la Franche-Comté et le Dauphiné. Ils n'avaient d'accointances qu'avec les protestants français et ce, jusqu'au lac de Constance. Napoléon III a proposé à ce précepteur de venir comme professeur d'allemand à l'École militaire : ses enfants seraient élevés, les fils, au Prytanée militaire, les filles, à la Légion d'honneur; ce qui a été fait. Et c'est ainsi qu'Auguste Demmler, le grand-père de maman, a émigré. Il faut ajouter qu'il avait épousé une femme de Montbéliard, mon arrière-grand-mère, qu'il avait connue parce qu'il y avait de nombreux échanges entre jeunes protestants du sud de l'Allemagne et de l'est de la France. C'étaient des gens qui, à cause de la religion, entretenaient des relations suivies. Donc, ayant épousé une Française, et ne voulant pas passer sous domination prussienne, il est venu en France. Toujours la même histoire, comme d'ailleurs pour Boris : la France de la Révolution française, la France des Droits de l'homme, la France de la Liberté! Mon arrière-grand-père s'est installé à Bourg-la-Reine où il a d'ailleurs fondé avec d'autres coreligionnaires le temple protestant. Et notre caveau de famille se trouve dans le cimetière de Bourg-la-Reine, où il y a aussi une rue Auguste-Demmler. C'était la banlieue parisienne, à l'époque, la campagne. Ils avaient d'ailleurs toujours vécu dans ce genre de campagne. Donc, mon grand-père avait douze ans lorsqu'il est arrivé au Prytanée où il a appris le français. Par la suite – c'est une histoire curieuse –, il a fait la guerre de 1870, du côté français. Il a été fait prisonnier par les Allemands et interné dans la forteresse d'Ems. Là, il a attrapé une grave maladie, qu'on disait être la fièvre typhoïde ou le typhus. Ça a toujours été ainsi dans la famille : impossible de savoir avec précision. Je pense que ce devait être la fièvre typhoïde pour qu'il s'en soit sorti. Apprenant cette nouvelle, une de ses quatre sœurs s'est mise en route, déguisée en paysanne, parlant, bien sûr, allemand comme une Allemande. Elle est arrivée à entrer dans la prison, déguisée en femme du pays, en accompagnant une voiture qui apportait la livraison de foin et toute sorte d'objets dont les cercueils pour évacuer les morts parce qu'il y avait une véritable hécatombe dans cette prison d'Ems. Une fois dans la place, elle a réussi à rester : « Si vous avez besoin de personnel, moi je peux rester avec vous. » Et c'est comme ça qu'elle a pu soigner son frère et qu'elle l'a sauvé, bien qu'il soit demeuré d'une santé extrêmement fragile. Mais je ne sais plus pourquoi je vous raconte cette histoire de mes ancêtres maternels...

A propos de l'apprentissage de l'allemand par votre frère Jacques!

Ah! oui. Donc, enfants, nous nous promenions avec Mademoiselle qui nous parlait en allemand. Il y a beaucoup de mots allemands que je connais de cette façon. Je ne parle pas allemand, mais cette langue m'est familière, comme ça, à l'oreille. Jacques était le dernier, tout seul il s'ennuyait; et comme il était très doué, j'ai dit à mes parents : « Il faudrait, puisque Mademoiselle l'a préparé à l'allemand comme elle l'avait fait avec nous, qu'il aille en Allemagne et qu'il apprenne très bien l'allemand. » Mes parents ont trouvé l'idée intéressante, et dès qu'il a eu dix ans ils l'ont envoyé dans une famille allemande pour la première fois. Toutes ses vacances, par la suite, il les a passées dans des familles allemandes.

Il avait un don extraordinaire pour les langues et la musique. La preuve en est cette histoire : après la guerre, il faisait partie de l'équipe de *Combat*[30]. Un jour, ma mère me dit : « Ton frère, on ne peut plus le voir ! Il n'arrête pas du matin au soir, il s'enferme même aux cabinets avec son livre de russe ! Il veut apprendre le russe pour être nommé correspondant de *Combat* qui a besoin de quelqu'un connaissant le russe. » Alors je raconte cela à Boris qui éclate de rire et me dit : « Mais, il l'apprend comment ? – Il l'apprend avec un livre qui indique aussi la phonétique. – Il n'y arrivera jamais avec cette méthode. » Puis, quelques jours plus tard, Jacques téléphone à Boris et lui dit : « Est-ce que tu pourrais me consacrer deux heures, parce que je voudrais faire un peu de conversation avec toi pour voir où j'en suis dans mon travail ? » Ils conviennent d'un rendez-vous. Boris en est revenu absolument estomaqué : « Il parle le russe comme quelqu'un de je ne sais quel terroir, mais il a un accent de terroir russe. Et il parle très bien. Je lui ai donné quelques petites indications et des idiotismes qu'il n'avait pas. Il a tout de suite assimilé tout cela. C'est fantastique ce que ton frère Jacques est doué pour les langues ! »

Il y a en effet des gens qui ont un don extraordinaire pour les langues.

C'est très vrai. Il a pu, comme cela, devenir correspondant

pour *Combat* en russe, langue qu'il a apprise en cinq semaines! Comme il faisait toutes choses : du matin au soir, sans arrêt! Et en n'ayant vu Boris que deux fois, la seconde huit jours après, encore deux heures. C'est extraordinaire!

C'est quoi ce don à votre avis?

Je crois que c'est de l'oreille, et puis le sens de la construction des langues. Quand je lui ai demandé : « Mais comment as-tu fait? Tu as un secret? – Mais non! Simplement chaque langue a son style de construction. Il faut le trouver et se mettre dans la peau de quelqu'un qui a cette structure-là. » Je crois qu'il faut avoir aussi une grande mémoire du vocabulaire – et il avait une mémoire colossale. Comme Boris d'ailleurs, comme mon fils Jean et mon petit-fils Nicolas[31] qui a une mémoire incroyable. Son père lui lit un *Tintin,* il sait par cœur le *Tintin* et il n'a que trois ans. C'est extraordinaire! C'est merveilleux d'avoir une telle mémoire! Ce n'est pas suffisant s'il n'y a pas l'intelligence, mais c'est un atout énorme pour soutenir l'intelligence qui s'appuie beaucoup sur les associations par analogie. Si on a beaucoup de mémoire, on a beaucoup de possibilités d'articuler par analogie ce que l'on entend.

Vous avez une idée de ce qui peut faire qu'un enfant a une exceptionnelle mémoire comme ça?

Je ne sais pas du tout.

C'est curieux; il doit y avoir des raisons à cela, mais on n'arrive pas bien à les comprendre.

Je ne sais pas du tout, moi. C'est sûrement une question d'oreille, du rôle énorme de l'oreille, d'accent perçu, et aussi une question de structure des mots signifiant l'action, le subi, l'actif dans les substantifs. C'est une intelligence de la langue avec la mémoire des phonèmes.

> *Vous savez que Mozart n'oubliait jamais un morceau de musique qu'il avait composé?*

Oui, comme on voit des poètes qui savent par cœur tout ce qu'ils ont écrit. C'est extraordinaire.

> *Il y a certainement en eux une dimension du refoulement, donc du langage, qui ne fonctionne pas. Une espèce de «pathologie positive», si je puis dire.*

Qui va vers la sublimation.

> *Bien. Mais pendant que Jacques s'initiait à l'allemand, vous...*

Moi, à ce moment-là, je commençais mes études de médecine, puis ma cure psychanalytique, chargée de l'opprobre épouvantable de ma mère qui trouvait tout cela affreux. Si bien qu'un jour mon père m'a dit: «Il faut que tu t'en ailles. Ta mère ne se remet pas de te voir continuer tes études et ne pas les rater! Il faut que tu t'en ailles.» Alors, je suis partie[32]; et Jacques est resté seul avec ces vieilles personnes, attendant avec impatience le dimanche, jour où il me voyait. Le dimanche, n'osant pas me parler, il venait me glisser: «Tu sais, je ne te parle pas. Je t'aime, mais je ne peux pas te parler parce que ça gâcherait toute ma semaine: quand je te parle, Mademoiselle et maman me font des scènes toute la semaine, parce qu'il paraît que tu mènes une mauvaise vie. – Mais, qu'est-ce qu'elles disent de ma mauvaise vie? – Il paraît que tu fais le trottoir. Qu'est-ce que ça veut dire? – Ça veut dire coucher avec tout le monde. Mais ce n'est pas ce que je fais. Je suis en effet boulevard Saint-Germain parce que l'École de médecine se trouve là. Mais je travaille.» «Elle fait le trottoir boulevard Saint-Germain!: c'est tout ce qu'il entendait sur sa sœur aînée. «Je ne veux pas que tu parles à cette fille, elle fait le trottoir boulevard Saint-Germain.» C'était très difficile à supporter pour moi. C'est pourquoi je ne revenais que les dimanches; car mon père me suppliait de revenir: «Reviens, malgré les scènes que te fait ta mère; j'ai besoin de te voir.» Je dois dire que d'autre part, j'avais besoin de «bouffer» parce que j'avais très peu d'argent; je n'avais que ce que je gagnais comme externe. Et ce n'était pas beaucoup! A l'époque, on gagnait neuf francs par jour de travail une fois signée la feuille de présence le matin et l'après-midi. Ça ne faisait pas beaucoup pour les repas, les à-côtés: les habits, le papier, les crayons, etc. Moi, qui avais été élevée très largement, je n'avais plus un rond! C'était très, très difficile, ce qui fait que j'étais très contente de me «taper la cloche» le dimanche en venant à la maison. C'était un peu vénal, mais enfin c'était comme ça! Et puis je payais ma psychanalyse: c'était terrible. Je dois dire que Laforgue a été formidable parce que j'ai commencé avec lui au prix normal, payé par mon père; mais quand j'ai quitté la maison, ma mère a exigé que mon père ne paye plus. Elle avait d'abord pensé qu'en faisant une psychanalyse j'abandonnerais la médecine. Mais, comme je ne lâchais pas médecine, elle ne voulait pas que mon père continue à payer.

Alors, justement, pour continuer à tirer le fil qui conduit vers votre être-psychanalyste: vous nous avez parlé longuement de tous ces rapports à la folie que vous avez rencontrés dans votre enfance sous toutes les formes...

Il faut y ajouter le rapport à la folie, comment dire?, «ménopausique» de ma mère; c'est l'explication que mon père m'en a donnée. Il m'a dit: «Ta mère est dans la mauvaise période de la vie des femmes. J'avais pensé que la naissance de ton frère arrangerait les choses, et ça les a arrangées. Aujourd'hui, elle vit à peu près normalement. Mais, tu es pour elle une pensée impossible. Que tu réussisses en médecine, elle ne peut pas le supporter. Elle ne peut pas supporter de te voir.»

Mais vous, dans ces années-là, de quelle façon avez-vous rencontré la psychanalyse?

C'est en PCN. Il se trouve que ma mère avait voulu me fiancer, officiellement, avec un garçon dont le vrai prénom était E. mais que, dans *Enfances,* j'ai appelé D., et qui était agrégatif de lettres classiques. C'était le jeune frère d'amies de ma sœur aînée[33].

Au cours d'un voyage en Provence, un jour, ma mère nous dit : «Nous allons passer chez les D. qui nous invitent à déjeuner et à visiter leur propriété, près de Carpentras.» Nous allons chez les D. que je ne connaissais pas car je ne connaissais pas les amies de ma sœur à cause de la différence d'âge qu'il y avait entre elle et moi. Elle avait en effet six ans et demi de plus que moi et lorsqu'elle est morte à dix-huit ans et demi, je n'en avais que douze. Or ces filles avaient à ce moment-là dix-neuf et vingt ans, ce qui fait que je n'étais pas amie avec elles. Nous passons donc la journée chez eux en Provence et Mme D. dit à maman : «Mais laissez-nous Françoise! On va faire les vendanges. Qu'elle reste huit jours de plus avec nous. Puisque M. Marette doit rentrer à Paris, rentrez avec lui, mais laissez-nous Françoise. Dans huit jours, elle rentrera par le train avec mon mari qui doit rentrer également.» Il était à l'Action française. Maman était Action française aussi. Elle avait donc «coconné», selon le terme consacré dans la famille pour dire «avoir des amis», avec Mme D., la mère de ces amies de Jacqueline, et elle s'est dit : Après tout, elle est dans une famille correcte. «Est-ce que tu veux rester? – Oui, j'ai envie de rester.» Alors, je suis restée[34]. Ce qui est curieux, c'est que ce séjour m'a permis de comprendre,

mais plus tard, durant ma cure psychanalytique, que ma mère souffrait d'une névrose grave, car, tous les jours, je recevais une lettre me disant : « Pourquoi as-tu accepté ? C'est que tu ne m'aimes pas. Tu préfères n'importe qui à ta mère. » Elle faisait un délire de jalousie. Par exemple, je ne m'étais pas du tout rendu compte qu'après la mort de Jacqueline, ma mère m'habillait exactement comme elle, dans une autre couleur. C'était la même forme, nous allions chez le même tailleur, elle faisait tailler le même manteau, la même robe, comme si nous étions des jumelles d'un âge décalé, avec une couleur pour moi et une autre couleur pour elle. Mais moi, je ne me rendais pas tellement compte de cela. Je me disais que le tailleur ne savait faire que ce genre de vêtements cette année-là ; qu'il faisait le même manteau à tout le monde. Pourquoi pas ? A vrai dire, je m'en fichais.

En revanche, chez les D., j'étais très heureuse, parce que ces filles étaient très intelligentes. L'une était licenciée d'anglais et avait entrepris des études de philosophie, l'autre, licenciée d'italien, était en train de traduire une partie de *La Divine Comédie*. Et chaque soir nous avions de longues discussions, et puis nous faisions de la musique. J'avais apporté mon violon et nous jouions de la musique ensemble. Moi, j'étais très contente d'être chez eux : il y avait les vendanges pendant la journée, les promenades dans la garrigue de la région de Carpentras ; c'était très beau. J'étais très heureuse et... je pleurais comme une vache devant les lettres de ma mère, en me disant : « C'est terrible de faire souffrir quelqu'un, sans le faire exprès, parce que quelqu'un vous aime et qu'on en aime d'autres. » Alors, j'en parlais avec D. et ses sœurs. Et ils me disaient : « Mais c'est parce que votre mère ne s'est jamais remise depuis la mort de sa fille. » Je le comprenais très bien, mais tout de même ! Et c'est dans ce contexte que je leur ai dit que je ferais médecine, que je voulais entreprendre ces études mais que ma mère avait exigé que j'attende l'âge de vingt-cinq ans pour les entreprendre, et encore : vingt-cinq ans, si je n'étais pas mariée avant! Alors, je me disais : « Eh bien, je crois que je ne serai pas mariée parce que j'ai tellement envie de faire médecine que je ferai médecine plutôt que de me marier. » Des liens s'étaient noués, j'aimais beaucoup les relations que j'avais avec eux. C'était de l'amitié, mais, quand on est jeune, on ne sait pas très bien. Le garçon était amoureux de moi, j'étais amoureuse de la nature, lui aussi. Il me lisait les classiques grecs et, moi qui n'avais jamais fait de psychanalyse j'interprétais, enfin je comprenais les classiques grecs autrement que le littéral grec-français et je lui disais : « Vous ne croyez pas qu'on est tous un peu Médée? Regardez Médée, quand elle a tué ses enfants par désespoir d'amour.... Regardez maman qui a perdu sa fille : si c'était dit en tragédie grecque, ce serait vraiment un désespoir comme celui-ci qui se dirait. » Cela nous conduisait à parler à la fois de la vie actuelle et de la vie poétique archaïque. Bref, une amitié amoureuse était née entre nous; enfin, une amitié amoureuse... nous ne nous étions jamais embrassés, jamais approchés!

Alors, je rentre à Paris, toute remplie des D. et de la musique, et je consacre tous mes dimanches à faire de la musique d'ensemble avec eux, à visiter les musées avec D. qui avait vu que j'aimais cela mais que ça embêtait d'y aller tout seul[35]. Ses sœurs, les musées les embêtaient mais, puisque moi je voulais... Et puis, à ce moment-là, j'aimais aller écouter les concerts du Châtelet, le dimanche. Là encore, il disait qu'il n'y serait pas allé tout seul. Mais y aller avec quelqu'un... Ses sœurs connaissaient tellement bien la musique – il était plus jeune qu'elles – qu'elles n'avaient plus besoin d'écouter les grands classiques. Elles allaient plutôt aux concerts modernes à la nouvelle salle Pleyel.

Donc, je voyais beaucoup ce garçon qui avait deux ans de moins que moi, et qui, pour moi, était comme un jeune frère; je ne le voyais pas du tout comme un amoureux. Mais, lui, il avait dû parler à sa mère; et les mères avaient parlé entre elles. Ce qui fait qu'un jour, ma mère me dit : « En tout cas, je ne te permettrai de retourner chez les D. que si c'est clair entre vous. » Je dis : « Clair, quoi ? – Que vous êtes fiancés, D. et toi ! Sinon, tu n'auras pas le droit de le revoir. » Alors, pour moi, le monde s'est effondré. Pourquoi n'aurais-je pas le droit de le revoir si nous n'étions pas fiancés ? Là-dessus, je lui téléphone, comme une imbécile – enfin j'étais vraiment une enfant – : « Dites-donc, il y a un drame, je ne peux plus vous voir. – Ah ! bon ? Qu'est-ce qui se passe ? – Maman ne veut plus que j'aille faire de la musique chez vous, ni rien, tant que vous et moi nous ne serons pas fiancés. » Lui, au bout du fil se met à rire comme un bossu et me dit : « Je vais chercher Françoise. » Sa sœur aînée vient au téléphone : « Qu'est-ce qu'il se passe ? » Je lui raconte. Elle dit : « Eh ! bien, D. ne demande pas mieux ! Qu'est-ce que ça peut faire ? Ça ne changera rien ! » Alors, je dis : « Vrai, il ne demande pas mieux ? – Et toi ? – Moi ? Pourvu qu'on puisse se voir, on peut bien s'appeler fiancés ! »

Là-dessus, il vient déjeuner à la maison le dimanche suivant, et je devais retourner chez eux avec lui dans l'après-midi. Maman lui fait un petit discours digne d'une future belle-mère ; lui ne dit rien, rougit, tout timide. Et puis elle nous voit tous les deux : « Mais alors, embrassez-vous donc, imbéciles, puisque vous êtes fiancés ! » Alors, devant tout le monde, je dis : « Ah ! non. On est fiancés, on a le temps. Moi, je veux d'abord faire médecine, on se mariera après. Donc, il n'y a pas de raison de s'embrasser. » Maman n'y comprend rien. Le garçon, lui, est très gêné : en effet, nous ne nous étions jamais approchés de cette façon. Et le soir, quand je suis revenue de chez eux, j'ai eu droit aux remarques de ma mère : « Mais, enfin, je ne te comprends pas, tu es une hypocrite ! » Je dis : « Quoi ? Hypocrite ? – Oui ! Enfin, qu'est-ce que tu fais avec ce garçon ? – Nous avons fait de la musique et nous sommes en train de traduire *Typhon* de Conrad. Tu sais, nous sommes très occupés, nous avons beaucoup de choses à faire.» Alors : «Et pourquoi tu n'as pas voulu l'embrasser devant moi, tout de même? – Eh bien, parce que nous ne nous sommes jamais embrassés. C'est quelque chose d'important qu'on ne fait qu'après avoir réfléchi. – Je ne te comprendrai jamais! Tu es monstrueuse! Tu vois bien que ce garçon est épris de toi. – Ça, c'est son affaire! – Mais toi? – Tu me dis que nous n'avons pas le droit de nous voir si nous ne sommes pas fiancés. Soit! Va pour fiancés. Je m'en fous, moi; fiancés, ce n'est pas mariés. – Je ne te comprends pas, tu es un monstre, tu es un monstre!» Mon père regardait la scène du coin de l'œil et ne disait rien.

Mais D. était très pressé car nous étions au mois de novembre où j'allais, de manière inattendue, pouvoir faire médecine. Or, lui ne voulait pas que sa femme fasse d'études. Alors, j'ai dit : «Écoutez, je ne suis pas votre femme. Je suis votre fiancée à cause des mères; je ne suis même pas une fiancée officielle : personne ne le sait. D'après elles, si on nous voit dans la rue ensemble, ce ne sera pas choquant parce qu'on pourra dire que nous sommes fiancés.» Je ne sais pas très bien si tout cela le faisait rigoler ou au contraire lui faisait de la peine. Enfin, j'étais dure avec lui. Quand j'y pense maintenant, je trouve que c'est affreux, et qu'en effet il y avait en moi quelque chose de monstrueux. Lui me répond alors : «Mais, si je vous demande de ne pas faire médecine? – Vous n'aurez pas de succès parce que la médecine, c'est pour moi, en ce moment de ma vie, plus important que de me marier avec vous. Vous n'avez pas votre agrégation, vous n'avez pas fait votre service militaire. De toute façon, nous ne pourrons nous marier que quand nous aurons tous les deux, et vous en tout cas, une situation. En ce qui me concerne, vous savez que je veux avoir un métier. Je vous ai confié mes idées sur ce sujet et les raisons pour lesquelles je veux avoir un métier. Nous ne pourrons donc pas nous marier avant cinq ans au plus tôt, le temps que vous ayez passé votre agrégation, fait votre service militaire et que j'aie terminé médecine ou presque. Nous pourrons nous marier à la fin de mes études de médecine. Nous verrons. »

Alors, nous avons continué à nous voir avec cet accord boiteux. Finalement, ma mère n'a pas voulu que je fasse le PCN[36] cette année-là. J'ai dit : « Bon! Je vais m'inscrire à la Sorbonne en italien. » J'aimais beaucoup l'italien. C., une des sœurs de D., qui s'était spécialisée en italien, m'aurait mis le pied à l'étrier pour rattraper un peu de mon retard et me permettre d'entrer tout de suite dans le supérieur en italien. Car j'étais bonne en italien, matière où j'avais eu une très bonne note au bachot.

Et puis, là-dessus, mon frère Philippe décide qu'il veut faire médecine. Il l'avait toujours voulu mais il n'avait pas eu la seconde partie du bac. Et mon père, très redouté de mes frères, lui avait dit : « Mais alors, qu'est-ce que tu feras si tu es recalé au bac? Je ne veux pas te payer une année de plus pour le bac. Il faudra donc que tu fasses quelque chose sans le deuxième bac. Ce que tu peux faire, c'est HEC. » A cette époque-là, pour préparer HEC, le deuxième bac n'était pas exigé. Mon frère a dit : « Bon, je vais faire HEC. » Mon père l'a inscrit en HEC, croyant qu'il serait recalé à la deuxième session du bac. Surprise, il est reçu! Il est content mais... il est inscrit en « prépa » à HEC! Et dire à mon père qu'il voudrait en revenir à son idée première d'être médecin, cela il ne l'osait pas[37]. Sur ces entrefaites, de plus en plus couvert d'acné, il va voir le médecin de famille, un homéopathe, qui l'interpelle : « Alors, mon cher collègue, vous commencez la médecine? » Il rentre bouleversé en me disant : « R. m'a dit que ce que j'ai comme acné, c'est psychologique; c'est parce que je me suis fait de la bile à propos de mes études, je suis désolé de ne pas pouvoir faire médecine puisque je suis inscrit en prépa à HEC. Et HEC, tu sais, ça m'embête! » Je lui dis : « Écoute, il faut demander à papa. Nous ne sommes qu'au mois de novembre. Tu peux peut-être commencer médecine un peu en retard. »

Moi, j'étais déjà inscrite en Sorbonne pour commencer une licence d'italien. Sachant qu'il fallait que j'attende encore pour entreprendre médecine. J'étais déjà infirmière diplômée. Ma mère avait accepté, quand j'avais vingt et un ans, que je suive des études d'infirmière parce qu'elle avait été elle-même infirmière pendant la guerre de 1914-1918. Elle savait que c'était utile et que certaines personnes, dont une de nos cousines, en avaient fait leur métier après la guerre, en restant infirmières civiles après avoir été infirmières bénévoles militaires. Cette cousine a subvenu à ses besoins toute sa vie, avant de se marier sur le tard, en étant infirmière civile associée à un grand dentiste; et elle gagnait très bien sa vie. Donc, pour ma mère, c'était un métier de femme, sans danger: on ne faisait pas le trottoir et on gagnait bien sa vie en étant infirmière! Alors: «Je te permets d'être infirmière.» Moi, j'avais sauté sur l'occasion. C'était un métier après tout, et j'avais vu avec l'exemple de ma cousine Charlotte que ça pouvait être un bon métier. Et puis, en même temps, ça me permettait d'être proche des malades et d'acquérir de l'expérience, parce que j'avais bien vu qu'elle, elle avait une certaine expérience quand elle parlait des maladies des gens ou de sujets de ce genre. Ne serait-ce que parce qu'il y avait des choses compliquées en dentisterie. Ce qui m'avait d'ailleurs beaucoup intéressée, c'est que le dentiste américain avec qui elle travaillait disait que les gens qui font des infections dentaires, il faut s'en méfier *a priori*: ce sont des gens qui ont des problèmes. Quand une personne venait pour une extraction dentaire, il voulait toujours savoir si sa vie était tranquille ou compliquée. Il avait très peur des gens à vie compliquée, car il n'y avait pas encore d'antibiotiques. Déjà, cela m'avait intéressée: médecine d'éducation, dentiste d'éducation et dentiste de l'affectivité...

Donc, j'étais infirmière diplômée et déjà monitrice à mon ancienne école[38]; monitrice de pansements parce que j'étais douée d'une très grande adresse manuelle; et comme, à

Nº 28893   ÉCOLE DES PEUPLIERS

CROIX-ROUGE FRANÇAISE

SOCIÉTÉ ✚ FRANÇAISE

DE SECOURS AUX BLESSÉS MILITAIRES

Placée sous le haut Patronage du Président de la République

COMITÉ DE *Paris*

Livret de Dame Infirmière [1]

Appartenant à

Nom *Mademoiselle Marette*

Prénoms *Françoise Marguerite*

Date et lieu de naissance *6 Novembre 1908, Paris XVI*

Noms des parents *Henri Marette et Suzanne Demen...*

Domicile *2 avenue du Colonel Bonnet, Paris XVI*

Signature de la Titulaire :

F. Marette

Signature du Président du Comité :

Visa du Ministère de la Guerre :

contient 28 pages.

l'époque, il n'y avait pas de sparadrap – il n'y avait que des bandes Velpeau – il fallait faire des pansements vraiment extra, des spicas comme on les appelait, sur certaines parties du corps, le crâne, les cuisses, les bras, des pansements de panaris, parce que, sinon, les ouvriers ne pouvaient pas reprendre leur travail et gagner leur vie. Si le pansement ne tenait pas, c'était foutu : la famille n'avait plus d'argent. Il n'y avait pas les lois sociales. Il faut considérer ce qu'était le rôle sociologique, finalement très important, d'une infirmière. Alors, j'allais tous les soirs de dix-huit heures à vingt-deux heures enseigner aux jeunes infirmières l'art de faire des pansements, place des Peupliers, dans l'école où j'avais fait mes études. Et je leur apprenais ainsi à faire des piqûres qui ne font pas mal à ces gens qui en avaient besoin.

Donc, j'avais une vie satisfaisante si, en plus, dans la journée, je pouvais avoir des activités intellectuelles grâce à l'italien qui m'intéressait. Puis, il y avait deux orchestres dans lesquels je jouais tous les dimanches. D., lui, ne jouait pas mais il aimait entendre et venait écouter l'orchestre dans lequel je jouais. J'étais très contente qu'il soit là. J'étais flattée qu'un garçon qui s'intéressait à des choses auxquelles jamais mes frères ne s'étaient intéressés – ils n'étaient pas littéraires –, ait avec moi des échanges très agréables de pensées, de réflexions, dans un bon climat.

4

La rencontre de la psychanalyse
et la formation

Alors, dans ce contexte-là, très différent du nôtre et où, contrairement à aujourd'hui, elle ne faisait pas partie de l'air du temps, comment avez-vous rencontré la psychanalyse?

Eh bien, je l'ai connue en classe de philo. Je l'ai prise comme matière à option pour le bac. La matière à option, c'est ce qu'on préparait tout seul, en dehors du programme. Pour l'oral, on avait le droit de préparer deux matières à option hors programme, à condition que ce soit tamponné et accepté par le professeur de philosophie. Mlle D. le professeur de philosophie du lycée Molière où j'étais allée en terminale, parce que le petit cours où j'étais n'avait pas de classe de philo avait accepté que je prenne deux questions en option qui étaient, l'une, la psychanalyse et, l'autre, les stoïciens. Pourquoi? Je ne sais pas. Je n'ai jamais su pourquoi. Sans doute, parce que mon père achetait tout ce qui paraissait. Il rapportait à la maison vingt bouquins par semaine, papa. Et il les lisait : les livres d'histoire, ceux de la bibliothèque contemporaine orange qui présentait toutes les nouveautés scientifiques, etc. C'est ainsi qu'on avait entendu parler de Branly. Or, il y avait aussi des livres sur les atomes ou la psychanalyse : par exemple, ce qui avait été écrit par Hesnard sur la science des rêves. C'était un petit bouquin jaune intitulé *La*

Psychanalyse[39]. C'est le premier livre de psychanalyse que j'ai lu. Mon père a dit : « C'est intéressant cette méthode nouvelle qui guérit les gens qui ont parfois des délires ; mais, quelquefois, c'est aussi intéressant pour les gens normaux. Lis-le, tu me diras ce que tu en penses. »

> *Là, vous entriez vraiment dans le projet de médecin d'éducation.*

Sans le savoir, tout à fait sans le savoir. Pour moi, j'étais restée vraiment en panne, à l'association des idées : si deux personnes se rencontrent dans le même temps et dans le même espace, c'est qu'elles ont les mêmes idées. Enfin, c'est ce que j'avais compris à ma façon... Par exemple, quelqu'un sortait de chez lui pour aller prendre son train à 22 h 04, le petit train – le petit train faisait partie de la vie de tous les jours – et il rencontrait toujours, devant la porte cochère n° 32 de telle rue, la même personne qui, elle, allait à son travail. Et puis, un jour, il ne la rencontrait pas, alors il sortait sa montre. Est-ce qu'il était en avance ? Est-ce que l'autre était en retard ? Est-ce qu'il était en retard et l'autre en avance ? Questions qui questionnaient ce piéton, enfin... qui questionnaient la personne qui pensait à ces deux piétons, et c'était mon genre ! Et chacun se mettait à penser la même chose, si bien qu'un autre jour où le même phénomène se répétait : « Monsieur, quelle heure avez-vous ? Vous n'êtes pas en avance ? Vous n'êtes pas en retard ? – Eh bien, je ne sais pas... Ah ! si, ma montre est arrêtée ! » Ils avaient tellement pensé la même chose en même temps qu'ils s'étaient rencontrés pour s'en parler. Et alors, je comprenais que c'étaient des associations inconscientes qui devenaient peu à peu conscientes, à force, tout en étant rares, de se produire d'une manière spécifique, dans certaines circonstances qui obligeaient les gens à se poser la même question en même temps et peut-être à s'éclairer mutuellement.

Et au bac, vous avez présenté un texte de Freud ou un texte sur la psychanalyse en général?

J'ai été questionnée à l'oral sur la psychanalyse; très drôlement.

Vous aviez déjà lu un texte de Freud à ce moment-là?

J'avais lu la *Psychopathologie de la vie quotidienne*[40] et aussi les *Cinq Leçons sur la psychanalyse*[41]. J'étais en avance, heureusement, car ma mère voulait m'obliger à arrêter mes études à seize ans. C'était ma seule chance puisque le bac était au mois de juillet, et que j'allais avoir dix-sept ans au mois de novembre.

J'avais voulu passer le premier bac à quinze ans. Là, ça a été un drame extraordinaire! Derrière mon dos, ma mère était allée voir la directrice de ce cours de jeunes filles qui s'appelait le cours Malatret pour lui dire : « Il faut absolument que la demande de dispense de ma fille soit refusée. » La directrice avait les papiers administratifs à joindre au dossier avec les notes des professeurs, qui étaient très bonnes. C'était un petit cours qui n'avait pas la valeur d'un lycée; mais, tout de même, j'avais de bonnes notes en tout. Or, dans le journal, je lis que la dernière limite pour porter son dossier, c'était telle date. J'avais donné mon dossier depuis déjà un mois. Et il fallait qu'il soit présenté par le cours où l'on avait fait ses études. Alors, j'ai demandé à la directrice : « Est-ce que vous avez le reçu? » parce qu'il était indiqué qu'on devait avoir un reçu en échange de son dossier. Et elle : « Mais comment, vous ne savez pas, Françoise? Non, vous ne passerez pas le bac cette année. Nous avons reçu votre dossier mais votre maman a demandé à ce qu'on ne le présente pas. Elle vous trouve trop jeune pour passer le baccalauréat. De notre côté, nous serons très contents de vous avoir une année de plus; et puis, vous serez peut-être recalée, tandis que l'année prochaine vous

serez sûrement reçue.» Alors, j'ai été prise d'une rage folle
– j'ai eu deux ou trois rages dans ma vie – d'une rage dont je
ne me savais pas capable. Une rage blanche, vraiment doulou-
reuse, terrible. Je suis rentrée à la maison et, devant mon père
et ma mère, à table – on allait déjeuner –, j'ai fait une scène de
colère blanche qui, paraît-il, était monstrueuse pour ma mère,
mais pas du tout pour mon père. Il est passé derrière moi,
m'a tapotée dans le dos et m'a dit : «Mon petit, je vais télé-
phoner tout de suite, en rentrant au bureau, à quelqu'un que
je connais au Conseil d'État. Je te dirai ce qu'il en est. C'est
tout de même demain que se réunit le jury des dispenses. Le
reçu, tu ne l'as pas, mais ce dossier, ces femmes doivent
l'avoir. Donc, elles te le rendront avec le carnet scolaire.
Cours à ton école et téléphone-moi au bureau. Moi, entre-
temps, j'aurai téléphoné pour savoir si on peut rattraper ça.»
   J'y vais sur-le-champ, je leur demande mon dossier : «Ah
mais, nous ne savons pas où il est.» Elles étaient furieuses
parce qu'elles voulaient gagner de l'argent une année de plus
en gardant une bonne élève. Ça créait une bonne réputation
d'avoir une bonne élève. Alors, impossible, je n'aurais pas de
livret scolaire : elles ne savaient pas, soi-disant, ce qu'elles en
avaient fait; enfin des salopes qui étaient du côté de maman.
Et maman qui ne mouftait pas parce que, pour elle, c'était le
désespoir : sa fille passant le bac n'était plus mariable! Pour
maman, c'était clair, et mes deux frères aînés disaient la même
chose, et les gens de la famille que nous connaissions disaient
la même chose. Une fille qui a son bac, elle est marquée pour
la vie, c'est le mouton noir! Comment peut-on avoir des idées
pareilles! Et ma pauvre mère : «Je n'ai qu'une fille, je ne vais
tout de même pas la sacrifier à des études imbéciles!» J'en
étais là. Il n'y avait que mon père qui pouvait me défendre,
qui avait compris mon idée. Je lui téléphone : «Les dames ont
perdu mon dossier. – Débrouille-toi pour le refaire! Tu as jusqu'à demain, dix heures. Si je le leur fais parvenir demain
entre dix heures et midi, ça ira : la réunion de dispense se tient

à partir de quatorze heures; ton dossier pourra être examiné. Il faut que tu trouves tous tes professeurs chez eux et que les notes soient réunies. »

Alors là, j'ai pris l'affaire en main, sous l'œil absolument désapprobateur et furieux de maman et, je crois, désespérée d'angoisse. C'est que j'étais déjà débrouillée par mon diplôme d'infirmière : je savais faire des rapports pour les médecins sur les opérations pratiquées; j'avais ainsi un peu affiné ma relation à autrui. Je me suis donc débrouillée et j'ai obtenu la dispense. Arrive le jour du bachot. Figurez-vous qu'un des principes de ma famille était : « Tu n'as aucun besoin d'avoir un réveil. » Donc, je n'avais pas de réveille-matin et mes frères qui en avaient un ne voulaient pas me le prêter parce qu'ils ne voulaient pas que je passe le bac. Voyez ces imbécillités : ce sont ces petites choses qui empoisonnent la vie à un moment de presse, à un moment important. Je tenais absolument à me réveiller à temps; et ma mère m'a dit : « Eh bien, je te réveillerai demain matin. » Et quand je me suis réveillée... il était sept heures! J'aurais dû être réveillée déjà depuis un bon moment : la première épreuve commençait à huit heures trente à la Sorbonne, salle F, en bas de la rue Saint-Jacques, je m'en souviendrai toujours. « Mais comment? Mais, tu ne m'as pas réveillée? – Bien sûr que je n'allais pas te réveiller puisque je ne veux pas que tu passes ton bac, imbécile! » Je me suis habillée à toute allure, j'ai couru dehors, j'ai trouvé un taxi à la place Chopin, qui n'était pas loin. Et je suis arrivée en nage, juste au moment où on allait fermer les portes! L'écrit passé, il fallait aller voir les résultats au bout de huit jours : j'étais admissible. Ma mère, désolée – elle en a pleuré – m'a dit : « En tout cas, tu ne continueras pas tes études puisque ton cours n'a pas de classe terminale et que je m'opposerai toujours à ce que tu ailles dans une boîte comme un lycée où on rencontre n'importe qui! »

Moi, je me disais : « Après tout, si je suis reçue, l'an prochain je pourrai travailler la philosophie toute seule. On verra

bien.» Et j'ai été reçue avec mention *«Bien.»* C'était vrai, inscrit, que j'étais reçue. Alors là, ma mère a été très étonnée. Et
mon père lui a dit : «Tu vois, on avait dit qu'elle serait recalée
parce qu'elle était trop jeune et elle est reçue avec mention
«Bien». Ça veut dire qu'elle est faite pour les études. Ça ne la
change pas d'avoir sa première partie de bac. Pourquoi ça la
changerait d'avoir la deuxième?»

> *Des six enfants vous étiez la seule très brillante dans vos*
> *études?*

Oui, tout à fait. Et, tout naturellement, sans faire d'efforts.

> *Comme votre père. Vous aviez les mêmes aptitudes et*
> *vous obteniez les mêmes résultats.*

Très, très facilement. Et alors que j'ignorais mon niveau. Nous
étions quatre élèves en classe de première, des filles à maman
et à papa. Si bien que j'avais toute raison de douter d'être
reçue. Mais je voulais m'affronter au bac, m'y confronter,
parce que je me disais : «Après tout, je suis jeune : quinze ans,
ce n'est pas trop vieux. Ma mère veut que j'arrête mes études
à seize ans : peut-être acceptera-t-elle plus tard que je continue.»
     En fait, quand je disais tout à l'heure que j'étais infirmière,
c'est une erreur bien sûr : je n'étais pas encore infirmière.
Non, mais maman m'avait permis d'aider une infirmière
qu'elle connaissait et qui lui avait dit : «Eh bien, votre fille
Françoise est très adroite.» Je crois qu'un de mes frères avait
eu besoin de piqûres. Elle venait à la maison et m'avait dit :
«Je vais vous enseigner à faire les piqûres.» «Mais vous êtes
très adroite! Les pansements aussi, vous pourriez apprendre à
les faire. Je vais vous apprendre.» Ce n'est qu'ensuite, peu
avant l'époque où j'étais soi-disant fiancée, que je suis devenue infirmière diplômée. Mais au moment du bac, je savais

qu'une infirmière avait reconnu que je pourrais faire ce métier et que ma mère n'y était pas complètement opposée.

C'est ça qui était important pour vous : une reconnaissance sociale par l'autre, par une instance compétente et reconnue; et de pouvoir opposer cela à votre mère.

Et d'avoir de quoi gagner ma vie en cas de nécessité! Non, voyez-vous, pas de lui opposer cela. C'est curieux, mais j'aimais énormément ma mère. Et pourtant, quand je raconte tout cela, qui croirait que je l'aimais? Bernard Pivot en était tout étonné[42]. Je sentais qu'elle m'aimait, cette femme. Je sentais que si elle était si dure avec moi, c'était par angoisse, par névrose. Je l'avais déjà un peu compris dans les lettres qu'elle m'envoyait quand j'étais chez les D. Mais, avec l'histoire qu'elle a faite en ne voulant pas que j'entreprenne les études de médecine et pour que je sois infirmière plutôt que médecin, alors j'ai compris qu'elle vivait dans l'angoisse d'une vie ratée. Elle disait que je raterai ma vie, que ce serait de sa faute si elle me laissait rater ma vie et que papa n'avait pas les yeux en face des trous s'il permettait à sa fille de rater sa vie.

Elle était possessive et très jalouse.

Elle aurait sûrement voulu faire médecine dans sa jeunesse. D'ailleurs, quand j'étais jeune, elle parlait avec beaucoup d'admiration des femmes qui étaient avocates ou médecins, par exemple. Elle avait lu un livre qui s'appelait *Princesses de science*[43] et m'avait dit : «Tu devrais le lire. C'est formidable!» Elle aurait aussi voulu être suffragette. En fait, elle avait été très en avance sur son temps en étant la secrétaire de son père; mais elle était restée en panne, à ce stade-là.

Alors donc, à l'oral du second bac, vous êtes interrogée sur la psychanalyse.

110

Et l'examinateur me dit : « Mademoiselle, parlez-moi donc de la psychanalyse », avec un petit air sarcastique. Alors moi, je me lance sur l'association des idées inconscientes; et comment elles peuvent arriver à devenir conscientes quand il y a la rencontre de deux êtres qui ont les mêmes fantasmes en même temps, etc. Lui : « Oui, c'est très intéressant, mais... la sexualité, mademoiselle Marette ? » Là, je lui dis : « Écoutez, je n'ai pas très bien compris ce que Freud dit sur la sexualité, probablement parce que je suis trop jeune. Mais, comme pour ce que j'ai compris, je trouve qu'il est dans la vérité, il doit aussi être dans la vérité pour la sexualité – qu'on a peut-être tort d'appeler la sexualité. Lui ne dit pas sexualité, il dit libido. » Et je me mets à développer la différence qu'il me semblait y avoir entre libido et sexualité. Puis, je lui parle de l'hédonisme, et aussi des stoïciens et des épicuriens. Il était très content, il riait : « Oui, oui, je comprends ! » Il a été très gentil, très « cool » comme on dirait aujourd'hui, il ne m'a pas trop titillée sur la sexualité. Ça devait le faire rigoler de voir une fille de seize ans qui avait pris la psychanalyse comme matière à option alors qu'à l'époque on lui faisait le grief de pansexualisme. Oui, c'est ça, ça me revient : « Et le pansexualisme, mademoiselle, qu'est-ce que vous en pensez ? » C'est là que j'ai dit que les gens attaquaient Freud sur ce point, mais que je n'étais pas sûre que ces attaques soient fondées, car il utilisait un mot qui n'existait pas en allemand quand il parlait de sexualité : en français, *libido* voulait dire sexuel mais ce n'est pas la même chose dans le texte en allemand où le mot *libido* n'existait pas avant Freud dans cet usage; c'était peut-être un mot scientifique pour parler d'une énergie qu'il y avait en nous tous; tout cela me semblait assez vrai mais je n'étais pas capable de..., etc. Le tout énoncé très modestement. Et j'enchaîne sur l'hédonisme en disant : « Peut-être est-ce autour de l'hédonisme que déjà autrefois, se posait la question. Les épicuriens et les stoïciens pensaient autour du même problème : comment maîtriser le plaisir chez l'humain pour en faire quelque chose d'utile..., etc.» Enfin, voilà à peu près ce que je lui ai dit et il m'a donné une très bonne note. Là aussi, j'ai été reçue avec mention *«Bien.»*

A ce moment-là donc, vous connaissiez un petit quelque chose de la théorie psychanalytique, de Freud.

C'est tout ce que j'en savais. Mais cela a changé quand j'ai été en PCN, que j'ai rencontré Marc Schlumberger et que nous nous sommes parlé. Schlumberger avait été psychanalysé par Nunberg, en Autriche. Puis, il avait passé un an ou deux à l'école de Summerhill[44] en Angleterre comme moniteur et animateur. Avant cela, il était prospecteur de pétrole. C'était alors un homme de trente à trente-deux ans qui faisait sa médecine tardivement[45]. J'avais, à ce moment-là, vingt-trois ans, donc c'était tardif aussi pour moi. Ma mère m'avait dit: «Puisque Philippe fait médecine, vas-y avec lui! – Non, écoute, cela a fait assez d'histoires. Mon année est déjà organisée à la Sorbonne pour l'italien; je ferai de la musique; je suis monitrice-infirmière: j'en reste à ce qui est décidé! Je ferai médecine à vingt-cinq ans puisque tu l'as voulu ainsi. Je ne vois pas pourquoi tu changes d'avis. – Comment tu ne vois pas? Mais, au moins, tu auras un chaperon! Tu ne seras pas livrée à tous ces hommes!» Elle était affolée, ma pauvre maman. Philippe et moi, on se marrait tous les deux... Puis Philippe m'a dit: «Écoute, moi, ça me ferait plaisir que tu fasses médecine avec moi. Puisque maman veut bien et que tu en avais envie, pourquoi pas? – Après tout, pourquoi pas? Avec un chaperon, puisque maman veut que j'aie un chaperon!» Je m'en fichais! Donc, j'ai dit oui, mais l'année scolaire était déjà commencée. Nous avons dû aller voir tous les deux le doyen de la faculté. Je ne me rappelle plus son nom. C'était un vieux, un petit peu salace, qui regardait les filles... «Alors, c'est votre sœur? Vous êtes sûr que c'est votre sœur, jeune homme? Vous êtes sûr que c'est votre sœur? Vous voulez tous les deux faire les mêmes études et tous les deux vous demandez une dispense? Vous êtes sûre qu'il est votre frère, mademoiselle?» Je riais, mais je ne comprenais pas très bien. A la sortie, Philippe m'a dit: «Tu as vu ce vieux salaud? Il croit que nous sommes des concubins qui se font passer pour frère et sœur.» C'est comme ça que nous avons commencé le PCN[46]. C'est là que j'ai rencontré Schlumberger; et, pendant les pauses de chimie ou de n'importe quel cours, nous nous parlions et nous nous racontions les raisons pour lesquelles nous faisions le PCN puisque nous n'étions pas dans les jeunes qui commencent ces études à dix-huit ans, après le bac. Je lui ai expliqué que je voulais être «médecin d'éducation». Il m'a dit: «Il faut que vous connaissiez la psychanalyse. – Mais, je connais! Ça n'a rien à voir avec ce que je cherche. La psychanalyse, c'est de la philosophie et moi je cherche à soigner et à prévenir.»

C'est l'idée que vous en aviez encore à ce moment-là?

Oui, j'avais gardé en tête que c'était de la philosophie et que ça n'avait rien à voir avec l'état de santé des gens.

La notion de cure psychanalytique vous était étrangère?

Complètement, complètement! Une psychanalyse, pour moi, c'était un exercice philosophique.

Et c'est avec Schlumberger que vous avez rencontré cette dimension-là?

Non. Il s'est passé quelque chose de dramatique. Depuis l'âge de seize ans (et j'en avais vingt-trois) je n'avais plus fait d'études. J'avais fait de la musique, et j'avais beaucoup lu, mais c'est tout. Or, je me suis mise au travail tellement vite qu'au bout de quinze jours, j'étais au niveau. Je savais ce qu'était le système CGS[47], après avoir complètement oublié la physique – j'en avais fait si peu! En plus, nous avions tout le temps des colles[48] qui comptaient à la fin de l'année pour la moitié du total des notes. Or, en première année de médecine[49], Philippe et moi nous étions dans la même série : Marette Françoise, Marette Philippe, l'un après l'autre. Nous passions donc les mêmes colles et ça a été terrible pour lui parce que j'ai tout de suite eu 12, 14 sur 20 alors qu'il plafonnait à 8, 10. Il n'avait pas toujours la moyenne. C'était terriblement pénible, il en était très malheureux, et son acné reprenait de plus belle. J'en ai alors parlé avec Schlumberger qui m'a dit : « Mais si Philippe faisait un peu de psychanalyse, ça s'arrangerait tout de suite. » Et moi : « Qu'est-ce que c'est? – Eh bien, ça veut dire aller parler à un psychanalyste et comprendre les raisons qui font qu'on est bloqué. » J'ai dit : « Vous ne croyez pas que c'est parce qu'il a passé son bac en septembre et qu'il est fatigué, tout simplement? – Non. Regardez comme il est avec vous; il veut toujours vous enlever votre manteau, vous le remettre, vous empêcher de parler à Untel. – Ah oui, mais c'est à cause de maman : il faut qu'il soit mon chaperon! – Eh oui! Or il faudrait qu'il comprenne qu'il n'a pas à être votre chaperon et que tout cela le rend très malheureux. – Bon, alors, qu'est-ce qu'il faut faire? – Il faut aller voir un psychanalyste. » Et il me raconte comment s'y prendre. Je dis : « Bon, j'en parlerai à mon père. » J'en ai d'abord parlé à Philippe qui m'a dit : « Peut-être que ce serait bien pour moi mais papa ne voudra jamais me payer une psychanalyse. – Je n'en sais rien, je vais lui poser la question. » Alors, en rentrant à la maison : « Dis, papa, je voudrais te parler de nos études. Moi, ça marche très bien, mais Philippe a vraiment du mal, il n'y arrive pas bien et en est très malheureux. Si encore je n'étais pas dans la même année que lui, ce serait moins grave, mais il fait sans cesse la comparaison avec moi. C'est très pénible pour lui et très pénible pour moi. Or, j'ai un camarade, qui s'appelle Schlumberger, qui dit que la psychanalyse pourrait aider Philippe. – Bien, ce n'est pas bête. J'ai lu des ouvrages de psychanalyse, et en effet...» Lui, il avait mieux compris que moi! «Qu'est-ce qu'il faut faire? – Il faudrait qu'il aille voir quelqu'un. Schlumberger m'a même donné un nom. – Qui? – Laforgue.»

C'est donc lui qui vous a donné le nom de Laforgue?

Oui, c'est Schlumberger. Il était alors chez Laforgue, pour finir sa psychanalyse en France. Il en avait fait une première partie à Vienne avec Nunberg qui l'avait envoyé, à Paris, à Laforgue dont l'analyse avec Mme Sokolnicka avait été contrôlée par Freud. Alors, mon père dit: «Bon, je ne demande pas mieux.» Dans les deux jours, il est allé voir Laforgue pour lui confier Philippe. C'est ainsi que Philippe a commencé une psychanalyse et que, en quinze jours, il s'est mis à bien travailler, et facilement. Il était débloqué. Il se débloquait en parlant à quelqu'un, en pouvant dire ce qu'il avait à dire. Alors, moi j'étais très heureuse et c'est comme ça qu'à nos examens de fin de première année, nous avons été reçus tous les deux.

Ça vous a frappée? Ça vous a marquée?

Ça m'a intéressée de voir ça. Mais, c'est alors qu'il s'est passé un drame pour moi avec D. Ma mère était furieuse de constater qu'au lieu d'abandonner la médecine – ce qu'elle avait espéré –, ces études me rendaient heureuse. Car, au moment de les entreprendre, j'avais été très, très perturbée de voir que ça causait de la peine à ce «fiancé» que je fasse médecine, au point de nous brouiller. Nous n'avions pas de vraie raison de nous brouiller. Nous nous voyions le dimanche comme avant, mais nous étions brouillés parce que je faisais médecine et qu'il ne voulait pas que sa femme fasse de la médecine. Alors, ça me faisait de la peine de lâcher le seul ami que j'avais. En même temps, je n'étais pas sûre d'avoir raison contre ma mère et contre ce garçon que j'aimais bien. Et mon père ne disait rien.

Alors, au début de la deuxième année de médecine, tout d'un coup – peut-être aussi en relation à Philippe, je ne saurais le dire, mais c'est possible – j'ai eu une espèce d'envahissement de culpabilité à cause de ce que je faisais : peut-être ce n'était pas le bien. Toujours le bien ! Comment savoir si c'était le bien ? Et moi qui ai un sommeil imperturbable, je ne dormais plus bien, donc le travail me fatiguait. J'avais si bien commencé ! Et puis, tout d'un coup, je me suis sentie plafonner dans la préparation des colles. Et j'ai dit à mon père : « Ça ne va pas. » Philippe, de son côté, est allé voir mon père et lui a expliqué : « J'ai parlé à Laforgue de ce qui arrive à Françoise. Laforgue pense que, si Françoise venait parler avec lui trois ou quatre fois, ça s'arrangerait très vite pour elle, comme ça s'est arrangé pour moi. » Alors, mon père : « Je ne demande pas mieux. Je vais aller voir Laforgue pour Françoise. » Et il est allé voir Laforgue « pour Françoise ».

Ensuite, c'est moi qui suis allée chez Laforgue. Je me rappelle très bien les trois premières séances : je n'ai pu dire un mot. Je n'ai fait que sangloter sur le divan ; assise, pas couchée, sur le divan de Laforgue. Mais, ça m'a déjà fait un tel bien ! J'étais extraordinairement soulagée. Je ne savais pas du tout ce qu'était la psychanalyse : « Vous dites tout ce que vous pensez », m'avait-il dit. Comme je ne pensais rien, je pleurais, c'est tout. Mais ça m'avait fait un tel bien de pleurer en ne disant rien pendant trois séances que je dormais déjà très bien. Alors, j'ai décidé de continuer[50].

Vous l'avez commencée en quelle année, votre analyse ?

J'ai dû commencer en février 34. C'est ça, en février 34, en deuxième année de médecine. Un an plus tard que Philippe[51]. C'était au moment où il fut décidé entre D. et moi que nous ne nous reverrions plus[52]. Il avait devancé l'appel pour se libérer de son service militaire. Après, il reprendrait la préparation de son agrégation de lettres. Et, comme des enfants, nous nous étions dit : « Oui, nous nous reverrons – Moi, je ne pourrai être heureuse que si je vous sens heureux », etc., chacun disant des choses aussi bêtes que cela. Moi je me sentais complètement engagée : ma parole était donnée à D. C'était formidable d'ailleurs, parce que ça me réservait deux ans de travail. Et ça me libérait en même temps, parce que, imaginairement, je l'aimais. Affectivement, je le respectais beaucoup et j'estimais que c'était une personnalité fine et cultivée. Il n'était pas royaliste, lui. Son père était royaliste et permanent à l'Action française où il travaillait avec Maurras. Mais son fils ne faisait pas de politique ; en tout cas, il ne défendait pas d'idées politiques. Il disait : « J'ai bien assez de travail avec mes textes de philosophie ! » Le père gérait la propriété du Midi de laquelle ils vivaient, parce que ses revenus de l'Action française n'auraient pas suffi à faire vivre tout le monde. Cette propriété rapportait grâce à la vente des produits des vignes et des melons.

Donc, vous commencez avec Laforgue à ce moment-là ?

Alors, je commence avec Laforgue. Et quelque temps après éclate un nouveau drame avec ma mère : cette fois-ci parce que je continue mon analyse. Elle contraint alors mon père à me couper les vivres. Il m'en prévient : « Je ne peux plus payer pour toi. Il n'est pas question que mon couple se défasse à cause de mes enfants. Je tiens à votre mère, et c'est vous qui lâcherez mais pas moi ! » C'était très bien de parler ainsi ; c'était clair. Alors, je dis à Laforgue : « Il ne m'est plus possible de continuer ; mon père ne peut plus payer et moi je ne gagne encore rien. »

C'est là que Philippe m'a dit : « Tu sais, nous avons des choses à nous, que nous pouvons vendre. Et puis, cette année

117

tu n'as pas le temps, mais l'année prochaine, tu pourras faire des piqûres, des pansements.» Je n'ai pas attendu pour demander à la maison où j'avais été monitrice, si l'on pouvait me donner à faire des pansements ou des piqûres puisque ce travail d'infirmière pouvait se faire le matin ou le soir. Grâce à ce travail, j'ai gagné un peu d'argent. De son côté, Laforgue m'a dit – vrai ou faux – qu'il avait parlé de mon cas à la Société de Paris, où la princesse[53] avait organisé un système de bourses pour les analysants qui intéressaient leurs analystes et qui étaient susceptibles de devenir plus tard analystes. Or il estimait que j'avais l'étoffe pour devenir analyste. Donc, si je souhaitais être boursière, il allait, lui, postuler pour moi une bourse de psychanalyse; de sorte qu'il serait remboursé de la moitié du prix qu'il me demandait et que, moi, je n'aurais à payer que l'autre moitié. A l'époque, il demandait à mon père 25 F; et, du jour au lendemain, il ne m'a plus demandé que 15 F[54]. En même temps, de trois séances, il m'a fait passer à une séance[55]. Auparavant, j'y allais trois fois par semaine. Une séance durait une heure moins cinq minutes. Et, s'il y avait de grands silences, ils restaient des silences. On ne mettait pas les gens à la porte parce qu'ils ne parlaient pas. Je crois que c'est très, très utile. Ces trois premières séances où je n'ai pas pu dire un mot, il y a peu de psychanalystes d'aujourd'hui qui toléreraient cela. Pourtant, elles ont été extraordinairement soulageantes. C'était ce que j'avais à faire pour pouvoir retrouver le sommeil.

Et, à ce moment-là, vous avez été tout à fait décidée à aller jusqu'au bout?

Bien sûr! Mais j'ignorais complètement la théorie psychanalytique, et il y avait interdiction d'en lire.

Il avait formulé l'interdiction d'en lire?

118

Oui, tout à fait! Ça faisait partie de la règle à respecter à partir du moment où on entrait en analyse.

Donc, vous en restiez à vos connaissances antérieures. En gros, la Psychopathologie de la vie quotidienne *et les* Cinq Leçons sur la psychanalyse.

En réalité, il ne m'a rien dit lors des trois premières séances, mais quand j'ai commencé à parler, il est intervenu sur la psychanalyse : «Vous en avez entendu parler? – Oui, par Schlumberger, mais, déjà avant, comme ça...» Il m'a dit : «Sachez qu'il faut que vous attendiez mon autorisation pour ouvrir un livre de psychanalyse, parce qu'on fait beaucoup mieux une psychanalyse si on n'a pas d'idées sur ce qui se passe.» Et, en effet, moi je n'ai rien compris à ma psychanalyse, jamais. Je le lui disais. Il me répondait, avec sa façon à lui de parler : «Vous groyez que vous ne gombrenez bas, mais si vous ne gombrenez bas là [la tête], vous gombrenez là [le cœur].»

Vous êtes restée combien de temps en analyse?

Trois ans[56]. C'était long, parce qu'au bout d'un an je pétais le feu, j'allais très bien; vue par des gens qui m'auraient connue malade je n'aurais eu aucun besoin de continuer. Mais moi, j'avais un critère : quand je voyais des patients, je sentais si j'étais ou non disponible – parce qu'à cette époque-là en médecine, on était tout de suite au lit du malade, on faisait tout de suite fonction de médecin bien qu'on ne le fût pas encore. Et, mon idée, c'est que la cure psychanalytique d'un médecin n'est finie que s'il ne pense jamais à lui quand il est en consultation avec quelqu'un d'autre.

C'est un très bon critère, en effet.

119

Et je le disais à Laforgue : « Je n'en ai pas d'autre. » Il s'épatait et me demandait : « Comment savez-vous que ce n'est pas fini ? – A cause de ceci : avec presque tous, je ne pense plus jamais à moi mais, quand il arrive qu'une mère ou un père ou un enfant me raconte quelque chose qui me fait penser : "Ah ! oui, c'est comme moi", ça prouve que je n'ai pas fini. » Je crois que je n'avais pas tort. Et, quand j'ai vu que vraiment je prenais la consultation à 8 h 30 du matin et que je la fermais à 13 h en n'ayant même pas pensé à moi une seule demi-seconde, j'ai estimé que j'étais analysée. Vrai ou faux.

Il avait accepté que mon analyse dure trois ans, ce qu'il n'avait jamais fait de sa vie ! Les analyses de l'époque, chez Freud, duraient des tranches de six semaines.

Ce qui est intéressant, c'est que j'ai commencé ma psychanalyse vierge, que je l'ai terminée vierge, et qu'il ne me l'a jamais reproché. Il ne m'a jamais parlé du fait que je n'avais aucun désir sexuel, pour personne. J'avais beaucoup de camarades et d'amis, filles ou garçons, mais pas encore d'éveil sexuel. D'ailleurs, je lui en parlais à propos de D., pour voir clair dans ce qui s'était passé entre nous. Mais ce n'était pas le seul problème que j'abordais : il y avait aussi la question des relations avec ma mère, et même celle de savoir où trouver la direction de ce que je sentais être le « Bien ». J'étais complètement perturbée. Moi qui étais capable d'attention, j'ai vraiment traversé un deuxième épisode de folie. J'entrais dans un cinéma au lieu de manger – car je n'avais pas d'argent pour faire les deux – afin d'être au moins dans le noir à voir des images, sans même savoir ce que je voyais : mais l'important était que ça bouge pour que ça ne se fige pas en moi. J'ai été dans cet état pendant une semaine, juste avant de commencer l'analyse, au moment où Philippe a eu raison de parler à mon père pour moi. L'erreur de Laforgue, ce fut de me prendre en analyse moi aussi, qui étais la sœur de Philippe, au lieu de m'adresser à quelqu'un d'autre[57]. C'est dommage, parce que Philippe l'a payé d'une primo-infection gravissime.

C'est lui qui l'a payé?

C'est lui qui l'a payé, alors qu'il était heureux consciemment;
mais dans son inconscient, cette fille de quatre ans de plus
que lui, lui prenait sa place.

Décidément, elle lui prenait sa place partout.

Mais oui! Alors il est allé à Passy[58]. Mes parents étaient affo-
lés. Il faut préciser qu'il avait été stagiaire dans un service de
phtisiologie, deux ans auparavant, donc en contact étroit avec
des tuberculeux. Il avait attrapé leur maladie, elle a évolué
tout doucement, et puis là, ça a «flambé», on lui a trouvé une
énorme caverne. Mes parents ont cru qu'il était perdu. On est
allé voir le Pr R.: il n'y avait pas beaucoup d'espoir. Il a continué des relations épistolaires avec Laforgue, qui lui répondait[59]. Et, en six mois, il s'était déjà beaucoup amélioré, c'était
extraordinaire.

Et moi, engagée avec Laforgue, qui ne pouvais pas changer
d'analyste! Je lui avais dit: «Peut-être que Philippe a été malheureux que je vienne aussi; pourtant, c'est lui qui m'a fait
venir...» Laforgue ne répondait rien, ou il répondait à son
accoutumée. Toutes ses manières d'interpréter, c'était toujours
du genre: «Il y a malheureux et malheureux.» Débrouillez-
vous avec ça!

*Votre décision, au fond, a été prise quand vous avez
imposé à Laforgue de continuer deux ans de plus: là,
vous saviez que vous alliez devenir psychanalyste.*

Pas du tout! Pas du tout! Je savais que je serais un pédiatre qui
comprendrait les troubles psychologiques aboutissant à des
troubles somatiques: ce qu'on ne nommait pas encore «psy-
chosomatique» et qui pour moi consistait en troubles psycho-

logiques qui se traduisent par des troubles somatiques. Voilà ce que je disais.

Quand cette idée vous est-elle venue alors?

Elle est venue, en réalité, je crois, du fait de la guerre de 40. J'ai fini mon analyse en 37 et, à ce moment-là, j'avais le droit de lire de la psychanalyse et de suivre la voie du psychanalyste en formation, car Laforgue – et d'autres – aurait voulu que je devienne analyste.

Vous vous êtes inscrite à la SPP à ce moment-là?

Oui, oui, bien sûr. Je suivais les cours et je participais aux séminaires.

Mais vous n'exerciez pas?

Laforgue m'avait demandé de suivre la formation de psychanalyste qui nécessitait d'avoir trois patients. Trois patients contrôlés pour avoir le titre de psychanalyste. Et on ne formait aucun psychanalyste d'enfants. On ne faisait que de la psychanalyse d'adultes. Si on travaillait avec des enfants, c'était à ses risques et périls, tout seul.

Moi, j'étais médecin organiciste, je voulais être pédiatre. Quand j'ai eu fini médecine, je me suis inscrite comme pédiatre. Au cours de mes études, il m'a fallu faire un stage en psychiatrie. Je l'ai fait dans le service d'Heuyer qui était psychiatre d'enfants à l'hôpital de Vaugirard. Et j'ai appris, horrifiée, chez Heuyer, ce qu'il fallait ne pas faire. Dans ce service, venaient tous les enfants de France et de Navarre.

Et dès ce moment, vous avez eu conscience que c'était l'horreur?

Pour un pédiatre! Pour moi, le pédiatre se devait d'être en empathie avec l'enfant dont il s'occupait, au lieu de lui dire : « Tu n'as même pas de peine alors que tu as fugué! Tu vois que ta mère a failli en devenir folle et tu t'en fous!» Et, comme ces propos rendaient le jeune adolescent furieux, Heuyer ajoutait : « Inintimidable!» Puis, il écrivait dans le dossier : « Enfant inintimidable. Mère : grosse débile. Maison de correction.» Ça me semblait épouvantable! Enfin j'étais chez Heuyer et, un jour, il m'a dit : « Au lieu de préparer l'internat – ce que je faisais puisque j'étais externe – vous devriez préparer l'internat des asiles, parce qu'il faut absolument que dans les asiles psychiatriques, il y ait des gens qui relèvent le niveau.»

Qui vous a dit cela, Heuyer ou Laforgue?

Heuyer. Laforgue, je ne le voyais plus. Nous étions amis, comme ça. Je le voyais à la Société. Pendant les vacances, aussi : nous allions au «Club des Piqués». Le «Club des Piqués», c'était l'auberge de La Roquebrussanne[60].

Il y a quelques années, j'ai lu une interview d'Alain Cuny dans laquelle il racontait qu'il avait rencontré là «une jeune femme extraordinairement dynamique», la future Françoise Dolto.

En effet, en allant chez Laforgue, je rencontre un jeune homme qui me barre la route : «On n'passe pas!» Je dis : « Ben, faudrait voir ça qu'on n'passe pas! – Oui, je sais que vous allez chez le salaud. Mais vous voyez ce que j'ai? (Il me montre un revolver.) C'est pour lui.» Alors, je dis : « En attendant, moi j'ai envie d'aller lui parler. – Non! On n'passe pas! – Écoutez, jeune homme, vous feriez bien mieux de venir dîner ce soir au restaurant où je vais dîner et puis de me laisser aller voir Laforgue. Vous réfléchirez, vous pourrez toujours aussi bien le tuer demain.» Je rigolais comme ça avec lui. Je

ne l'ai pas pris au tragique et il a été ravi. Il est venu le soir au restaurant : c'était éblouissant, cette soirée ! Il n'a fait que réciter des vers de Baudelaire et d'autres poètes.

Il était déjà acteur ?

Acteur non, pas encore, mais il était poète et peintre. Et il adorait les vers. Il était très cultivé en art et en littérature. C'est comme ça que je l'ai connu[61].

Donc, Heuyer vous pousse à passer l'internat des asiles.

Oui, c'est ça. Alors, sans lâcher la « patho » interne ni la « patho » externe qui se faisaient à l'Assistance publique, j'ai fait l'anatomie physiologique de neurologie, à Sainte-Anne. Et, d'ailleurs, à cette époque, j'ai suivi un petit peu Lacan qui faisait des conférences d'internat complètement incompréhensibles ! Il avait été interne des asiles – pas interne de Paris – en même temps que Henri Ey.

Boris était tout à fait stupéfait que la neurologie et la psychiatrie ne soient pas enseignées en médecine, car en Russie, elles faisaient partie des études de médecine générale. Ensuite, chacun se spécialisait, mais tout le monde touchait à la neurologie et à la psychiatrie. Tandis qu'en France, pas du tout. La tête : on ne connaît pas ! L'encéphale : on ne connaît pas ! On connaît les nerfs, mais on ne connaît pas le cerveau. Or, lui aussi était allé à Sainte-Anne, avant moi – je ne le connaissais pas à l'époque –, suivre les conférences. Et il était tombé sur ce farfelu de Lacan faisant des conférences d'anatomie du cerveau. Quand il m'en a parlé, ce fut pour dire : « Mais ce type-là n'est pas un anatomiste. C'est un poète. Il est complètement fou ! » Ça l'amusait beaucoup, mais en même temps ça l'a dégoûté des médecins psychiatres : ce n'étaient pas des gens sérieux, et ce n'était pas scientifique. Enfin, cette coïncidence est amusante...

Moi, je n'ai pas eu Lacan très longtemps, parce que sa conférence était déjà pleine. J'ai eu un type qui s'appelait Langlois et qui faisait très bien les conférences d'anatomie. Je n'y comprenais pas grand-chose à cette géographie du cerveau, très difficile, mais enfin...

Vous avez fait des coupes?

Oui, mais comme on peut tout faire, une fois qu'on s'y met.

Là-dessus, j'apprends qu'à Maison-Blanche une interne des asiles qui s'était mariée avait demandé à être remplacée pendant trois mois. Comme j'étais externe des hôpitaux, j'ai postulé à ce remplacement.

Je suis donc allée passer trois mois d'internat à Maison-Blanche[62]. Ce séjour a suffi à me dégoûter pour la vie d'être psychiatre des hôpitaux. Je me disais : « Mais, ce n'est pas à partir de dix-huit ans qu'il faut s'occuper de ces gens-là, c'est dès leur enfance. Toutes ces personnes qui arrivent dans un état délirant, tout ce qu'elles racontent, c'est toujours des choses de l'enfance. Que cela ne commence à se manifester qu'à dix-huit ans, parce qu'elles ont été courtisées par un type qui les a plaquées à leur travail, ou parce qu'elles ont aimé quelqu'un qui ne s'en est pas aperçu, ou n'importe quoi d'autre, c'est toujours papa qui revient. Ce n'est pas du type en question qu'il s'agit. Lui n'est là que comme prête-nom. De même qu'une femme à la période de la ménopause, ce n'est jamais son mari, mais son papa qui lui apparaît sous forme d'un petit diable au pied de son lit parce qu'elle a regardé le facteur qui lui a fait de l'œil, ou n'importe quoi. » C'était toujours des histoires comme ça... Et puis, un autre aspect de l'asile c'était que, d'une heure à l'autre, ces femmes n'avaient plus un peigne, plus une brosse à dents, plus un corset, n'avaient plus rien, qu'une chemise en gros coton et une robe par-dessus. Il fallait que personne ne puisse s'étrangler, ne puisse se faire de mal avec rien. Elles mangeaient avec

126

des cuillères, parce que les fourchettes, c'est dangereux! Enfin, c'était de la folie. C'étaient vraiment les humains qui s'en occupaient qui formaient un camp de concentration épouvantable.

En outre, j'étais seule interne pour... 1 200 femmes! Les années qui suivirent la crise de 1929, ce fut une époque où il y avait tous les jours des entrantes qui étaient des débiles séniles placées par la famille parce que les gens n'avaient plus de place dans les appartements. Et je devais assurer, non seulement l'accueil, le traitement des gens, mais tout le reste! J'ai fait au moins dix autopsies pour trouver de quoi certaines de ces femmes étaient mortes. Et, j'étais seule! Je faisais les autopsies toute seule, puis le rapport d'autopsie. C'est très curieux, toutes ces femmes mouraient d'athérome. Elles avaient, toutes, les artères bourrées de saloperies blanches, tout le long des parois. Alors, j'en concluais qu'elles étaient mortes d'athérome. Mais, allez savoir de quoi elles étaient mortes ces pauvres femmes...

Il y en a tout de même une qui est morte d'une appendicite que le patron n'a pas voulu prendre en considération, disant que c'était samedi, qu'on attendrait lundi. Elle est morte de péritonite. Et moi, qui étais médecin des hôpitaux, je me suis sentie terriblement coupable et je me suis dit: «Je ne reste pas dans un endroit pareil, c'est épouvantable!» Pour couronner le tout, il y avait l'esprit de salle de garde: c'était l'esprit de gendarmerie de province! Ça ne ressemblait pas du tout, du tout, aux hôpitaux de Paris. Si bien que je n'ai pas voulu passer le concours.

Là, vous vous êtes détournée définitivement de la psychiatrie?

Non seulement de la psychiatrie, mais je me suis détournée aussi de la filière de la médecine officielle de l'Assistance publique parce que Mme Aubry m'avait servi d'ilote ivre – la

Mme Aubry de l'époque, parce qu'après, elle a beaucoup changé, elle a fait une analyse; c'est une femme que j'admire beaucoup. Mme Aubry, à ce moment-là Mme Roudinesco, qui était une ancienne élève d'Heuyer, venait, pendant que j'étais externe, tous les jours dans son service pour pleurer dans son giron, parce qu'elle préparait l'assistanat – ou qu'elle était assistante et qu'elle préparait le médicat des hôpitaux. Et ce n'étaient que des histoires de piston! Il n'y avait rien, rien, rien en rapport avec les capacités ou le désir de quelqu'un d'être médecin! Rien du tout. Ce n'étaient que des histoires sordides qu'elle racontait au patron. Et moi, externe, j'étais obligée d'entendre ce qu'elle disait, je la revois avec son petit chapeau à fleurs avec des cerises sur le dessus qui se secouaient! Elle était homme habillé en femme ou femme déguisée en homme; on ne savait jamais si c'était un homme-femme ou une femme-homme. Je me disais: « Mais c'est terrible, si on devient comme ça quand on est gradé dans les hôpitaux! Il faut fuir. Ce ne sont plus ni des médecins ni des humains. Je ne sais plus ce que c'est. Ce ne sont que des gens qui cherchent des places[63]... »

Et c'est dans cette problématique-là que vous avez pensé à devenir psychanalyste?

Pas du tout! Dans cette problématique-là, j'ai pensé simplement à exercer la médecine, être pédiatre, faire comme je pouvais, me débrouiller et ne faire partie d'aucun cadre. Et m'installer en ville, en libérale, tout de suite. C'est d'ailleurs ce que j'ai fait.

Vous vous êtes installée comme pédiatre?

Comme pédiatre, immédiatement. J'ai passé ma thèse *(Psychanalyse et Pédiatrie)* le 11 juillet 1939 à 13 heures de l'après-midi et je suis allée une heure après, ayant juste mangé un morceau, à la préfecture pour faire enregistrer mon diplôme. D'abord, j'ai demandé mon diplôme à la faculté. On m'a répondu : « Quoi! Vous venez juste de soutenir votre thèse. – Je veux mon diplôme, j'ai soutenu ma thèse. – Vous en avez le droit, bien sûr, mais ça ne s'est jamais fait : on ne le donne pas le jour même. Revenez dans huit jours. – Dans huit jours?! Mais on est presque au 14 juillet! Moi, je pars en vacances; je veux prendre des vacances, parce que je veux m'installer le premier septembre au plus tard. » Alors, l'employée m'a dit : « Vous êtes bien pressée. Enfin, c'est votre droit. On va vous faire un certificat attestant que vous avez été reçue à votre thèse. » Elle m'a fait ce certificat. « Maintenant, comment est-ce que je peux travailler immédiatement comme médecin? – Il faut aller vous faire enregistrer à la préfecture. » J'étais à la préfecture le jour même, le 11 juillet 1939. Ils ont bien rigolé en voyant une dame qui avait passé sa thèse juste deux heures avant et qui venait aussitôt. J'ai dit : « Écoutez, moi je suis pressée! J'ai fait médecine pour pouvoir travailler et je veux travailler. – Mais, c'est très bien! C'est très bien! Bravo, bravo, madame la doctoresse!... » Ils se tordaient de rire. Ils s'en souvenaient encore d'ailleurs quand, après la guerre, j'ai dû y retourner comme tout le monde. Pendant l'occupation allemande, il a fallu y aller pour qu'ils sachent si j'étais juive ou pas juive. J'avais les papiers attestant que je ne l'étais pas, heureusement pour moi. Mais pour cela aussi, c'est toujours la même attestation qui a été tamponnée parce qu'on ne m'avait toujours pas donné mon diplôme. Car, après la déclaration de guerre, tout s'est arrêté et personne n'avait son diplôme officiel.

Et les femmes qui ne s'étaient pas inscrites à la préfecture n'avaient plus le droit de pratiquer à Paris, jusqu'à la fin des hostilités. Si je ne m'étais pas inscrite le jour même... Ce sont tout de même des signes de la Providence qui me protégeait, ces idées soi-disant saugrenues et qui étaient en réalité des idées qui m'ont sauvée. Car si j'avais attendu mon retour de vacances le 15 août, en pleine préparation de la guerre, les services désorganisés, la faculté et la préfecture presque fermées je n'aurais eu ni mon certificat ni mon enregistrement. En effet, à partir de la déclaration de guerre, il fut interdit aux femmes de s'inscrire comme médecin en France pour ne pas nuire aux hommes qui avaient leur métier et dont elles auraient pris la place pendant qu'ils étaient mobilisés. C'est donc comme ça que je me suis installée comme médecin tout de suite et que j'ai tout de suite ouvert mon cabinet, le 1ᵉʳ septembre. Le jour même, j'ai eu trois personnes.

Vous aviez un local?

Oui. J'habitais déjà un endroit que j'avais loué.

Et c'est là que vous avez commencé?

Oui.

Où était-ce?

C'était 13, square Henry-Paté. C'est là que j'ai commencé, en prévenant les pharmaciens. Je suis allée leur dire : «Je suis inscrite comme pédiatre et éventuellement généraliste.» A ce moment-là, on pouvait avoir deux spécialités. On choisissait soi-même, après la thèse, sa spécialité. J'avais fait six services de pédiatrie couvrant tous les aspects de la spécialité : psychiatrie infantile chez Heuyer, chirurgie et traumatologie de l'enfant. J'avais donc fait tous les services qui me donnaient le droit de me faire payer comme spécialiste. Car il fallait avoir fait des stages en pédiatrie dans trois services au moins pour se dire pédiatre. J'étais allée aussi dans un service de nourrissons, je ne sais plus lequel. Et puis, dans des services de médecine générale et de chirurgie générale d'adultes. Donc, je pouvais aussi être généraliste, comme on dit, et m'occuper de médecine et petite chirurgie : des abcès, des petites choses comme ça qu'on peut soigner à son cabinet. C'est dans ces conditions que j'ai commencé à exercer.

5

Les débuts de la pratique

*Et alors, dites-vous, c'est la guerre qui vous a donné la
possibilité de vous installer comme psychanalyste?*

En effet, c'est la guerre. Le jour de la déclaration de guerre, le
3 septembre 1939, en plus de ma pratique libérale, je faisais
fonction d'interne en remplacement volant, c'est-à-dire que je
remplaçais les médecins des Enfants-Malades qui voulaient
s'absenter. La plupart des services où j'étais allée se trouvaient
aux Enfants-Malades, qui était le seul hôpital pour les
enfants; donc j'étais tout le temps aux Enfants-Malades où
j'ai toujours pris mes repas de midi et toute la salle de garde
me connaissait. Et, pour mettre du beurre dans mes épinards,
je faisais des remplacements de garde de nuit pour ceux que
ça barbait. Comme tous les chefs de service et les infirmières
me connaissaient, on m'acceptait comme si j'étais une interne,
puisque j'avais fait mes conférences d'internat chez eux.
Comme je vous l'ai dit, je ne me suis pas présentée au
concours parce que je ne voulais pas prendre la place de quelqu'un, moi qui ne voulais pas faire partie de cette hiérarchie
que je fuyais et dont je trouvais qu'elle rendait tout le monde
complètement fou. On n'était plus médecin, on était dans la
hiérarchie. Je trouvais cela complètement imbécile. C'était
vraiment fini pour moi.

Alors, ce 3 septembre 1939, j'avais rendez-vous à déjeuner
avec une amie qui avait été mon interne lors de l'un de mes

stages. Nous étions, de plus, vaguement cousines. Elle travaillait à Laennec. Donc, je devais aller des Enfants-Malades à Laennec. J'arrive place Duroc au moment où toutes les cloches se mettent à sonner le tocsin. En plus du tocsin, j'entends un chahut épouvantable : c'était la déclaration de guerre, qui s'annonçait depuis la veille au soir. On ne parlait que de cela sur toutes les radios. C'est alors que j'ai vu des scènes de folie sur cette place Duroc et là, je me suis dit : « La psychanalyse, c'est vrai ! » Les gens qui se trouvaient à ce moment-là en compagnie de quelqu'un d'autre s'agglutinaient, les têtes penchées, silencieux autour d'un journal. Ceux qui étaient tout seuls cherchaient un autre ou, s'ils ne cherchaient pas d'autre, se mettaient à hurler, surtout les femmes. Ainsi, une femme hurlait, après avoir lancé son sac : « Les Uhlans ! Les Uhlans qui arrivent ! Mon papa ! » Complètement délirante et hurlante ! Un monsieur à côté d'elle essayait de la calmer : « Mais non, madame ! On n'est plus en 1914 ! Ce ne sera pas pareil. Nous sommes en 1939 ! » Elle tapait sur le monsieur, se foutant de ce qu'il disait : « C'est vous qui l'avez tué, mon papa ! » N'importe quoi ! Je ne voyais, place Duroc, que des fous, ou des conglomérats silencieux et bizarres, mais pas des humains continuant leur chemin. Et, cela, sous prétexte qu'il y avait ce chahut dans lequel on annonçait : « C'est la déclaration de guerre. » On criait : « Déclaration de guerre ! Déclaration de guerre ! » sur le ton des petits types qui vendaient les journaux. Enfin, c'était une espèce de folie mousseuse, un œdème aigu du poumon de la rue.

Alors, j'arrive à Laennec et je vois mon amie interne. C'était l'heure du déjeuner. Elle me dit : « Je ne peux pas déjeuner avec vous. Nous avons dû libérer trois salles. Nous n'avons que des entrantes délirantes ! » Elle était en service de femmes. « Nous avons deux cents délirantes depuis deux heures. » Je lui réponds : « En effet, j'en ai vu délirer dans la rue. » Elle me dit : « Vous ne pouvez pas savoir...! » Alors, je suis restée un peu pour l'aider. On déshabillait les femmes, on les rhabillait, on leur faisait une piqûre de calmant, puis on les mettait au lit, avec les infirmières. On essayait de savoir leur adresse. On était complètement débordé par ce monde fou. Ces femmes n'avaient plus rien : elles avaient perdu leur sac, d'autres en avaient profité pour le chiper. C'était vraiment le désarroi. Le soir, j'ai téléphoné à Mimi, ma cousine : « Comment ça s'est passé ? – Oh! ça s'est bien calmé. Il y a une infirmière merveilleuse (que je connaissais moi-même déjà), elle a été extraordinaire. Elle a donné du café au lait et du bon pain beurré à tout le monde. Et elle disait : "Mais oui, voilà ton bon pain beurré, ta bouillie... Tu veux une bouillie?" » Elle donnait des choses de bébé à ces femmes tout en leur parlant gentiment. Le lendemain matin, après que, pour la plupart, elles eurent bien dormi, on a retrouvé leur adresse et leurs affaires.

Leur père, leur mari n'étaient pas mobilisés le jour même alors qu'elles croyaient qu'elles allaient rentrer chez elles et qu'ils ne seraient plus là. Les hommes étaient mobilisés en deux ou trois jours, donc, ils étaient encore chez eux. Finalement, il n'a fallu envoyer à Sainte-Anne que quatre ou cinq personnes : les autres sont rentrées dans leur foyer. Il y avait eu une fièvre, une sorte de fièvre quarte de la rue...

Donc, à ce moment-là, vous vous installez comme psychanalyste?

Alors, à ce moment-là, je reçois les analysants des Juifs qui étaient obligés de s'en aller. Et c'est là que j'ai compris que la psychanalyse est juive. Moi, jusque-là, j'avais suivi la formation. J'avais trois analysants et je suivais les séminaires de Spitz, Odier et Lœwenstein. Lœwenstein faisait des séminaires de clinique; Spitz étudiait les écrits de Freud; Odier travaillait sur la « clinique des jeunes », c'est-à-dire : jeunes filles, jeunes gens, adolescents, difficultés scolaires, difficultés d'études, etc. D'autre part je suivais les cours qu'il y avait. Et, à la dernière séance de 1939 – j'avais donc soutenu ma thèse le 11 juillet et la dernière séance a eu lieu le 12 ou le 13 –, ils m'ont élue à l'unanimité membre titulaire de la Société psychanalytique de Paris, du fait de ma thèse qui servait de travail théorique.

Vous leur en aviez parlé de cette thèse?

Non, non! Auparavant, j'avais fait un «topo» clinique, qui m'avait fait admettre comme membre adhérent[64]. Et je continuais ma formation, ce pour quoi j'avais donné ma parole, parce que, comme j'avais été boursière, j'estimais que je leur devais d'être psychanalyste d'adultes. On n'était pas psychanalyste d'enfants.

Ils vous avaient permis de faire votre psychanalyse et vous vous sentiez une dette?

En effet puisqu'ils m'avaient permis de continuer ma psychanalyse je me sentais une dette vis-à-vis de la Société de Paris. Donc, j'avais suivi la formation demandée: «Prenez trois patients sous contrôle, et suivez les cours. Après, vous ferez ce que vous voudrez mais vous aurez eu la formation pour adultes. En même temps, ça ne vous empêche pas de continuer d'être pédiatre si vous voulez.» C'est ce que j'ai fait.

Vous aviez trois patients, donc.

J'ai eu trois patients, en effet, c'était la règle. Et j'ai écrit cette thèse, qu'ils ont trouvée tous totalement farfelue. Il n'y a que Jean Rostand qui m'a écrit pour me dire qu'il trouvait ce travail formidable[65]!

Sophie Morgenstern, elle, n'en a rien dit[66]? Elle n'a pas connu votre thèse?

Elle l'a un peu connue parce que je lui en ai envoyé un exemplaire[67]. Mais elle n'est pas venue le jour de la soutenance parce qu'elle était déjà partie en vacances. Elle savait que la guerre arrivait. Elle était dans un état...! Elle avait perdu sa fille des suites d'une opération qui, à l'époque, était très grave: l'ablation de la vésicule biliaire, opération bénigne maintenant. Elle n'avait plus de raisons de vivre; tout le reste de sa famille habitait Lvov en Pologne et avait été massacré par Hitler. Elle était donc dans une situation intérieure dramatique[68]. J'allais la voir tous les huit jours: elle faisait partie de mes contrôleurs, non pas pour la médecine ni pour la psychanalyse, mais pour les enfants que je voyais en pédiatrie et dont je pensais que les troubles étaient d'ordre psychologique. Par exemple, les petits enfants que je faisais dessiner à ma consultation de «la porte» aux Enfants-Malades où j'allais tous les jours. La consultation de «la porte» me passionnait. Je recevais les enfants dont les autres internes avaient marre et ne voulaient plus. Ils en avaient marre, parce qu'ils faisaient des mares de pipi et eux ne savaient pas quoi faire. Ils avaient beau supprimer la boisson ou les gronder, les menacer de leur couper le zizi, tout cela ne faisait rien du tout. Finalement, ils disaient: «Nous avons là une consœur qui s'intéresse beaucoup au pipi au lit. Allez donc la chercher!» Et voilà ce que je voyais: les énurétiques, les vomisseurs, les spasmodiques, les enfants chipoteurs et les enfants anorexiques, les enfants-cauchemar. Parce que j'étais, à la consultation de «la porte», une personne un peu farfelue que tout le monde aimait bien et qu'on trouvait drôle. On était tranquille quand on me laissait sa garde: «Elle ne fera pas de bêtises.» J'étais sympathique et, moi, j'avais en sympathie tout le monde, tout en essayant d'expliquer le rôle psychique dans le somatique. Certains écoutaient, d'autres pas. Ça a fait

son chemin mais, à l'époque, c'était absolument révolution-
naire. J'étais celle qu'on appelait « la folle ». D'ailleurs, quand
Catherine a commencé ses études de médecine, en 1970, une
fois où on parlait de moi, il y eut une étudiante pour répéter
ce qu'elle avait entendu dire à mon sujet et c'était : « la folle ! ».
« Mais pourquoi dis-tu que Françoise Dolto, c'est la folle ?
– Parce que tout le monde le dit. – Et, tu as lu quelque chose
de ce qu'elle a écrit ? – Ah! non. Dieu m'en garde ! – Tu as
tort, c'est intéressant. – Comment, tu en as lu ? – C'est ma
mère. – Oh! je te demande pardon, je ne voulais pas te bles-
ser. – Écoute, je vais t'apporter quelque chose. » Et elle lui a
apporté *Psychanalyse et Pédiatrie.* « Ce n'est pas bête ! Pourquoi dit-on qu'elle est folle ? – Parce que c'est nouveau. » Et
c'est comme ça que, peu à peu, elle a changé d'avis sur moi. Il
y a eu plusieurs anecdotes de ce genre.

En fait, ces préjugés contre moi étaient dus surtout à Lebovici : il avait eu peur – c'est très curieux – que je veuille faire
carrière, que je lui prenne sa place de médecin des hôpitaux.
Or on voyait bien que je ne le voulais pas. Tout le monde
savait que je ne voulais aucun titre. Je trouve d'ailleurs qu'il
est complètement incompatible d'avoir des titres sociaux et
d'être psychanalyste. A partir du moment où on a un titre
social, on ne peut plus être psychanalyste. Mais l'attitude de
Lebovici à mon égard a eu une conséquence curieuse qu'il
faut que je vous raconte. Pour cela, il faut remonter à l'affaire
de la scission, juste avant le congrès de Londres[69].

A ce moment-là, Lacan était président de la SPP et il y
avait un remue-ménage formidable autour de la formation des
psychanalystes. Un groupe s'était constitué autour de Nacht
qui voulait qu'il y ait un cursus de plusieurs années au cours
desquelles on devrait pointer en assistant aux cours; après
avoir pointé pendant trois années A, B, C, on serait nommé
psychanalyste.

Une usine à fabriquer des psychanalystes!

138

C'est ça! Parce que la Faculté, pour reconnaître la psychanalyse comme une spécialité, demandait à la Société de psychanalyse de former des gens avec diplôme : un diplôme à partir de cours qu'on apprendrait et puis qu'on réciterait. Apprentissage et vérification : c'était ainsi qu'on envisageait la formation du psychanalyste! Il a été également question de créer à l'Institut un organisme pour former des jeunes n'ayant pas beaucoup d'argent – des boursiers en fait – pour devenir psychanalystes. Il y aurait eu un petit dispensaire, gratuit ou presque, pour les gens qui viendraient se soigner auprès de jeunes psychanalystes en formation. C'est l'Institut de psychanalyse qui les aurait formés. Et, du fait de l'assistance aux cours, par ailleurs, ils auraient été nommés psychanalystes. Voilà. Alors, il y a eu des magouilles pas croyables : des psychanalystes qui travaillaient déjà très bien et qui ont été déclarés inscrits en année A; ils devaient donc suivre les cours; alors que d'autres qui n'avaient encore rien fait, étaient mis en année C pour finir leur formation. Et tout cela, au gré des contre-transferts de leurs analystes...

Ce qu'on appelle vulgairement la «tête du client».

C'est cela. Alors, c'est à ce moment-là qu'il y a eu une révolte des jeunes à la Société de psychanalyse. Et que Lagache a démissionné, sans savoir que, si on démissionnait de la Société de Paris, on était de fait exclu de l'Internationale, puisque l'Internationale ne reconnaissait les Français que s'ils étaient inscrits à la Société de Paris. Il a démissionné pour ne pas faire corps avec Nacht, la princesse, etc. Et Lacan, qui était président, était présent lorsque Lagache a annoncé : «Je donne ma démission et je fonde une autre association de psychanalyse.» Il est vrai qu'on avait beaucoup saqué les gens formés par Lagache, lors des inscriptions aux années A, B, C.

Il y a eu des règlements de compte, là?

Oui, des règlements de comptes. Et la princesse qui se devait d'être du côté de Lagache car elle l'avait déclaré, à minuit ou une heure du matin, s'est mise du côté de Nacht. Encore une magouille! Je trouvais tout cela stupide. J'étais tout à fait favorable à une formation qui n'empêche pas les gens de choisir leur analyste. Car ces gens qui s'adressaient à l'Institut sous prétexte qu'ils payaient très peu cher ou pas du tout, n'avaient pas le droit de choisir leur analyste. Je trouvais cela anti-psychanalytique. Et je trouvais aussi que l'assistance à des cours était anti-psychanalytique.

Or, quand nous sommes arrivés au congrès de Londres, on nous a dit : « Tous ceux qui ont démissionné de la Société de Paris ne sont plus membres de l'Internationale et n'ont pas le droit de participer au congrès. » Moi qui avais démissionné, je me trouvais dans ce cas-là. J'avais suivi Lagache et Juliette Favez. Et, Lacan, lorsqu'il a vu que nous formions un groupe, a dit qu'il démissionnait pour venir avec nous, une heure après. Si bien que nous formions tout un groupe et que nous avons déposé à la préfecture les statuts de la Société française de psychanalyse. Par la suite, certains d'entre nous qui auraient voulu être repris à l'intérieur de l'Internationale, en ont fait la demande. Une commission est venue étudier la façon dont chacun travaillait. Nous avons été mis sur la sellette pour savoir comment nous travaillions! Et cette commission a conclu qu'il fallait évincer Lacan et m'évincer moi aussi.

Pour Lacan, c'était à cause des séances courtes?

C'est ça.

Et pour vous?

Pour moi, il a été noté dans les actes du congrès de Stockholm[70], les actes secrets de la commission d'études, que : premièrement, j'étais inscrite au parti communiste. C'est Lebovici qui l'a dit, alors que, lui...

> *C'est-à-dire que Lebovici avait des comptes à régler avec lui-même puisqu'il avait rédigé le fameux article que vous connaissez, de dénonciation de la psychanalyse sur ordre de Moscou... avant de donner sa démission du PCF pour se consacrer à sa carrière hospitalière et psychanalytique[71]!*

Voyez-vous, je ne m'occupais pas de cela.

Enfin, il a dit en public que j'étais inscrite au parti communiste. C'est ce qui faisait le plus peur à tout le monde : pensez, le parti communiste pour un psychanalyste!

Deuxièmement : que je passais mes week-ends avec mes patients.

> *Hein?!*

Alors qu'à l'époque tout le monde savait que j'avais des enfants petits, que nous allions à la pêche et à la chasse avec mon mari, et que jamais je ne quittais les enfants et mon mari le week-end.

> *Mais cette idée de week-end avec les patients, ça veut dire que c'était une pratique qui existait à cette époque-là?*

Je ne sais pas. Je n'ai su tout cela que bien après.

> *C'est curieux tout de même!*

Oui, mais j'ai vu écrit, noir sur blanc, qu'il avait dit cela sur moi.

Troisièmement : que j'étais devenue tout à fait jungienne. Alors que je ne connaissais pas un mot de Jung! C'est fou!

141

J'ai appris cela par Hartmann qui avait été un de mes contrôleurs et par Lœwenstein. Lorsque j'apprends cela par Hartmann, je lui dis : « Mais, comment est-ce possible? Vous me connaissiez : pourquoi n'avez-vous pas dit que ce n'était pas vrai?» Il me répond : « Mais, moi, je vous connaissais en 39, je ne vous connaissais plus vingt-cinq ans après. Vous avez peut-être pu évoluer, après tout, je ne sais pas. – Mais, Lagache y était. C'était le seul qui avait le droit d'y être. Et il n'a rien dit? Il sait bien qui je suis! A moi, il m'a toujours dit : "Je ne connais pas quelqu'un de plus classique que toi quand c'est des cas réguliers et, en même temps, tu fais de la recherche, c'est intéressant." » Alors, Hartmann me dit, en me donnant une claque dans le dos : « Vous voyez, Françoise, on croit qu'on a des amis... Si Lagache avait dit la moitié du quart de cette phrase, tout ce que disait Lebovici était balayé, parce que pour les gens qui vous connaissaient, ça ne collait pas avec votre personne. » Et voilà, sur quels dires j'ai été évincée, après la commission d'enquête.

Un dire de Lebovici et un silence de Lagache.

Un silence des gens qui me connaissaient. Et moi, ça m'a rendu tellement service!

Mais, à votre avis, qu'est-ce qui a fait que Lagache n'a rien dit?

Je n'en sais rien. Jalousie de mec? Je crois que c'est une affaire de machiste, mais je ne sais pas du tout.

Parce que Lebovici, c'est vrai, s'occupe d'enfants, comme il peut. Le moins qu'on puisse dire c'est que ce n'est pas très brillant, et qu'on ne voit pas très bien ce qu'il en restera...

Enfin, il a fait du social, le premier.

> *... et donc il pouvait avoir une rivalité imaginaire avec vous[72], mais Lagache? Il n'y avait même pas cet enjeu.*

Non! Si, peut-être, on ne sait jamais... Je ne sais pas mais je dois dire que ce fut providentiel, parce que ça m'a rendu tellement service! Sinon, j'aurais continué à aller à ces congrès insipides... Vraiment, j'étais étonnée de voir ces congrès de psychanalystes : pendant le congrès, ils avaient tous avalé leur parapluie, ils avaient des têtes comme ça. Et, le jour où le congrès était fini et qu'il y avait une sortie, ils étaient tous comme des bébés à se pincer les fesses les uns les autres, à se taper dans le dos alors qu'au cours des journées de travail, c'étaient des moribonds qui se prenaient au tragique avec des têtes de fantômes! J'ai trouvé ce milieu complètement factice.

> *Les institutions psychanalytiques vous ont dégoûtée comme l'hôpital psychiatrique vous avait dégoûtée.*

Oui, c'est ça; j'étais étonnée de voir des gens si faux, si engoncés dans leur narcissisme, craintifs d'être vivants.

> *Mais, entre nous, à l'École freudienne, ce n'était pas tellement différent, non?*

A l'École freudienne, c'était tout à fait pareil!

Mais, pour en revenir aux circonstances dans lesquelles j'ai été évincée de l'Association psychanalytique internationale, je pense que, sans que ça ait été dit, Laforgue était mal vu par l'Internationale parce qu'il était trop clinicien, finalement. Il était très freudien, très clinicien. En outre, pendant la guerre, il a eu une attitude ambiguë parce qu'il était alsacien, qu'il avait fait son service militaire dans l'armée allemande et que, grâce à cela, il a pu sauver beaucoup de Français; mais beau-

Docteur René LAFORGUE
CHEVALIER DE LA LÉGION D'HONNEUR
5 Novembre 1894 - 6 Mars 1962

———— ✝ ————

Ce n'est déjà plus une souffrance que
de savoir pourquoi l'on souffre.
St Augustin

Les morts sont des invisibles, ils ne sont
pas des absents.   *St Augustin*

Travailler sans relâche et se dévouer
pour tous, ce fut sa consolation et sa vie.
Epit. de St Paul

coup de Français lui en voulaient parce que les Allemands lui permettaient de rouler en voiture, par exemple. Aussi, après la guerre, il est allé au Maroc où il a continué à être psychanalyste, puis il est revenu à Paris où il a continué à exercer jusqu'à la fin de sa vie[73].

Qu'est-ce qui l'a poussé à aller au Maroc?

Ah! Il était convaincu qu'il allait y avoir une révolution en France.

Tiens donc! Une révolution communiste?

Je ne sais pas. Je ne le voyais plus à cette époque-là. C'était un anxieux. Et c'est vrai que ce n'était pas tout cuit, l'équilibre de la France après la guerre.

Alors, il a préféré aller s'installer au Maroc. Vous ne l'avez plus jamais revu par la suite?

Je crois que sa femme avait des intérêts au Maroc. Sa deuxième femme. Il s'était remarié; sa deuxième femme était très aisée, riche. Je pense qu'elle devait avoir des intérêts au Maroc. Je ne sais pas très bien. Je ne le voyais plus, vous savez. Toutefois, quand il venait à Paris, il me faisait signe, on se voyait... Il a été tout épaté quand il a connu Boris. Alors là, j'ai vu une chose intéressante sur le transfert. Je croyais vraiment que j'avais liquidé mon transfert sur Laforgue. J'avais fini mon analyse en 37, j'ai passé ma thèse en 39, je me suis mariée en 42, et j'étais loin de Laforgue. La première fois que Laforgue est revenu à Paris, j'étais mariée. Nous sommes donc allés le voir, Boris et moi. A cette époque-là, nous étions motorisés, mais pas en voiture : nous étions en moto pour aller le voir. Et, tout d'un coup, j'ai été prise d'une telle angoisse que j'ai dit à Boris d'arrêter. Je m'en souviens

DOCTEUR FRANÇOISE DOLTO
260, RUE St JACQUES, PARIS VIe
DANTON 96-89
—
SUR RENDEZ-VOUS

mon cher Jacques,

c'est encore moi parce que
ce matin je ne pouvais pas te
parler tout à fait librement
j'avais quelqu'un dans mon
bureau.

Je voulais te préciser que si je
suis indifférente aux remous
divers des tensions de groupe
— si je l'ai été — c'est que c'est
grâce à cela que j'ai pu conti
nuer à travailler dans la voie
que je savais devoir être la
mienne mais ce n'était
pas une indifférence aux buts
du groupe dont je me sens
un élément actif — là encore
sans exclusivisme aucun.

J'estime que tous ceux, qui, donnent
à ce qu'ils font, travaillent

autrement que je ne le fais sont
valables.
et je suis absolument convaincu
que des façons apparemment
opposées, quand elles sont orientées
par celui qui les emploient vers
un but qui est l'intérêt de tous
ne peuvent que co-exister un
temps pour ensuite portes des
fruits divers mais également
nécessaires au groupe.
la polémique ne m'intéresse
pas et c'est sous cet angle
que je me désintéresse ais des
potins de tension, ou des
formules de statuts quand
elles ne me semblaient pas
aller à l'encontre de l'intérêt
des destinées de la société
dans l'avenir, même si
momentanément, une
interprétation de quelques années
pouvaient orienter relativement
la société dans une direction
moins libérale que celle que
j'eusse souhaitée

encore, c'était boulevard Delessert; Laforgue habitait rue de la Tour. Et j'ai dit à Boris : « Tu sais, c'est extraordinaire, je croyais vraiment que le transfert sur Laforgue, j'en étais sortie. Figure-toi que je suis affolée à l'idée que tu ne lui plairais pas. Je suis complètement folle! » Il a rigolé et il m'a répondu : « Alors, qu'est-ce qu'il se passe si je ne lui plais pas? – Justement, je n'en sais rien. » Là-dessus, nous avons ri et nous sommes repartis. Arrivés chez lui, la première chose qu'il a dite, ce fut : « Mais comment est-ce que tu as fait pour trouver, toute seule, sans moi, un homme qui te va si bien? »

Il vous tutoyait?

Oui. Il fallait se tutoyer à la Société de Paris à partir du jour où on était titulaire. Entre membres titulaires, tout le monde se tutoyait. Alors que pour certains je ne savais même pas comment ils s'appelaient. Par exemple, je ne savais pas la différence entre Lagache et Lacan. Je les voyais toujours ensemble et, toujours, toujours, en train de parler ensemble. C'était : Lagache-et-Lacan. Les jeunes, dont je faisais partie, ne savaient pas lequel était Lagache et lequel était Lacan. Ils étaient les emmerdeurs qui empêchaient les autres d'écouter la conférence, tellement ils parlaient. Alors, de temps en temps, on leur disait : « Chut! » Nous, les jeunes, nous étions derrière; et Lacan se retournait vers nous avec un œil ténébreux et vindicatif, parce qu'on lui avait dit de se taire.

Et c'est le jour où nous nous sommes séparés définitivement parce que la guerre arrivait, c'est-à-dire en juillet 39, jour où j'ai donc été élue membre titulaire, qu'il a fallu que je tutoie tout le monde et que tout le monde m'a tutoyée – chose qui n'était pas dans les mœurs comme aujourd'hui. Depuis 68, tout le monde se tutoie dans les hôpitaux : les médecins, les infirmières... Ce n'était pas du tout pareil à cette époque-là. Mais là, c'était comme un signe de société secrète, de je ne sais quoi, de secte. Les psychanalystes avaient ce côté-là.

Initiatique?

Initiatique, oui. Comme les anneaux qu'avait Freud autrefois, les sept anneaux[74]. C'était quelque chose qui venait d'une société ésotérique. Je trouvais ça marrant. Et c'est comme ça que j'ai tutoyé Lagache, que je ne connaissais pas, Lacan, que je ne connaissais pas, et que bien des gens ont cru depuis que j'étais très amie avec Lacan.

Vous n'avez jamais été très amie avec Lacan?

Non! Mais j'ai beaucoup apprécié les gens qui étaient les analysés de Lacan parce qu'ils étaient rapidement de plain-pied avec les enfants. C'est cela qui m'a tout à fait étonnée. Et aucun analysé de Lagache, de Bouvet, de Nacht, etc., n'en était capable. Ils étaient bloqués à des comportements.

C'est plus cet aspect qui vous a attirée vers lui, les effets thérapeutiques, les effets cliniques que ses développements théoriques.

Oui! Et c'est pour cela que lorsqu'il a fondé son École, je me suis dit que ce serait bien d'en être. Je ne suivais pas du tout ses cours ni ce qu'il enseignait. Je pensais qu'il était préférable de ne pas rester toute seule. C'est très difficile, en effet, de rester seul quand on est analyste : il faut pouvoir communiquer, il faut parler avec d'autres. C'est un travail qui joue trop sur le narcissisme si on est seul, en positif ou en négatif. Il faut échanger ses idées, il faut en voir d'autres travailler avec la même conscience que soi et d'une façon différente. C'est très important.

6

La Seconde Guerre mondiale

Pour en revenir à votre être-analyste, c'est donc la guerre qui, en 1940, vous offre, pour ainsi dire, prétexte à vous définir comme psychanalyste dans votre pratique. Ce qui me frappe, c'est que, autant, dans ce que vous avez écrit, vous avez souvent parlé de la guerre de 14, autant vous avez peu parlé de la Seconde Guerre. Il y a pourtant là quelque chose d'étonnant: dans votre enfance, vous rencontrez cette folie sociale qu'est la guerre de 14 et, au début de votre pratique, une autre folie au moins aussi horrible. Comment l'avez-vous vécue cette guerre-là? Pour vous, il y a, il est vrai, la rencontre avec...

Dolto.

... et la naissance de votre premier enfant qui est très importante, dans ce laps de temps-là.

Et puis, il y a le départ d'amis très chers parce que juifs.

Alors, j'allais justement vous poser cette question qui m'intéresse personnellement: Vous avez su, pendant la guerre, qu'il y avait des camps d'extermination des Juifs ou pas?

Non, pas du tout!

Vous ne vous en êtes jamais doutée?

Jamais!

Vous n'en avez jamais entendu parler, même au titre de rumeurs?

Non! Des camps de travail, oui. Et si on mettait les Juifs en camps, c'était pour les voler. C'est la raison d'être que je trouvais à ces actes. Ce n'était pas du tout un génocide pour moi. C'était pour voler les Juifs, avoir leur argent.

Jusqu'en 1945, la notion de génocide vous a été complètement étrangère?

Complètement, complètement étrangère! Il faut dire que je n'avais pas lu *Mein Kampf*. Telle que j'étais faite à l'époque, le génocide était inimaginable pour moi.

Mais cet antisémitisme, qu'est-ce que vous en avez pensé?

Que c'était inhumain d'en vouloir aux Juifs. Je savais aussi que les nazis étaient anti-tziganes et j'étais très pro-tzigane. J'avais été externe à l'hôpital Bretonneau[75] à côté de la zone où il y avait beaucoup de Tziganes qui m'étaient extrêmement sympathiques. Et, probablement, les Tziganes m'étaient-ils sympathiques aussi parce qu'ils évoquent l'Europe centrale et que cela réveillait mes origines sud-allemandes. Je me sentais très proche des Tziganes : la musique, le violon tzigane, c'était quelque chose qui me disait beaucoup. J'aimais les Tziganes à cause de leur relation à l'invisible, à l'art. Je savais que les Allemands étaient contre les Tziganes, qu'ils massacraient tous les Tziganes. Les Juifs et les Tziganes sont des peuples dont ils étaient incapables de comprendre la finesse. Et puis la religion des nazis était contre le dieu juif, contre le dieu judéo-chrétien. Pour moi, c'était une façon d'être contre les chrétiens.

> *Mais vous, que pensiez-vous à propos des Juifs qui étaient arrêtés en France?*

J'ai été d'une incroyable naïveté...! Une amie psychanalyste, autrichienne, qui parlait très mal le français et qui était à Paris, m'a téléphoné pour me demander de l'accompagner pour se faire inscrire au commissariat de son quartier lors du recensement. Ce que j'ai fait.

> *Elle était juive?*

Elle était juive.

> *Vous vous êtes rendu compte de ce que ça signifiait?*

Non, parce qu'elle était autrichienne. Et, comme les Allemands étaient à Paris, la police française disait vouloir mettre ces gens à l'abri et les protéger des nazis. Car c'étaient les Parisiens qui faisaient cela. Le Vel'd'Hiv, par exemple[76], ce n'était pas les Allemands... C'est ça qui a été épouvantable, quand on a su après coup...

> *C'était la police française, en effet...*

Et ils disaient qu'ils allaient les envoyer dans des camps, on ne disait pas d'internement, mais de concentration, pour leur permettre d'échapper aux nazis. Certains ont d'ailleurs été envoyés en Catalogne française, près de l'Espagne, où ils ne seraient pas tout de suite atteignables par les Allemands qui voulaient reprendre leurs ressortissants, et s'ils étaient juifs, les envoyer en camps de concentration en Allemagne. Ils n'avaient plus de nouvelles de leur famille[77]. Certains, comme Mme Morgenstern, avaient appris, avant guerre, par des lettres, les persécutions de Lvov; mais c'était en Pologne. Il y avait des Juifs allemands qui ne savaient pas. Ainsi cette amie psychanalyste autrichienne ne savait pas que sa famille était en camp. Elle savait que les Allemands avaient interdit à son père l'exercice de son métier. Ce qu'elle craignait, c'était que si les Allemands la prenaient en France, ils ne l'embarquent. Donc, ceux-là acceptaient d'aller, protégés par la police française, dans des camps de concentration pour étrangers en France.

Et vous avez vraiment cru que les Juifs allaient revenir après la guerre?

Tout à fait! Tellement cru que, quand nous avons cherché un appartement... Boris et moi, nous visitions des appartements libres... Il y en avait partout qui fleurissaient. On voyait : « Appartement libre » et on entrait. Heureusement, pour celui-ci ce ne fut pas le cas! Nous en avons vu plusieurs qui étaient tout à fait bien, sans reprise, malgré les moquettes, les installations, les placards, etc. C'étaient des familles juives qui les avaient quittés et on ne nous le disait pas. Et, quand nous demandions, on nous répondait : « Mais, pensez donc, pas du tout! Ils sont partis en vacances » ou « Ils n'en avaient plus besoin » ou « D'ailleurs, le monsieur, il y avait longtemps qu'il voulait émigrer en Argentine », etc. On nous racontait n'importe quoi : « Il m'a fait cadeau de tout; il m'a dit : débrouillez-vous, Mme Trucmuche – la concierge – parce que nous ne pourrons pas payer ce loyer... Il faut que quelqu'un d'autre le paye. » Ils faisaient n'importe quel baratin. Et, nous avons failli prendre dans ces conditions l'appartement merveilleux (rue Chanoinesse) de R. qui est devenu un ami de Boris après la guerre. Lui était jeune garçon à ce moment-là. Quand il est revenu, il était adulte. Nous avons failli le prendre mais j'ai dit à Boris : « Écoute, ça ne me semble pas possible qu'avec tout ce qu'il y a, on n'ait pas à payer de reprise, sauf donner simplement la pièce à la concierge. Il y a quelque chose de louche là-dessous, moi je ne veux pas entrer dans cet appartement. » J'ai bien fait.

Et quand avez-vous appris toute cette horreur...?

Ce fut seulement au retour de la guerre! Moi je croyais que ces Juifs allaient revenir une fois la guerre terminée. Alors, ce fut affreux... Ce n'était pas pensable!... Surtout quand on a vu les premières images!

Mais même quand on a vu ceux qui avaient été prisonniers et qui n'étaient pas juifs et qui avaient été tellement torturés! Alors, qu'est-ce que c'était pour les Juifs qu'on voulait supprimer!

Et, pendant la durée de la guerre, vous n'avez jamais vu vos frères qui faisaient de la Résistance?

Si, je les voyais! Jacques venait entre deux voyages.

Lui ne vous disait pas qu'il y avait des camps de concentration pour les Juifs?

Il ne parlait de rien : « Je suis ici en ce moment. Ne m'en demande pas plus. Je ne sais pas où je serai dans un mois. »

Il ne vous disait rien sur ce qu'il faisait, sur ce qu'il savait?

Rien! On savait qu'il était avec de Gaulle. C'est tout ce qu'on savait. Et aussi que – comment dire? – en retournant un

155

revers de sa veste il montrait qu'il était anglais, en retournant l'autre, il montrait qu'il était allemand selon le cas. Il était soi-disant dans la police allemande et ramassait des dossiers utiles aux nazis. En fait, il était de l'autre côté, dans la police anglaise, l'Intelligence Service.

Et, nous avons su par des amis que de Gaulle l'estimait énormément et disait : « Quand vous avez un dossier compliqué, donnez-le à Marette, en trois heures on y verra clair. » C'était un très, très grand travailleur, qui était absolument enthousiaste du Général.

> *Et la Résistance, qu'est-ce que vous en avez pensé ? Vous avez su qu'il y avait de la Résistance en France...*

Mais, bien sûr, puisque nous donnions souvent de l'argent, et que nous avons abrité des résistants qui passaient par Paris. J'étais d'ailleurs humiliée parce que les résistants ne se sentaient pas tellement en confiance chez nous. Quand ils venaient, parfois, pour passer la nuit, au dernier moment ils se ravisaient : « Écoutez, ça vous est égal, hein ? J'ai bien dîné, je suis peut-être ingrat mais je m'en vais. » Je disais : « Vous n'avez pas confiance en nous ? » Ils ne répondaient pas, ils s'en allaient.

> *Qu'est-ce qui faisait cela, à votre avis ?*

Peut-être parce que Boris était russe. Peut-être parce que la présence d'un enfant leur faisait peur. Peut-être... oui. Jean était intelligent, il avait quelques mois. Il est né en février 1943. A dix-huit mois, déjà, à la Libération, il parlait très, très bien. Il aurait pu raconter, alors qu'il était dans le secret absolu : « Ce monsieur, tu ne l'as pas vu. » « Bon, moi i' compris. » On le lui disait devant le monsieur : « Soyez tranquille, cet enfant ne dira rien. » Nous avons tout de même abrité là dans la salle d'à côté, plusieurs nuits, des gens qui passaient.

Vous-même, vous n'avez jamais été tentée de faire de la résistance?

Mais, je ne pouvais pas! J'avais un enfant, c'était impossible. Boris, lui, faisait partie des Résistants de Paris, comme médecin. Et c'est pour cela qu'il y en a qui venaient chez nous. Notamment, il a soigné les gens de la gare Montparnasse dont beaucoup étaient des résistants camouflés en soi-disant cheminots. «Si je ne reviens pas un soir, ne te préoccupe pas de moi, ne me cherche pas. Tu sauras que je suis camouflé sous un nom d'emprunt.» Je ne sais plus lequel, ça commençait par un B ou un D. Je ne sais plus. Il a ajouté: «Ne t'inquiète pas. J'ai prévenu le chef du réseau. S'il m'arrive quelque chose, il te fera savoir que tu n'as pas à t'inquiéter.» Jamais ça n'a été nécessaire.

Il n'a jamais été inquiété?

Si! Boris a été inquiété par les Allemands. Dans le journal *Je suis partout*[78], il avait fait l'objet d'une dénonciation. Agé, il était encore très travaillé par cette histoire; et il n'a jamais trouvé le numéro du journal en question. En fait, c'est le patron d'une autre école de massage qui ne valait pas la sienne qui l'aurait dénoncé en disant: «C'est un Juif russe, qui est soi-disant directeur de l'École française de massage, mais c'est un Juif et un Russe. Un Juif communiste!» Les Allemands sont arrivés, quatre Allemands, rue Cujas, lui demandant de prouver qu'il n'était pas juif. Alors, il a prouvé: «Je suis orthodoxe, je suis inscrit à l'église de la rue Daru. – Déshabillez-vous!» Il a été obligé de se déshabiller pour prouver qu'il n'était pas circoncis: «Je vous demande pardon, docteur!» au garde-à-vous. Il me l'a dit huit jours après. Il était tellement bouleversé qu'il ne me l'a pas dit le jour même.

Oui, c'était terrible! Je me souviens d'une femme juive qui portait l'étoile, la pauvre, et qui était si misérable de ne plus rien avoir à faire du jour au lendemain! Ce n'était pas une vraie psychanalyste. Elle était comme tous ces gens en formation psychanalytique qui aident les malades mentaux à survivre. Enfin, elle gagnotait sa vie comme ça, et, du jour au lendemain, plus un sou! Alors, nous, des gens comme moi, comme, probablement, Mme Jenny Aubry (elle est devenue psychanalyste après la guerre), nous essayions de l'aider. Jenny Aubry qui s'appelait Jenny Roudinesco à ce moment-là, était juive. Je ne sais pas où elle a disparu pendant la guerre. Son mari était juif russe, je crois me souvenir qu'il était très pratiquant.

> *Justement à propos du judaïsme : on a souvent dit, c'est un fait de constatation, beaucoup de pages ont été écrites sur ce sujet – qui, loin s'en faut, ne me convainquent pas toutes, mais, enfin –,* on a donc souvent dit : *il y a tout de même un lien et pas seulement historique, entre la psychanalyse et la judaïté, sinon le judaïsme, hein?*

Sûrement, sûrement! Mais cela tient simplement à ce qu'il y a un lien fondamental, conceptuel, entre le fait qu'un sujet existe et que le sujet ne peut être qu'articulé au judéo-chrétien. Il n'y a pas de sujet sans Dieu. Si j'existe, c'est parce que Dieu existe. Je ne peux pas exister sans Dieu. Celui qui pense et qui parle, comme sujet de sa parole, est forcément articulé à Dieu. C'est très curieux que les psychanalystes ne s'en rendent pas compte! Évidemment, pour Lacan, le sujet c'était un trou; il avait peur de ce gouffre qu'était le sujet selon lui. Il s'accrochait aux bords. Ce n'est pas vrai! C'est vrai qu'on ne saura jamais ce que c'est le sujet si on ne sait pas qu'il est simplement parcelle de Dieu enveloppée de chair. Mais désir de vivre! Le désir même de vivre, c'est Dieu dans chacun de nous. C'est le sujet d'avant la parole qui va apparaître avec la parole, non pas la parole parlée seulement mais avec tout acte signifiant. Or, s'incarner est un acte signifiant du sujet-Dieu.

Je ne vois pas comment on peut penser autrement. Si on est dans le folklore chrétien – pas celui d'Église –, le sens du sujet de la parole où le sujet parle à Dieu, où Dieu lui répond, ce n'est pas le folklore, c'est la Bible, c'est l'Évangile : c'est purement l'inconscient.

> *Ce que vous dites là lie plutôt la psychanalyse à la dimension judéo-chrétienne mais pas spécifiquement au judaïque.*

Mais ça ne peut pas ne pas être enraciné dans le judaïque, car le christique sans le judaïque n'a pas de sens !

> *Le fait que Freud était juif, ça a une importance pour vous ?*

Oui, mais surtout qu'il ait dénié l'être. C'est parce qu'il a dit : « Non, je ne le suis pas ! » qu'il a pu découvrir la psychanalyse.

> *Il n'a jamais dit : «Je ne suis pas juif», il a dit : «Je ne suis pas croyant.» Mais il a toujours affirmé qu'il était juif. Pas israélite mais juif.*

Oui, bien sûr. Mais, c'est parce qu'il n'était pas croyant qu'il a découvert les sources de la croyance. C'est parce qu'il n'était pas croyant qu'il a cru dans l'être humain. Il n'y a pas plus croyant que lui, mais il croyait n'être pas croyant parce qu'il ne croyait pas les âneries qu'on lui racontait. Surtout, les rabbineries sur le pouvoir des rabbins : « Moi, je suis un type épatant parce que je suis rabbin ; toi, t'es un con parce que... Donc tu dois me payer pour que je vive. » Toutes ces histoires d'institutions qui n'ont rien à voir avec la religion. Enfin, ça a à voir avec la religion, en tant qu'elle est insérée dans une institution. Ça n'a rien à voir avec la spiritualité juive.

Oui, mais ce que vous dites là est plutôt une position concernant quelqu'un de croyant que le fait qu'il ait été plus précisément juif.

Je ne crois pas que la psychanalyse pouvait être inventée par un non-Juif. Je crois qu'il va de soi qu'à une époque donnée, la parole signifiante de ce qui se passait dans l'inconscient créatif, créatif de cohésion charnelle d'un être humain, de la cohésion biologique qui fait qu'un être humain naît voué à la parole, ça ne pouvait venir que d'un Juif. Ça ne pouvait pas venir autrement.

Pas d'un chrétien? Ou est-ce pareil?

C'est pareil!

C'est pareil pour vous?

C'est pareil, pour moi. Le Christ était de toute éternité. Et, à un moment de l'Histoire, le Christ a parlé sous forme d'homme parlant.

A un moment de l'Histoire, les Juifs deviennent chrétiens, en tout cas, certains deviennent chrétiens, d'autres restent juifs: c'est un peu cela que vous voulez dire?

Oui, mais à ceci près qu'ils sont chrétiens sans le savoir. C'est-à-dire qu'ils ont peur de lâcher les articulés mentaux de leur enfance, comme toute personne a peur de lâcher sa névrose.

Donc, vous pensez qu'à un moment donné de leur Histoire, tous les Juifs deviennent chrétiens.

Sûre, j'en suis sûre!

Sûre?

Tous les Juifs! En tout cas, ce sont les Juifs qui ont été le Christ pendant la guerre. Le Christ sur la croix, ce sont les Juifs. Les Juifs incarnent le Christ sans même le savoir. Ils ne savent pas qu'ils sont christiques, ils l'incarnent.

Ce qui est un peu étonnant et remarquable, c'est que, dans la psychanalyse française, il y a deux grands noms : Lacan et Dolto.

En ce moment. Une petite mode...

Non, ce n'est pas un problème de mode, Françoise! Dans l'histoire de la psychanalyse française, depuis qu'elle existe, disons depuis la fin de la guerre de 1914, il y a un certain nombre de noms respectables et il y a deux très grands noms, ce sont Lacan et Dolto. Il y a beaucoup d'autres gens dont on peut discuter, qui ont apporté quelque chose, mais, indépendamment de la mode, il restera Lacan et Dolto.

Moi, je suis soutenue par le rapport à la clinique, dans la relation de transfert, et lui par le rapport à la pensée dans la relation de transfert.

Vous êtes psychanalystes tout à fait différemment, en effet. Il y aura aussi d'autres noms importants, mais, ces deux-là, à mon sens à moi, j'en prends le risque après tout, resteront dans l'histoire de la psychanalyse. Ces deux noms resteront. Or, aucun des deux n'est juif.

C'est vrai...

Vous y avez déjà pensé? Ça vous a inspiré des réflexions?

161

Non, mais je pense que je dois avoir une grand-mère juive quelque part...

Est-ce que vous pensez que vous devez avoir une grand-mère juive quelque part ou est-ce que vous pensez, en référence à ce que vous disiez avant, que la psychanalyse est arrivée à un état de maturité telle qu'elle peut, justement, renoncer à son enfance? Et que Freud est devenu Lacan-Dolto, c'est-à-dire qu'il n'a plus besoin d'être juif, les Juifs étant, selon vous, devenus chrétiens?

Oui. Mais quand vous dites qu'il n'a plus besoin d'être juif, ce n'est pas un besoin!

En effet, le mot n'est pas très bon.

Sans sa judaïté, jamais il n'aurait pu entendre le désir. L'entendement du désir qu'il a eu, c'est l'entendement du désir dans lequel est Dieu sans que l'humain le sache. Dieu mêlé au pervers, Dieu mêlé au refoulement, la vie mêlée au désir de mort : tout ce qui fait ce drame humain d'être pris éternellement dans la faute originelle. C'est tout de même autour du mythe de la faute originelle que s'enracine l'humanité.

7

La psychose

Mais vous personnellement, ce qui vous a permis d'en-tendre le désir et toutes les impasses du désir, ce n'est ni le fait que vous êtes juive ni le fait que vous croyez au péché originel puisque vous m'avez déjà affirmé dans le passé qu'il n'y a pas de péché originel.

Non! je ne l'affirme pas, au contraire! Je dis que nous sommes toujours dedans. Bien que le Christ nous en ait sortis, nous en payons les suites : en étant tout le temps à juger de la vie, pour savoir si elle est bonne ou si elle est mauvaise. C'est ça, tou-cher à la question du fruit de l'arbre du bien et du mal, du mieux ou du moins bien. C'est ça notre folie que nous ne pouvons pas changer. Et c'est cela la faute originelle : parler ce qui vient, au lieu de vivre, sans juger ce que nous avons dit. Au fond, les traitements de texte du péché originel, c'est ce que font les psychanalystes. Ils sont continuellement en traite-ment de texte du péché originel : «On a pensé ça... C'est à cause de ma mère que j'ai pensé ça... Parce qu'elle m'a inculqué ça... Par amour d'elle, j'ai pensé ça... Je voulais me marier avec ma mère mais je ne l'ai pas fait parce que ça ne se faisait pas... Qui disait que ça ne se faisait pas? C'étaient les autres! Et si tu l'avais fait? Je ne pouvais pas parce que j'avais trop peur..., etc., etc.» Tout ça, c'est le péché originel : le mieux et le moins bien. Au lieu de vivre, et d'en crever, sans même s'en apercevoir.

Mais les psychanalystes ne posent pas ces problèmes en termes de faute! Vous, la première, vous dénoncez cela.

Mais c'est ressenti comme une faute!

C'est ressenti comme une faute, mais pas par les psychanalystes, justement!

Les psychanalystes sont obligés de se mettre au-dehors pour se dire : « Qu'est-ce qu'une faute? » Ce qui est ressenti comme une faute est une faute. Que ce soit une faute ou pas, personne ne le saura jamais. Mais le fait que ce soit ressenti comme tel est dévitalisant. Ce qui est ressenti comme une faute est dévitalisant pour celui qui croit l'avoir agie, ou qui croit même l'avoir fantasmée : c'est l'ordre du fantasme. Le fantasme de l'inceste est nécessaire et la réalisation de l'inceste est mortifère. Le fantasme de l'inceste va stimulant le développement de l'intelligence, en même temps qu'il est le malheur de la conscience. La réalisation de l'inceste rend fou, j'en ai connu deux exemples, deux cas d'inceste, dont j'ai su que c'était réellement de l'inceste.

Changer de nom, changer de nationalité, changer de métier et dire à sa mère : « Tu n'as jamais été ma mère, ce n'est pas vrai! Tu m'as volé à une autre femme et tu dis que tu es ma mère. » C'est un inceste qui a été vécu après un mois d'amour fou entre un fils et sa mère. Il l'avait perdue à deux ans, emmené en Australie par le père. Il a retrouvé sa mère à vingt-six ans. Ils sont tombés éperdument amoureux l'un de l'autre, pendant un mois. Un jour, quand je mourrai, on retrouvera ses lettres qu'elle m'a confiées. Je ne sais pas ce que j'en ai fait[79]. Lettres dramatiques de cette femme qui vivait à Paris et qui n'a plus jamais revu son fils, lequel a essayé de se tuer, après l'acte sexuel avec elle, mais n'a réussi qu'à tuer son camarade en auto à côté de lui. Si ce camarade a été tué, c'est parce que lui, dans sa folie de conduire après

164

avoir baisé sa mère, se sentait fou, ne se sentait plus le droit
de vivre. Il a tué son camarade qui était hollandais. Et la mère
de ce Hollandais a soigné l'ami de son fils qui a eu de multiples fractures mais s'en est sorti. Il a écrit à sa mère dans sa
dernière lettre : «Je sais ce que c'est qu'une mère : c'est celle
qui, même quand son fils est mort, est capable d'aimer un
autre pour qu'il survive, que dans l'ami de son fils qu'elle
aimait puisse au moins survivre quelqu'un qui a aimé son fils.
C'est ça une mère, ce n'est pas toi! Salope, putain! etc.» Alors
que la lettre qu'il lui avait écrite juste avant était une extraordinaire lettre d'amour poétique. C'est incroyable, l'inceste,
ce que ça peut démolir.

L'autre cas : un pauvre fou de quinze ans, avec qui la mère
couchait dans son lit. Il était complètement fou. Devant moi,
il pelotait sa mère, en présence du père qui laissait faire. Il
était derrière sa mère, il plongeait ses mains dans le décolleté
de sa mère et il malaxait ses seins; elle était là, devant moi, et
le père, lui, était tranquille : «Le docteur nous a dit qu'il faisait un peu de freudisme et de vous l'amener.» C'est comme
ça que j'ai vu ce lascar de quinze ans, superbe garçon, petite
obésité, espèce de gros bébé géant. Je voulais le voir seul. Je
dis au père : «Mais, vous laissez votre fils faire ça?» Alors le
fils me répond : «Mais, elle est à moi! C'est ma mère; elle
n'est pas à lui.» Je dis : «Elle est ta mère, mais elle est sa
femme.» Il la regarde, et il fait «Non» de la tête. Il n'était
pas fou du tout. Il était délirant, donc il était fou... pour toute
la société! Il n'allait pas à l'école, il se promenait comme un
benêt collé à sa mère, derrière elle, c'est tout juste s'il ne
tenait pas sa jupe! Alors, ça a été très drôle, la consultation
que j'aie eue avec cet enfant. J'ai fait passer les parents dans la
salle d'attente, je suis restée avec lui et je lui ai dit : «Vous
savez que c'est interdit de se croire le mari de sa mère? – Par
qui? – Par les humains. Même chez les singes, ça fait des histoires entre eux! Vous ne pouvez pas à la fois rester un garçon
intelligent et vous croire le mari de votre mère.» Alors, il me

dit : « C'est vrai. – C'est vrai, quoi ? Que vous êtes son mari ?
– Je suis son mari. – Non ! Vous n'avez pas eu d'enfant avec
votre mère. – Ben, alors, pour avoir des enfants comme moi ! »
Je ne savais pas du tout quoi en penser. Il était fou, mais pas
fou. Or, tout d'un coup, il voit une icône ou je ne sais quoi,
sur le mur et me dit : « Mais, moi, j'aime Jaisus, Jaisus. – Bon,
qu'est-ce qu'il vous dit Jésus ? – Il me dit de m'occuper de ma
mère. » Et il met les yeux en coin. Alors, je lui dis : « Qu'est-ce
que vous regardez par là, dans ce coin ? » Il ne voulait pas me
regarder. « J'aime Jaisus. – Oui, parce qu'il est contre la joue
de sa mère. » Il ne répond pas. J'ajoute : « Mais, Jésus, il ne
s'est pas marié avec sa mère ! Quand il l'a couronnée, il était
mort. C'est bien après ! Mais avant, il a fait ce que son père lui
disait de faire. » Je lui parle de cette façon-là. Il ne répond
pas, je continue : « Est-ce que Jésus était d'accord pour que
vous veniez me voir ? » Alors, il me répond : « J'te dis rien...
curieuse, j'te dis rien ! – Mais, si tu es là (je lui dis tu, puisqu'il
me tutoie), c'est peut-être Jésus qui t'a amené ici ? » Pas de
réponse. « Est-ce qu'il trouve Jésus que c'est bien que tu sois
venu ici ? » Alors, il se met à tourner les yeux à droite, à
gauche, à droite, à gauche. « Il faudrait savoir ! Est-ce qu'il est
à droite ou est-ce qu'il est à gauche ? – J'sais pas. – Ferme les
yeux ; peut-être que Jésus te répondra. Est-ce qu'il est d'accord pour que je parle avec toi et pour que tu parles avec
moi ? » Alors, il a vraiment fermé les yeux et m'a dit : « Oui, il
veut bien. – Eh bien, moi je te dis, au nom de Jésus, qu'on ne
peut pas vivre sans devenir fou si on veut rester comme un
bébé qui se croit le mari de sa maman. » Là, de grosses larmes
qui coulent ; je lui dis : « Qu'est-ce qu'il y a ? – Non, Jésus ne
veut pas. – Qu'est-ce qu'il ne veut pas ? – Jésus dit : Faut t'occuper de ta maman. – Mais t'en occuper, ça veut dire l'aimer
bien, ça ne veut pas dire ne pas apprendre à lire, ne pas
apprendre à aller à l'école, rester quelqu'un qui, quand ses
parents mourront, sera dans un hôpital psychiatrique. – Oui.
– Tu crois que c'est Jésus qui veut ça ? » Ça a été fini, il est

resté fermé. Je n'ai jamais pu en savoir plus. Je lui ai dit qu'il n'était pas motivé pour une psychothérapie et j'ai ajouté : « Si tu veux revenir, tu le diras à ta maman et ton papa acceptera que tu reviennes parce qu'il est très malheureux que tu rates ta vie. »

Voilà un curieux fou! Je suis sûre que jamais un psychanalyste, un psychiatre, n'a eu de conversation de ce genre avec quelqu'un. J'en suis sûre! Je le dis comme ça, intuitivement...

> *Est-ce que vous faites une différence tout à fait fondamentale entre les psychotiques et les névrosés? Ou est-ce qu'au fond vous n'y croyez pas tellement, à la psychose?*

Je crois qu'il peut y avoir passage de l'un à l'autre. Et que la projection y est pour beaucoup : le fait que l'on croit l'autre fou contribue beaucoup à le rendre fou.

> *Névrose et psychose ne vous paraissent pas constituer deux structures nettement séparées?*

Non, pas du tout! Pas du tout! La psychose me semble une évolution démolissante, due aux projections reçues par quelqu'un qui se comporte d'une certaine façon. Quand quelqu'un qui se comporte ainsi est vu et apprécié comme fou par un autre, il est apprécié comme quelqu'un avec qui on n'a plus de relation, ou quelqu'un avec qui on ne peut plus avoir les mêmes relations qu'avec les autres. C'est pour cela que, comme je vous le disais, en ce qui me concerne, je ne pense pas que la folie, ce soit structurel. Je pense que c'est un désordre dû au désespoir de ne pas avoir un semblable qui vous estime aimable, qui se reconnaît en vous. Je crois que c'est dû à ça. Je pense qu'à partir du moment où on parle comme on sent à un psychotique, il l'est déjà beaucoup moins et qu'il peut entrer dans le processus d'accepter la différence entre l'imaginaire et la réalité, laquelle est un imaginaire

167

commun à tous les autres. Car la réalité, ce n'est qu'un imaginaire commun à tous les autres. Le réel c'est d'ordre spirituel mais la réalité c'est d'ordre sensoriel appelé «sens commun». Si moi, j'affirme : «Ceci est une bouteille», mais que quelqu'un à côté de moi dit : «Mais, non! ce n'est pas une bouteille, c'est...» (il ne précisera pas quoi mais il dessinera à la Picasso, une chose complètement tordue) et qu'à la question : «Ça sert à quoi?» il répondra : «A dessiner», je penserai qu'il est fou, parce que c'est une bouteille et qu'il le dénie. Mais le fait qu'il dénie que c'est une bouteille, ça veut dire qu'il dénie ce que je dis. S'il dénie ce que je dis, c'est qu'il transfère sur moi que je suis quelqu'un qui ne lui permet pas d'être comme il est et de sentir comme il sent. C'est donc moi qui ai tort de coller avec son transfert. Je dois donc, moi, pour l'aider, coller avec ce qu'il pense de ce qu'il apprécie comme étant la réalité sensorielle différente pour lui de la mienne. A partir de ce moment-là, je cherche à savoir, en dehors du dessin qu'il en a fait, ce que ça éveille en lui, à quoi ça le fait penser, ce que ça lui donne comme envie, s'il va toucher ce qu'il a dessiné, etc. Et j'entre ainsi en contact avec ce psychotique.

C'est une stratégie thérapeutique, que je mets d'ailleurs à l'œuvre quotidiennement dans ma pratique clinique, mais qui ne me paraît pas impliquer pour autant que la psychose ne constitue pas une structure repérable.

Mais non! Ce n'est pas une stratégie. Parce que j'y crois. On parle de stratégie quand on n'y croit pas et qu'on veut piéger l'autre. Il ne s'agit pas de piéger l'autre à n'être pas psychotique. Il s'agit de l'aider, lui restant psychotique, c'est-à-dire en ayant une représentation de la réalité sensorielle différente de celle des autres, à retrouver le droit d'être, depuis l'époque où il a dénié que les mêmes mots que ceux des autres puissent dire les mêmes sensations. Et ce, parce qu'il n'était pas reconnu par la personne qui s'occupait de lui étant enfant – car c'est toujours lié à l'enfant – alors qu'il lui était au moins égal, et peut-être supérieur. C'est là qu'on débouche sur la prévention des psychoses chez l'enfant.

Tout à fait! C'est une des choses, je crois, effectivement les plus importantes, la question de la prévention.

Mais oui! Quand on vieillit dans ce métier-là, on s'aperçoit que c'est très important. Tant de choses se jouent avant quatre ans! Et la société ne fait rien, laissant les parents, et les adultes en général, user d'un pouvoir discrétionnaire sur les enfants et être avec eux comme avec des sous-développés, ou, pire, des animaux domestiques qu'il faut dresser. L'essentiel de ce qu'on appelle l'éducation des enfants a été conçu comme un élevage de basse-cour...

... où le langage n'a pas toute sa dimension.

... où le langage est faussé, car ce que veut dire l'enfant dans son comportement entier vis-à-vis de sa mère n'est pas décodé. Alors que les enfants sont constamment dans le langage dès le moment de leur naissance et déjà même avant leur naissance. Depuis qu'on connaît l'haptonomie[80], on s'aperçoit que le fœtus a déjà des affinités pour le père, pour la mère, aime la relation qui s'établit avec eux à travers le toucher. C'est extraordinaire! Cette découverte, peu à peu de la précocité de l'être humain, c'est ça qui m'a frappée; et je me suis aperçue que ce sont les enfants précoces et sensibles, c'est-à-dire les plus riches de la société, qui sont les plus exposés à devenir des arriérés, des autistes, des psychotiques.

Tout à fait! C'est ce qui m'a le plus frappé à l'hôpital psychiatrique : de voir à quel point il y avait là un peu l'équivalent d'Auschwitz. A Auschwitz, tant de prix Nobel,

169

tant de grands poètes, tant de grands scientifiques, tant de grands hommes de toutes sortes sont morts dans ces conditions monstrueuses! Eh bien, parmi tous ces hébéphrènes déambulatoires, comme disent les psychiatres, qui se cognent la tête contre les murs des hôpitaux psychiatriques, qui sont dans des états monstrueux, je suis sûr que, parmi eux, il y a, il y aurait eu des quantités de prix Nobel, de professeurs de faculté, de grands esprits, d'artistes, etc.

Oh! oui! En tout cas, des humains véritablement d'élite par rapport au milieu complètement sous-développé qui les entourait. Quand je parle de la précocité, c'est de celle de ces enfants qui étaient précoces de zéro à trois mois et qui ont été découragés de ne pas être entendus et de ne pas avoir de réponse. Alors, ils se sont enfermés dans une fonction symbolique intériorisée où servent de signifiants les rencontres, dans le temps et l'espace-corps, des sensations de leur corps, croisées avec des sensations, des perceptions venues à eux par les oreilles, les yeux, la tactilité. Et ces rencontres se mettent à prendre valeur de signifiants, comme si elles étaient des mots. Et tout cela, petit à petit, se met à remplacer le langage qui, lui, est codé entre les adultes de l'extérieur.

Tout à fait! C'est tout à fait ce que je pense. Effectivement, je crois qu'on ne s'est pas encore rendu compte qu'il y a une sorte de prématuration langagière chez le nouveau-né et qu'un travail est à faire jusqu'à l'accès au langage subjectivé.

Et au moins, s'il se trouve qu'un adulte ne peut pas comprendre le nourrisson, qu'il reconnaisse son existence et dise à l'enfant, à cet être humain : «Je ne comprends pas ce que tu veux me dire, mais je sais que tu veux me dire quelque chose. Et je t'aime.» Cette incompréhension ponctuelle, ainsi reconnue, n'est pas dangereuse parce qu'elle rétablit la relation au langage. C'est ce qui est important, c'est capital même.

> *Cela dit, excusez-moi d'insister, ça ne me paraît pas impliquer, pour autant, qu'il n'y ait pas de différence de structure entre les psychotiques et les névrosés, au contraire.*

Mais qu'est-ce que vous appelez structure, alors? Quand on dit «structure», c'est comme si on ne pouvait pas revenir en arrière. Comme si on ne pouvait pas devenir créatif pour la société.

> *Oh! Ça, je ne le pense pas.*

Qu'est-ce que c'est qu'un psychotique pour vous, pour dire qu'il a une structure? Qu'est-ce que c'est qu'un psychotique?

> *Ça, je peux vous le dire, mais il faudrait au moins un livre[81]. Non, l'aspect principal ne me paraît pas l'irréversibilité – sinon, d'ailleurs, je ne ferais pas profession d'être essentiellement psychanalyste de psychotiques – mais une spécificité séparée : ce ne sont pas les mêmes enjeux, pas du tout, et notamment toute la problématique œdipienne, par exemple, ne me semble pas du tout fonctionner dans l'imaginaire, dans le psychisme même, d'une façon générale, d'un psychotique, et il faut lui parler tout à fait autrement.*

Ça, pour moi, c'est clair comme de l'eau de roche. C'est parce que l'inceste, pour lui, n'est pas de type génito-génital. L'inceste peut-être oral : la rencontre, dans un baiser, de la langue et de la langue, pour lui, ça fait un «langué», au lieu de faire un humain, parce que le coït, pour lui, ne va pas avec ce qui, pour nous, est le sens du coït, c'est-à-dire la rencontre d'une verge et d'un vagin.

C'est au point que je ne suis pas sûr que la notion d'inceste ait le moindre sens pour un psychotique.

C'est ce que je vous dis! Ça a ce sens que tout est pervertissable pour créer à son idée des créatures qui ne sont pas des humains. Mais, c'est dû au fait qu'il a cru, quand il était petit, que l'intensité de sa libido qui se traduisait dans l'oralité active ou dans l'oralité passive, c'est cela qui le construisait, c'est cela qui fait les bébés. Et il croit qu'il a fait des bébés à sa mère. Il croit même que son sperme, ce sont des bataillons. J'en ai vu un cas à l'Infirmerie spéciale du dépôt[82] : un type qu'on interrogeait avec Heuyer. On allait à l'Infirmerie spéciale une fois par semaine. Et, une fois, tout le monde se gaussait d'un type qui était un clochard qu'on avait ramassé dans la rue, la nuit, et qui disait que, s'il le voulait, il pouvait anéantir Heuyer qui le questionnait parce qu'il avait une armée à son service; il la lançait par terre. Elle était à sa disposition mais il préférait qu'elle disparaisse dans les antres de la terre plutôt que se commettre à démolir un type aussi imbécile qu'Heuyer. Mais il gardait tous ses soldats à sa disposition. Et c'était son sperme.

Alors, les infirmiers se gaussaient et racontaient : « Ah! oui, il se branle et puis il dit : "Vous voyez, tous mes soldats qui sortent, etc." » Il était comme un enfant qui fantasme qu'il pourrait tuer papa. C'est cela un psychotique : il a des rêves d'enfant, mais il a trente-cinq, quarante ans. Et il est comme pense un enfant. Il serait fou s'il le disait ou s'il le dessinait. Dans les bandes dessinées, il s'en dessine d'autres : des nichons, des bonnes femmes, des guerriers, des bites en flammes, etc. Tout le monde est fou dans les bandes dessinées d'aujourd'hui. Mais le type qui se permet de vivre comme dans une bande dessinée, alors celui-là est fou pour de vrai. Je

172

ne sais pas pourquoi. Peut-être parce que les médecins n'ont pas assez d'imagination pour rigoler avec lui? Et lui dire: «Ça, c'était quand tu étais petit. Comment elle s'appelait donc ta mère?» Si on repart de l'époque où il était petit, ça devrait disparaître. Comme ceux qui entendent des voix, on ne leur demande pas: «La voix de qui?» On ne demande jamais. Alors, finalement, ils persistent à croire en ces voix. C'est ce que dit le certificat psychiatrique tous les quinze jours: «Il commence à croire que ses voix ne sont peut-être pas des voix. Internement continué.» Au lieu de lui demander: «C'est une voix d'enfant? C'est une voix d'homme? C'est une voix de femme? C'est une voix de quelqu'un qui existe?» Un beau jour, il va répondre quelque chose. Quand il va commencer à répondre, tout va se dévider.

Je connais un cas de ce genre: celui d'un malade que j'ai pu aider. C'était la voix de sa sœur qui était morte quand il avait huit ans. Et il était devenu délirant non pas du tout à ce moment-là, mais au moment où il avait été abandonné par sa petite amie, alors qu'il était en architecture. Cette petite amie portait le même prénom que sa sœur. Il a eu une fièvre cérébrale, comme on disait autrefois – comme j'appelais moi-même ce que ma mère avait eu l'été où elle avait tellement souffert, qu'elle avait plus de 40° de fièvre, qu'elle délirait et que nous étions des «vipères». A partir du moment où cette fille l'a plaqué, il a revécu le deuil de sa petite sœur, dans sa famille où on n'en avait jamais parlé. Et, c'était sa sœur qui lui parlait pour l'aider à supporter le deuil de sa petite amie qui l'avait plaqué. Eh! bien, il était depuis quinze ans dans un hôpital psychiatrique! La famille était très contente qu'il arpente l'hôpital, avec ses grandes jambes, du matin au soir, à la charge de l'État, en n'étant plus qu'un délirant qui parlait avec une voix. Pourquoi personne ne s'est occupé de savoir de qui c'était la voix?

Alors, dans un cas de ce genre, la psychose *devient* une structure.

Diriez-vous que la psychose est un cas particulier et parti-culièrement grave de névrose?

Un *autre* particulièrement grave. Le code de rencontre dans le temps et dans l'espace ne s'est pas croisé de la façon dont il se croise chez les autres dans une sensorialité ou une autre. Notre vie se fait de perceptions qui se croisent dans le même temps, parfois dans le même espace, parfois dans le même espace-temps. Et c'est cela qui fait un axe qui se construit et qui fait un névrosé. Un névrosé a un axe qui est à peu près dans l'axe, si je peux dire, parce qu'il y a eu rencontre d'une certaine perception visuelle et d'une perception auditive et que, de fois en fois, il se confirmait que c'était comme pour le voisin. Donc, on se comprend. C'est en fait, comment dire? à bon entendeur salut! On a entendu pareil, on se salue. «Tu as vu, j'ai rencontré cela et j'ai entendu ouah! ouah! après, il y avait quatre pattes qui trottaient, donc: chien, ouah! ouah!» Bon, alors, le chien fait ouah! ouah!

Un enfant fou verra un chien et dira «miaou», ou il dira «chat» quand il verra un chien. Mais c'est la même chose: il n'y a pas eu «bien entendu», en même temps. Nous avons des perceptions qui font que nous sommes semblables au même moment dans le même temps. Je crois que c'est de cela qu'il s'agit dans la psychose: c'est une histoire de temps qui ne se croise pas avec l'espace de la même façon que chez ceux qui entourent cet être humain qui s'appelle un enfant. Les psychotiques n'ont pas, de ce fait, un code qui leur permet de se comprendre. Et pour se retrouver, dans un moment diffi-cile, il faut qu'ils retournent à un code du passé, à une époque où il n'était pas encore patent qu'ils ne se comprenaient pas. C'est comme cela que je comprends la psychose.

8

La liturgie orthodoxe

C'est pour cela que je crois que pour être psychanalyste il faut être, donc, dans les règlements institutionnels des humains et, en même temps, être au service de la spiritualité d'un être humain comme sujet dont le corps est là pour signifier une union procréatrice dans la loi, mais non pour signifier les pièges charnels animaux sans parole.

Je pense, en ce qui me concerne, que je n'aurais pas pu envisager d'être psychanalyste si je n'avais pas été croyante. Je n'étais pas cul-béni du tout, d'autant que, dans ma famille, on ne l'était pas du tout et que la psychanalyse m'avait fait croire que la religion n'était qu'une névrose, ne donnait que de la culpabilité. Mais, c'est en travaillant que je me suis aperçue que c'était tout à fait autre chose et, surtout, en épousant Boris, c'est-à-dire en étant au contact de la liturgie orthodoxe.

L'horizon du discours liturgique des catholiques s'en est trouvé complètement changé pour moi. Les catholiques sont toujours dans la question de la juridiction, car nous avons hérité du christianisme à travers la langue romaine, à travers la hiérarchie romaine. Le mariage était un rapt définitif d'une femme par un homme et, à partir de là, elle était le bien de cet homme : elle n'était plus un sujet pour les Romains. Pour les chrétiens, elle était de nouveau un sujet, mais dans la loi romaine : alors, quel carambolage! Dans la loi romaine, elle est la proie de son époux qui l'a raptée en lui faisant franchir le seuil de sa maison paternelle pour l'emmener chez lui, parce qu'elle est incapable de faire les transitions. C'est le mâle qui lui fait faire les transitions et l'emmène chez lui, prisonnière dans sa toile d'araignée. En fait, le père en l'époux romain est une mère sadique dans la juridiction romaine, avec cette loi salique de la prééminence du mâle sur la femelle.

La liturgie orthodoxe n'a absolument rien à voir avec cela. Dans la liturgie orthodoxe, l'homme et la femme sont à égalité dans leur valeur de sujet, tant devant Dieu que devant la loi, parce que la loi n'est pas une loi de justicier mais une loi de charité. Par exemple, on dit que les orthodoxes reconnaissent trois divorces; pas quatre, mais trois. Ce n'est pas vrai! Les orthodoxes disent – c'est extraordinaire! – si des gens divorcent, cela prouve qu'ils n'étaient pas mariés puisque le mariage est indissoluble. Le fait même de divorcer prouve qu'ils n'étaient pas mariés. Alors, qu'est-ce qu'il se passe? Eh! bien, c'est toute la paroisse qui est coupable de ne pas avoir vu clair, de ne pas avoir compris que ces jeunes qui s'aimaient ont été piégés dans un désir qui n'était pas d'accord avec le désir de Dieu en eux. Ils ne savaient pas et nous ne nous en sommes pas aperçus puisque toute la paroisse était témoin. Donc, nous avons tous à faire un rite de pénitence pour nous faire pardonner d'avoir laissé ces pauvres malheureux se marier, mettre au monde des enfants, être malheureux, ne pas se faire du bien l'un à l'autre, et avoir des enfants dans un concubinage qui n'était béni par Dieu qu'en imagination. Mais Dieu n'y était pour rien du tout, il a été complètement feinté! Alors, ça change tout!

Les orthodoxes ont une loi – puisqu'il faut tout de même dans les institutions gérer les biens – qui leur permet de s'occuper de leurs devoirs et, en premier lieu, à l'égard des enfants qui sont nés d'un mariage. Alors, là, ils sont extraordinaires, tout près de l'inconscient justement. Et tout cela, je l'ai appris en me mariant, et c'est ce qui m'a rendu la dimension chrétienne héritée du judaïsme, qui est une logique des passions humaines et pas du tout la passion juridique propre au droit romain. C'est tout à fait différent.

Voici ce qui se passe en ce qui concerne les enfants : un homme et une femme peuvent avoir six enfants, par exemple, et leur mariage être reconnu nul! On dit simplement « mariage nul », on ne parle pas du tout de divorce. Il y a reconnaissance sociale que le mariage était nul et qu'on ne s'en était pas aperçu. C'est curieux, le fait de dire : « Puisqu'ils divorcent, cela prouve qu'ils n'étaient pas mariés. » Et d'ailleurs, ils vous disent : « Il y a des couples qui se disputent du matin au soir, mais qui ne divorceraient pas pour un empire parce qu'ils sont mariés, mariés dans la bataille continuelle. C'était le désir de Dieu, nous ne savons pas pourquoi, c'est comme ça. Et puisqu'ils ne divorcent pas, c'est qu'ils sont mariés. Ils n'ont pas du tout envie de divorcer. » D'ailleurs, on en connaît de ces couples chien et chat qui ne peuvent se passer l'un de l'autre. Ils sont vraiment mariés par leurs pulsions sadiques, bien mariées entre elles.

> *Mais, quand l'un ou l'autre fait une analyse, il peut tout de même se produire qu'ils divorcent, les « chiens et chats ».*

Ça se produit parce que l'analyse se met entre eux, peut-être.

> *Ils arrivent à assumer leur séparation, le fait qu'ils n'étaient pas liés entre eux par un désir vrai.*

Hélas! On les laisse divorcer en cours d'analyse, chose qui était interdite du temps où j'étais en analyse. La loi, le contrat était : « Tant que vous êtes en analyse, vous n'avez le droit ni de vous marier ni de divorcer. Vous n'avez pas le droit de changer de statut légal. Si vous voulez quand même le faire, il faut arrêter votre cure. » A l'époque, c'est ce qu'on enseignait aux gens, comme faisant partie du contrat – et je l'ai pratiqué avec des gens en analyse avec moi. Je l'ai fait notamment avec un homme – je ne sais plus son nom – qui est parti en Géorgie. Donc, il était en analyse avec moi et, tout d'un coup, un jour, il me dit : «Je me marie dans trois mois.» Et moi : «Non! Ou alors, vous ne revenez pas demain à votre séance. – Quoi? – Non! Je vous l'ai dit au début : vous ne deviez ni vous marier ni changer votre statut légal au cours de votre psychanalyse. Vous savez pourquoi? Parce que, ni vous ni moi, ne savons ce que vous faites. Il faut que vous soyez séparé de votre analyste depuis au moins trois mois pour, peut-être, savoir ce que vous faites. Ce n'est pas à la légère qu'on se marie, qu'on prend un engagement devant la société à propos de quelque chose. Or, c'est ce qu'il se passe quand on n'est pas totalement libre et qu'on parle tous les jours à quelqu'un qui est un référent.» Je crois qu'il a été très heureux de ces paroles. Et il a décidé, en une semaine, qu'il préférait arrêter son analyse pour se marier. Parfait! C'était un garçon très bien.

J'en reviens aux enfants des couples divorcés, en Russie. Les choses étaient organisées de la manière suivante.

La paroisse faisait office de juge de paix. Il n'y avait pas de séparation entre le civil et le religieux comme chez nous où il y a l'état civil. Le curé servait aussi d'état civil, si on le voulait; mais on pouvait avoir un état civil sans curé. Il y avait des possibilités (et il y en a toujours!). Même du temps des princes, des ducs, on pouvait aller chez le duc faire enregistrer ce que l'Église refusait d'enregistrer. Enfin, c'était à peu près cela. Après la révolution de 1917, tout a été autrement.

En Russie, chacun était obligé d'être inscrit : à la synagogue, si on était juif, et même si on ne pratiquait pas; au temple si on était protestant; si on était orthodoxe, au temple orthodoxe. On réunissait les sages, je ne sais plus leur nombre. Dans l'Église catholique, ils portent le nom de marguilliers; ce sont, soi-disant, les sages[83]. Autrefois, ils jouaient un rôle parce qu'ils décidaient lors des problèmes importants de juridiction, mais ça se passait toujours dans la juridiction romaine, plus ou moins. Napoléon a donné le Code civil parce qu'on vivait sur le droit romain depuis la Gaule. Mais, chez les Russes, les choses étaient différentes. En cas de séparation des parents la loi stipulait que les garçons et les filles devaient rester jusqu'à sept ans dans la famille de la mère. Si la mère était avec eux, tant mieux, tant pis! Si la mère n'était pas là, ils étaient confiés à un couple choisi dans la famille de la mère : les grands-parents ou des oncles et tantes ayant déjà eu des enfants. Lorqu'un enfant atteignait l'âge de sept ans, il y avait une réunion du conciliabule de la paroisse qui décidait de ce qu'on allait faire de l'enfant. A ce moment-là, si la mère était remariée et bien remariée, que son mari était capable d'élever un fils et que, d'autre part, le père n'était pas remarié, qu'il était instable, le fils allait chez la mère parce qu'il y avait un époux. Si, au contraire, le père était remarié et la mère aussi, il allait chez le père. Si ni l'un ni l'autre n'étaient remariés, la mère étant partie n'importe où et le père aussi, les enfants étaient confiés, le garçon à un couple de la famille du père qui avait élevé au moins un enfant d'âge supérieur à cet enfant (par exemple, un garçon de sept ans était confié à un couple de la famille du père qui avait au moins un fils d'au moins huit ans), la fille, à un couple de la famille de sa mère, qui avait élevé au moins une fille d'âge supérieur à cet enfant. C'était la loi. Et cela marchait très bien.

Les enfants étaient considérés comme le lieu du Saint-Esprit jusqu'à cinq ans, même les enfants de concubins. Tous les enfants connaissaient leur géniteur. Les parents ne pouvaient pas ne pas être mariés, puisqu'il fallait dire qui ils avaient engendré, même s'ils ne se mariaient pas devant l'Église. Il y avait des gens qui ne se mariaient pas et qui avaient des enfants naturels; en fait, il y en avait très peu. En tout cas, les enfants naturels portaient le nom du géniteur. On ne pouvait pas, quand on s'appelait Boris, ne pas avoir comme père un Dimitri, un Paul, un Jean. On était fils de

Paul. Fils de Paul comment? Ça ne nous regarde pas. Tout le monde l'appelait Dimitri, fils de Paul; Paul qui ne l'avait pas reconnu avec son nom de famille mais qui était tout de même son père. On reconnaît la génétique chez les Russes; chez les Romains, on reconnaît la légalité. Quelle ouverture, quel changement d'horizon pour un chrétien, de passer d'un rite à un autre rite!

Par exemple, pour les orthodoxes (les choses ont changé depuis la guerre de 40; et en Russie, ils sont persécutés, c'est autre chose), il était interdit de diffuser la liturgie imprimée. La liturgie n'était imprimée que sur les grands livres religieux qui sont sur l'autel. Aucun fidèle n'avait le texte, mais tous, à partir de trois ans, cinq ans au plus tard, savaient par cœur toute la liturgie. Parce que, de père en fils, de mère en fille, on instruisait les enfants de ce qu'il fallait chanter à l'église, tout le monde chantant à l'église. Vous êtes déjà allé dans une église orthodoxe?

Une seule fois dans ma vie.

Rue Daru?

Oui, pour l'enterrement de Boris.

Ah! oui. Mais là, vous n'avez pas vu ce qui se passe habituellement parce que les gens se tenaient sur une certaine réserve due au fait que c'était une pannychide, c'est-à-dire un office des morts. C'est une très belle liturgie qui part de la désolation et qui aboutit à la joie. Elle se termine sur la joie de l'abordage à l'autre monde, l'âme du mort étant accueillie par les invisibles qui l'attendent; le mort est pardonné grâce à tout ce qu'on a fait comme prières. C'est un happy end. Mais le dimanche à la messe, c'est curieux de voir les enfants en totale liberté. Ils courent partout, jouent, rient, jouent à cache-cache et c'est très, très bien vu. On les «calmote» juste un peu. Quand ils veulent aller dans l'iconostase située derrière, ou grimper à l'escalier, on les calme, on leur fait embrasser une icône, ou une autre, allumer une bougie pour s'occuper; mais personne ne gronde jamais un enfant puisqu'il est le siège du Saint-Esprit. Et, s'il fait des bêtises, c'est parce que ses parents sont nerveux. C'est vraiment formidable, quand on est psychanalyste, de voir les enfants se coucher par terre, chantonner, et tout le monde sourire avec béatitude à les voir se tenir ainsi dans l'église. C'est très curieux. Et, ce qui est visible, là, pour les enfants, vaut pour les fantasmagories des gens au point de vue de leurs fantasmes. C'est très étonnant. D'ailleurs, c'est ce que montre un roman merveilleux que je viens de lire, *Vladimir Roubaïev,* de Serge Lentz[84]. Il est passionnant car on y voit vraiment la truculence de la fantasmagorie, des fantasmes des gens, leur violence. C'est fou, cette violence russe, violence entièrement autorisée. Il n'y a pas de refoulement de tout cela par l'Église. Les fous, les fous de Dieu, ou les fous du démon, ou de n'importe quoi, ça fait partie de la vie. Alors, il y a une co-responsabilité extraordinaire des gens les uns vis-à-vis des autres dans la convivialité. On comprend très bien qu'ils soient devenus communistes, malgré toute la perversion qui s'y est mise.

Il y a une telle convivialité que tout le monde peut partager les fantasmes de l'autre et que, s'ils sont tous dans le royaume de Dieu – ce qu'ils ont voulu –, ils sont vraiment les descendants des Juifs de la Bible avant la latinité. Ils sont tout à fait dans la continuité de la Bible. Et, à cause de cela, les gens parlent à Dieu. Quelquefois, ils se trompent et ils parlent au diable. Le diable répond ce qu'il veut. Mais, c'est vraiment la même fantasmagorie que celle que l'on voit dans la Bible, quand un type se met à parler à Dieu et que Dieu lui répond n'importe quoi. C'est un être humain qui parle à un autre être humain idéalisé, qui est Dieu. L'être humain, lui, est alors habité par tous les fantasmes de monstres, de diables, de serpents à plumes, de cochons à roulettes. Du coup, tout le

monde est d'accord. Il y a une espèce de truculence et de vie
des pulsions. Jamais, jamais, la psychanalyse n'aurait pu être
inventée en Russie. Parce que tous les fantasmes que les gens
débitent sur le divan sont vécus par tous là-bas : ils n'ont qu'à
se saouler pour les vivre et, le lendemain matin, personne ne
se souvient. On voit tout cassé, mais tant pis : ils étaient saouls
hier!

> *Il y a encore des possibilités de socialisation du fan-*
> *tasme.*

Tout à fait! Et cela ouvre les yeux à quelqu'un qui est psychanalyste et chrétien de formation. Chez les Russes, on ne dit
pas à quelqu'un : «Priez pour ne pas penser.» On ne sait pas
ce que c'est que penser chez eux. Penser, c'est vaticiner; donc
on vaticine. Je ne crois pas que les Russes savent très bien ce
que c'est que penser, sauf, peut-être, les Juifs russes. Les
Russes, ils bouffent, ils crèvent, ils pensent, ils forniquent, ils
gueulent, ils aiment, ils haïssent, ils détestent, ils courent, ils
sont immobiles, ils prient, ils se violentent : c'est l'esprit qui
vit au gré des cyclones et des vents de la planète. C'est très
chrétien puisque Dieu est toujours là, dans le coin, pour vous
rappeler : «Tu exagères! Le Christ est mort pour vous, tu
devrais t'en souvenir, etc.» C'est cela qui est étonnant!
  C'est ce qui pour un psychanalyste – en tout cas pour moi –
mène à une très grande révolution : comprendre que le christianisme n'est pas limité au christianisme à la manière judéo-
latine, que c'est autre chose.

> *En somme, la liturgie orthodoxe a provoqué dans votre*
> *vie une révolution comparable à celle qu'avait provoquée*
> *la psychanalyse : la découverte d'une autre manière de*
> *penser, d'être en relation avec l'autre, de le comprendre.*

Tout à fait, tout à fait.

9

La méthode

Vous avez utilisé tout à l'heure un terme que, je le sais, vous aimez bien : «la méthode». C'est important, pour vous, que la psychanalyse soit une méthode?

Oui, c'est très important. D'abord, le contrat : il faut bien dire à la personne, avant la première séance, que, dorénavant, ce sera elle qui parlera plus que le psychanalyste, qui est là pour qu'elle parle à ses propres oreilles en parlant aux oreilles de l'analyste : «Autant que vous le pouvez, écoutez ce que vous me dites pour comprendre pourquoi vous me le dites.» On dit cela la première fois : «Vous dites tout ce qui vous vient à l'esprit et aussi tout ce que vous ressentez même si vous ne comprenez pas pourquoi vous le ressentez. Ça durera aux environs de... (moi, je disais le temps que ça durerait). Vous avez ce temps-là devant vous pour parler, vous taire, pour être vrai ici.»

Vous disiez le temps de la séance ou le temps de la cure?

De la séance. Pour que les gens aient le temps de se taire s'ils veulent se taire. Je trouve cela très important, pour qu'ils soient vrais.

Vous n'avez jamais pratiqué des séances à temps variable ou très courtes?

Une fois ou deux, en expliquant pourquoi, après coup : « Aujourd'hui, je préfère arrêter. Nous parlerons la prochaine fois de la raison. » Une fois c'était parce que je m'endormais : « Vous m'ennuyez trop. Je ne sais pas pourquoi, ça vient de moi, ça ne vient pas de vous. Je m'excuse mais c'est ainsi. » Les gens acceptent tout à fait quand on leur dit quelque chose de vrai. Ce jour-là, j'étais fatiguée.

Je faisais allusion à la pseudo-théorie lacanienne des séances courtes...

Je suis tout à fait contre ! J'ai vu tellement de ravages dus à cela, avec ce sadisme qui fait que le patient se sent mauvais psychanalysant puisqu'on se débarrasse de lui : « Si vous n'avez plus rien à dire, partez. » L'analyse, ce n'est pas un taximètre ! Il faut le temps de pouvoir se taire ou quelquefois le temps de pouvoir faire deux-trois séances en une, d'ailleurs, pourquoi pas ? Moi, je trouve que nous ne pouvons vendre que notre temps ; le temps de quelqu'un qui a été préparé à écouter. Alors, il faut au moins que l'autre sache de quel temps il dispose pour l'argent qu'il nous donne. Il y a des gens avec qui la durée décidée est trop longue. On s'en aperçoit au bout de quelques séances ; on le dit : « Il semble que ce soit trop fatigant pour vous de rester si longtemps. Vous pouvez vous en aller avant la fin de votre séance. Nous avons encore du temps mais ce n'est pas mal si vous partez. » Cependant, selon moi, il faut garder le temps de cette personne. Il ne faut pas qu'elle parte parce que le suivant est à piaffer derrière la porte et qu'elle le sait. Voilà pour le temps.

Quant à la méthode, l'essentiel c'est d'écouter en essayant d'être toujours présent – ce qui est difficile puisqu'on est quelquefois articulé à ses propres pensées au lieu justement de l'être à celles du patient. C'est là que l'on doit se dire : « Il y a quelque chose qui ne va pas », ou bien : « Cette personne m'ennuie. » Ce qui veut dire de l'angoisse. Alors il serait malhonnête de la garder plus longtemps en analyse avec soi, puisque ce serait la mettre dans un état d'angoisse qui se transmettrait d'inconscient à inconscient.

Donc, il faut d'abord s'écouter soi-même : est-ce qu'on occupe vraiment la place d'analyste? Car, il est difficile d'entendre si quelqu'un se tait parce que nous l'inhibons ou parce qu'il est inhibé par ce qu'il a à penser. La méthode requiert d'être dans la difficulté et de comprendre ce qui se passe. Personnellement, je pense que ça relève aussi de la méthode de dire, après chaque séance, un mot qui remet le patient dans la parole sociale, en évitant de le quitter muettement (en se serrant la main ou pas), comme des chiens qui se quittent. Il faut socialiser le départ, c'est pourquoi, au moment où il paye, il faut dire un mot. Du genre : «C'était une bonne séance», ou : «A la prochaine fois!», ou : «A mercredi.» Il faut dire un mot pour qu'il y ait retour au social, en égalité de citoyens, et que la personne ne reste pas dans un moment de fantasme inhibant, d'infériorité : «J'ai dit cela, il m'a semblé que le psychanalyste a fait "hum! hum!", et puis il n'a plus rien dit quand je suis parti, etc.» Tout ce que ces pauvres gens peuvent inventer totalement inutilement, du fait de la mauvaise méthode du psychanalyste! Tandis que les choses qu'ils imaginent quand le psychanalyste suit au mieux la méthode, c'est à la psychanalyse de les comprendre. Mais, quand l'analyste y est pour quelque chose, il faut savoir le reconnaître. Voilà, si vous voulez, pour la méthode.

Mais, pour moi, cela fait aussi partie de la méthode, comme pour Freud, de reprendre tout bêtement les termes qui ont signifié le rêve. Moi, j'écrivais toujours les rêves – que me rapportaient les patients – avec les nuances de la musique : quand le ton allait en augmentant à la fin, j'écrivais en biais vers le haut; s'il allait au contraire en baissant, j'écrivais en descendant moi aussi. Et je me disais : «Ça veut dire quelque chose, que le rêve soit raconté deux ou trois fois de suite sur ce même ton bizarre.» Je ne savais pas ce que ça voulait dire, mais j'essayais de noter le plus possible de ce que je percevais. C'est cela être psychanalyste : noter le plus possible. Et, en même temps, attendre que le patient en parle, pour lui dire qu'en effet on avait remarqué aussi et qu'on essayait d'analyser ce que ça peut vouloir dire d'assez important pour que ça se répète. Ce que la méthode permet de chercher, c'est ce qui se répète du passé dans la relation avec l'analyste mais ce n'est pas du tout ce qui se passe aujourd'hui dans la réalité; ce que la situation réelle permet, dans les fantasmes, de répéter du passé, et qui n'est pas les sentiments réels. Ainsi, quand quelqu'un vous dit : « Aujourd'hui, vous me portez sur les nerfs! », il faut l'écouter. Ce n'est pas Françoise Dolto qui lui porte sur les nerfs. On lui demande : « Ça vous rappelle quel mode de relation? De quelle époque de votre vie? »

C'est cela la méthode : chercher ce qu'une telle remarque rappelle du passé, dans une relation antérieure et qui, ensuite, fait déboucher sur toute une structure pulsionnelle (à ce moment-là, moi, j'appelle cela « structure ») d'une époque située entre deux castrations : après le sevrage ou avant la propreté sphinctérienne, après la propreté sphinctérienne ou avant la claire notion de la prohibition de l'inceste. C'est-à-dire que ce qu'on va pointer comme étant une période relationnelle qui se revit à ce moment-là dans l'analyse nous permet de voir à quelle structure pulsionnelle on a affaire : il s'agit d'un reste qui n'avait pas été parlé ou pas dit, ou à peine ressenti consciemment, mais ressenti dans les tripes.

On voit alors des choses curieuses se passer : des réveils de fausse appendicite, des gens qui ont, tout d'un coup, pendant deux ou trois jours, des histoires d'arrêt de fonctionnement urinaire, enfin des trucs comme ça. Ce sont des rashes[85], comme on dirait en médecine, et qui sont le rappel d'une époque de leur vie où ç'avait été le moyen d'exprimer quelque chose qu'ils avaient ressenti, qu'ils ne pouvaient pas dire en mots et qu'ils revivent aujourd'hui. Ou bien c'est le temps qu'il fait qui leur a rappelé un souvenir; ou c'est quelque chose qui s'est passé dans l'histoire de la ville où ils se trouvent qui rappelle une période comme ce fut le cas le jour du tocsin, pour la déclaration de guerre. C'est une histoire qui se passe dans le temps : c'est la répétition dans un autre espace d'un événement, qui fait que le monde redevient celui qu'il était à l'âge de quatre ans. Ce sont donc des rappels du passé que certaines rencontres, dans le temps ou dans l'espace, ou dans la relation à la personne, font surgir. Ce peut être un fantasme d'odeur : « Oh! Vous ne trouvez pas que ça sent drôle? Vous ne trouvez pas que ça sent le gaz? – Le gaz? Ça vous fait penser à quoi : sentir le gaz? » Bien sûr, il peut arriver que ce soit vraiment une fuite de gaz; mais pendant une séance d'analyse où on ne sent rien, on peut avoir l'attention éveillée et dire : « Vous avez raison, ça sent le gaz! » On sort et l'on s'aperçoit que le gaz, en effet, n'est plus allumé, qu'il a été éteint par un coup de vent. On remercie l'analysant : « C'est bien! Vous voyez, il ne faut pas tout mettre dans l'analyse! »

Ça me rappelle l'histoire d'un enfant, à Trousseau, qui avait toujours un téléphone et qui mettait toujours le cordon de son téléphone autour de la tête. C'était très curieux. C'était un enfant de sept-huit ans. Il marchait les genoux pliés; il avait le front très bas, les cheveux très bas plantés. Il était très gentil et portait donc toujours avec lui un de ces vieux appareils de téléphone qu'avait Mme Arlette. Il en avait toujours un sous le bras avec l'écouteur. Je pensais au cordon ombilical, je me disais : pourquoi pas? Mais on avait beau en parler, il ne lâchait pas son téléphone. Donc, ce n'était pas de cela qu'il s'agissait parce que, quand on a symbolisé, c'est fini. Alors, un beau jour, je me dis : « Après tout, c'est peut-être le téléphone...! » Et je dis à la mère : « Étant donné son intérêt pour les biberons, pour les objets de tout petit bébé (sans parler d'une espèce de bébé *in utero* de chiffon avec lequel il se baladait aussi, en plus de son téléphone), vous ne vous rappelez pas quelque chose qui se serait passé au téléphone quand vous étiez enceinte de Franck ou lorsqu'il était tout petit?» Et, tout d'un coup, ça lui revient : elle avait appris la mort de son père par un coup de téléphone et elle était tombée évanouie. Elle ne savait pas du tout au bout de combien de temps son mari l'avait trouvée évanouie en rentrant. Or, elle était enceinte de cinq mois de Franck, à ce moment-là. Et lui écoutait le récit qu'elle me faisait en caressant sa maman, blotti contre elle. Alors, je me suis adressée à lui : «Ce que tu fais là, c'est ce que tu aurais voulu faire. Mais tu étais dans son ventre et tu ne pouvais pas la consoler. Tu voulais la réveiller, mais ta maman était évanouie parce qu'elle avait appris la mort de ton grand-père. A la fois, tu étais très jaloux qu'elle s'occupe plus d'un mort que de toi, et, en même temps, tu voulais guérir ta petite maman du chagrin qu'elle avait.» C'est ce que je lui ai dit ; et avec le téléphone, ça a été fini : plus jamais, il n'a touché au téléphone ; en outre, il n'a plus marché les genoux pliés, il a pu marcher en utilisant ses jambes droites. Alors que, pendant des mois, je cherchais autour du cordon ombilical! Tout le monde d'ailleurs cherchait avec moi. Cet enfant avait eu une ischémie[86] due à un nœud fait par le cordon ombilical, une «circulaire», et la mère affirmait qu'on ne le lui avait pas dit. Mais elle avait complètement oublié l'histoire de la mort de son père et de cet évanouissement. Elle était fixée à son père d'une façon fantastique. Et cet évanouissement, dont elle ne savait pas combien de temps il avait duré, avait dû se produire au moment où chez le petit s'organisait l'écoute du langage à travers le ventre de la mère, où il entendait son père, sa mère et le grand-père parler. Car ils se voyaient tous les jours. C'étaient des artisans : des graveurs sur miroir, de Florence. D'ailleurs, ils sont retournés à Florence. Le mari faisait des œuvres d'art extraordinaires, des glaces ornées de gravures. Il fallait une sûreté de main étonnante : il creusait le verre pour le sculpter et pour faire des dessins sur le miroir, comme on aurait fait de la pyrogravure.

188

C'est un artisanat particulier à Florence. Et il faisait cela à Paris, dans un atelier familial où ils vivaient. Franck a eu de la chance d'aller vivre en Italie, où il n'a jamais été mis à l'hôpital psychiatrique. D'abord, il a trouvé une place à mi-temps, tous les jours, dans l'école de tous, parce qu'en Italie on prend tous les enfants à mi-temps qu'ils soient raides fous, délirants ou n'importe quoi. Pendant l'autre mi-temps, il allait dans un centre de traitement des enfants un peu marginaux, où il voyait un psychanalyste deux fois par semaine, et où il jouait aussi au foot deux fois par semaine. Son psychanalyste était très intéressé par cet enfant qui avait une affectivité tout à fait saine et qui, à la maison, aidait sa mère. Il avait un jeune frère qui réussissait très bien. Plus tard il a travaillé dans une ferme protégée où il était très aimé et où, paraît-il, il eut une idylle avec une fille un peu marginale aussi, mais également très aimée. Ils ne doivent pas parler beaucoup puisque lui est muet et n'a jamais parlé. Si je sais tout cela, c'est parce qu'il m'écrit tous les ans, au jour de l'An, pour me donner de ses nouvelles.

> *Ce qui nous avait tellement impressionné, c'est le jour où l'assistance de Trousseau a entendu : « Voilà. Eh bien, il est guéri ! » Il est muet, dites-vous, il est toujours muet ; mais le jour où vous nous avez dit : « Il est guéri », nous l'avons cru. Est-ce que ça veut dire qu'il ne peut pas aller plus loin que là où il en est ? Peut-être est-il sage aussi de savoir dire : « Ça va. C'est bien. C'est sa vie qui est comme ça. »*

Il est en harmonie avec les autres, il se fait aimer, il participe à tout ce qui est signifiant de la vie quotidienne.

> *Oui, mais à l'époque, on ne le savait pas !*

Mais, je savais qu'il était prêt ! Il avait tous les comportements d'un enfant sain, muet mais pas sourd. Mais, après tout, pourquoi pas?

> *Effectivement, en privilégiant un peu la notion de méthode dans la psychanalyse, on est tout proche d'une éthique, même d'un style, qui dépasse largement le moment et le lieu de la séance d'analyse.*

Tout à fait, tout à fait!

> *Et ça permet d'avoir une position psychanalytique en général: d'écoute, d'attention et même d'un certain type d'intervention.*

Et puis surtout de ne jamais vouloir donner plus de salade que ce qu'on vous en demande! Or, la mère ne demandait pas plus de salade. Son fils était admis par les autres, il était heureux, il dormait à son rythme, il mangeait normalement, il n'était plus désespéré, il ne la collait plus, il ne la poissait plus: c'était un enfant qui avait le droit de vivre comme il était. Il est probable que, de même que l'on dit que l'on bourgeonne les dents, on doit bourgeonner le langage *in utero* à un moment; probablement le bourgeonnement a-t-il été mutilé chez lui par cette histoire de retourner au sans-parole de la mère évanouie. Pendant ce temps-là, l'enfant a donné toute son énergie à la mère, il ne l'a plus gardée pour dire en mots. Cette femme d'ailleurs, il est intéressant de savoir qu'en Italie elle a appris le métier de soignante de marginaux ce qui lui a permis de payer pour que son fils aille dans une autre école que celle où elle travaillait: «J'ai pensé que madame Dolto jugerait que ce ne serait pas bien que je sois dans la même école que lui. Je ne sais pas si j'ai eu tort.» Elle m'a écrit en ces termes: «J'ai pensé que madame Dolto, etc.», à la troisième personne. Je lui ai répondu: «Vous avez eu raison.» Ainsi, elle est devenue femme éducatrice dans un inter-

190

nat d'enfants à mi-temps, puisque le matin, ou l'après-midi, ces enfants marginaux vont dans des lieux spécialisés. Puis, à partir de treize-quatorze ans, on leur enseigne un travail : ils sont compagnons d'un adulte qui leur montre ce qu'il fait. Aux cuisines, on montre comment éplucher les légumes ou faire la cuisine ; à la lingerie, on montre comment faire les travaux de lingerie, repasser, se servir de la machine à laver, etc. Ces adultes ne sont pas choisis sur titre en Italie. On ne leur demande pas d'être grands clercs ni de faire de grandes études de psychologie. Ils suivent quelques cours de psychologie mais c'est surtout de la pratique maternante qui leur est demandée. Cette femme a donc gagné sa vie de cette façon, en comprenant les enfants qui étaient comme le sien, sans être avec le sien, pour qu'il ne vive pas trop collé avec sa maman puisqu'il avait gagné le droit de ne pas l'être.

Je trouve qu'en Italie, chez les « ex-Romains », les gens sont beaucoup moins juristes que nous. C'est la pétaudière en Italie, grâce à quoi tout marche bien. Chez nous, tout est réglementé, grâce à quoi tout est figé. C'est curieux. En tout cas, pour les enfants psychotiques, c'est un bienfait, l'Italie. Cette femme était très heureuse d'être en Italie avec son fils. Il était accepté partout, jamais regardé comme bizarre dans les restaurants comme c'était le cas en France. Il est muet, bon, il est muet ! Ce n'est pas fou, d'être muet. Quand on est aimé, qu'on se fait aimer, c'est la vie ! On est en relation.

Mais, qu'est-ce que c'est que votre structure de psychotique ?

Je vais vous l'envoyer. Mais auparavant, à propos d'institutions, j'aimerais vous poser une question : n'avez-vous pas, vous aussi, tenté de mettre en place de petites institutions beaucoup plus vivantes que les autres ? Je pense à votre consultation de Trousseau, au style qu'il y avait, à La Maison Verte, à La Maison Ouverte.

Mais ce ne sont pas des institutions, selon moi!

C'est ce qui en fait la vie.

C'était informel. C'est d'ailleurs ce qui est difficile avec La Maison Verte qui a été définie par ce qu'elle n'est pas. Elle ne peut pas être définie par ce qu'elle est, sauf, comme je dis, comme l'équivalent de la partie couverte de jardin public dans lequel les parents peuvent venir se reposer et les enfants jouer ensemble. Lieu complètement informel, mais où le personnel d'accueil a une certaine formation psychanalytique, bien qu'aucun ne s'y comporte comme un psychanalyste dans un contrat de cure mais comme citoyen psychanalysé qui veille à éviter le non-dit concernant la vérité que vit un enfant ou celle qui touche ce qui l'entoure. C'est tout.

Maison Verte, Maison Ouverte, partie couverte du jardin public, le signifiant «verte» fonctionne beaucoup là-dedans...

En effet! La Maison Verte, c'est une maison comme un jardin public et les jardins publics, c'est dans la verdure.

C'est curieux de l'appeler par un nom de couleur...

Mais, ce sont les enfants qui l'ont appelée ainsi! Tout à fait par hasard. D'ailleurs, ce n'est pas écrit sur nos statuts. Ce qui est inscrit sur nos statuts, c'est: «Petite Enfance et Parentalité». Les enfants ont d'abord appelé ce lieu – qui était une boutique peinte en bleu, bleu Nil – «Aballon», «Ayeau». Certains enfants disaient: «On va à Ballon» parce qu'il y avait des ballons rouges à la fenêtre, ou «à Yeau» parce qu'il y avait de l'eau pour jouer, ou «à là-bas». Enfin, chaque mère avait un nom à elle pour dire ce lieu parce que «Petite Enfance et Parentalité», ce n'était pas dicible! Donc, c'était la

«Boutique». Les enfants l'ont alors appelée «La Boutique Verte» alors qu'elle était bleue en réalité, mais eux disaient verte. Ensuite, nous avons dû résilier le bail, parce que nous étions installés dans une laverie automatique et que le propriétaire voulait garder un bail commercial; il ne pouvait donc pas louer pour plus de vingt-quatre mois. Donc, au bout de vingt-quatre mois, nous devions arrêter. Nous étions un petit lieu merveilleux sur la place Saint-Charles et, comme c'était au milieu des tours du quinzième arrondissement, les gens du quartier se disaient que c'était épatant, ce petit truc-là! Ce n'était donc pas possible d'arrêter; les mères qui vivaient dans ce quartier étaient découragées, désespérées.

Finalement, nous avons obtenu grâce au maire et à l'un de ses adjoints qui s'intéressaient à notre travail, un local poussiéreux qui servait de hall d'exposition de voitures, fermé par une grande porte vitrée : il y avait en tout et pour tout l'électricité, il était situé dans un renfoncement entre deux voies conduisant au parking situé dans le sous-sol des tours. Et il y avait, le long de ces voies d'accès, des distributeurs d'essence, vous imaginez! Nous, nous étions en dessous, dans l'obscurité, l'électricité allumée toute la journée. On avait donc mis ce local à notre disposition en attendant qu'un architecte du quinzième arrondissement, contacté par mon frère, député local, nous construise quelque chose dans quoi nous aurions un espace.

Or ça a été terrible quand ce quelque chose a été construit! C'était absolument impossible à occuper, haut comme trois étages! Il fallait que nous payions le chauffage et nous n'avions pas un sou. Ce n'était pas possible. Et, surtout, l'architecte n'avait rien compris : il y avait deux portes jumelles, l'une ouvrait sur une crèche, l'autre prévue pour «Petite Enfance et Parentalité»! Ce n'était pas possible, parce que ça aurait été la roulette russe : l'enfant serait allé à une porte ou l'autre, suivant le lieu où sa mère le déposerait. En outre, les responsables étaient très ennuyés car ils avaient cru qu'il fallait aménager des petites pièces pour consultation. Or, il ne s'agissait pas de faire la moindre consultation! Les gens n'avaient rien compris à ce que je voulais faire. Et, à ce moment-là, même Bernard This, qui était avec nous, croyait qu'il faudrait faire une consultation précoce de petits! J'ai dit : « Il ne faut pas confondre. Ce n'est pas un lieu de traitement. »

Alors, le projet a été mis en panne. Mais, une dame qui s'occupait de l'Action catholique, avait, sur le terre-plein des tours, au premier étage, toute une organisation qui s'appelait le C 3 B : il y avait là des distractions pour les jeunes, les enfants, les adolescents. Elle nous a dit : « Je vais vous donner deux de mes locaux pour vos activités. » C'était une dame très efficace et très bien, une dame d'œuvre avec de la poigne, mais qui voulait choisir les psychologues, faire leur contrat, décider de tout! Ça n'avait plus aucun rapport avec ce que nous voulions, à savoir un lieu de liberté. Il était impossible de travailler avec elle. Ce qui explique qu'il a été très, très difficile d'ouvrir cette maison.

Finalement, un jour, l'architecte en question nous a dit : « Il y a un duplex de libre dans un immeuble à loyer modéré. » Nous nous sommes précipitées, moi et les personnes qui savaient ce que nous voulions, en particulier Marie-Noëlle Rebois et Marie-Hélène Malandrin, et nous avons trouvé ce local tout à fait parfait[87]. L'architecte tombait des nues en nous entendant dire : « C'est parfait, ça ne pouvait pas être mieux! C'est exactement ce qu'il nous fallait! – Eh bien, si j'avais compris que c'était ça que vous vouliez! » C'est dans ces conditions que nous avons commencé. Et ça a continué à s'appeler La Boutique Verte ou La Maison Verte. Enfin, les gens continuaient à l'appeler ainsi. Finalement, comme il y avait, dans notre mobilier d'enfants, une petite maison en bois blanc dans laquelle les enfants aimaient jouer, aller, venir, entrer, sortir, nous l'avons peinte en vert! Si bien que La Maison Verte, ça peut être cette petite maison d'enfants, avec la grille en bois, l'entourant, qui a été également peinte en vert ensuite.

La Maison Verte, ça a un sens maintenant. Mais ce sont, je le répète, les enfants qui l'ont qualifiée ainsi, alors qu'elle était bleue! Il n'y avait rien à voir en vert sur la maison.

Mais ils la voyaient verte.

Oui.

Donc, La Maison Verte, c'était un lieu de prévention et Trousseau un lieu de soins?

Trousseau, c'était la consultation banale d'un hôpital.

Vous en gardez un bon souvenir?

Très bon! Excellent.

Vous avez l'impression d'y avoir fait un bon travail?

Un travail énorme! C'est un hôpital où chaque service a eu un psychologue, un pédopsychiatre à partir de là. C'est le premier hôpital en France à avoir vraiment fait des psychothérapies d'enfants avec des psychanalystes. Et cela, certainement parce que la psychanalyse a été lancée par cette consultation qui a commencé en 1941. Fin 40 même! J'ai commencé fin 40 et j'ai fini en 78[88].

Ah! Vous êtes restée dans le même service de fin 40 à 78?

Oui, c'est ça. Et depuis, ce sont Gérard Guillerault et Edwige Fride, qui travaillaient déjà depuis plusieurs années à Trousseau, qui ont pris la suite. Et il y a eu aussi Danièle Lévy. C'est une consultation qui dépend d'un service de médecine

195

qui est dans le fond de l'hôpital; la consultation, elle, est à la porte. Mais elle dépend, administrativement, du fond. C'est un endroit où j'ai travaillé sans jamais, jamais être payée.

Vous n'avez jamais été payée à Trousseau?

Non, parce que n'étant pas ancienne interne, je n'avais pas le droit d'être assistante. Mais ce qui m'intéressait c'est que les gens croient que j'étais payée et que je fasse payer les enfants : ça suffisait. Au bout d'un certain temps, j'ai en effet compris qu'il fallait que les enfants contribuent, par leur volonté, à venir et que, s'ils ne voulaient pas venir, c'étaient les parents qui voulaient qu'ils viennent, qui viendraient à leur place. Donc, je voyais parents ou enfants, suivant que l'enfant assumait ou n'assumait pas de venir. Ça marchait très bien. Et figurez-vous que la dernière surveillante – j'ai eu trois surveillantes successives mais la dernière était géniale : une femme qui avait de façon naturelle le sens de la relation humaine; elle s'appelait Mme Arlette (c'était son nom de famille), elle s'est mariée depuis et s'appelle Mme Boone et elle a une vie de retraitée très intéressante, car c'est une femme active et intelligente –, Mme Arlette, donc, m'a dit : «Savez-vous, madame Dolto, que vous n'avez jamais manqué un mardi de la consultation depuis que je suis avec vous?» Que j'aie été enrhumée, que les enfants aient été malades ou n'importe quoi, je n'ai jamais manqué un mardi. Je ne le savais même pas! C'est dire à quel point ça me portait, cette consultation. Mes enfants sont nés alors que j'avais cette consultation. Donc, si je n'ai jamais manqué un mardi, c'est qu'en effet j'y allais même quand ils étaient malades.

Quant à La Maison Ouverte, c'est un endroit pour le troisième âge qui existe déjà depuis dix ans 21 rue Cujas. Ça n'a aucun rapport avec La Maison Verte. Les personnes âgées y font de la tapisserie, racontent leurs souvenirs, des histoires pour les enfants, des choses comme ça.

Donc dans le lieu même où Boris avait son cabinet?

C'est ça, dans les salles de l'ancienne École française d'ortho-
pédie et de massage, qui, maintenant, sert à abriter des rencontres paramédicales, et, une fois par semaine toute la journée, un club de personnes âgées qui ont des distractions en
commun et qui se rencontrent. Pour le cinquième arrondissement, c'est un lieu de vie[89].

*Et, pour vous, dans votre imaginaire, la couleur verte, ça
représente quelque chose? Ça évoque quelque chose?*

La verdure... On dit «avoir la main verte» quand on soigne
bien les fleurs. Non, rien d'autre que la nature. Oui, c'est ça,
la liberté, la liberté de la vie dans la nature. Mais cette histoire
m'a beaucoup amusée parce que, pour moi, je disais plutôt
«place Saint-Charles». Entre nous, nous disions «place
Saint-Charles», à l'époque où c'est devenu «La Maison
Verte» pour les mères!

*Pour finir avec la notion de méthode sur une note d'hu-
mour et d'inattendu, je me rappelle une histoire que vous
m'aviez racontée une fois, il y a longtemps. Une histoire
qui m'a laissé tout à fait perplexe et que je trouve vraiment étonnante. C'est une intervention proprement psychanalytique dans un domaine pas du tout psychanalytique.*

Qui est de moi?

*Oui, et que je tiens de vous! Elle est forcément vraie! C'est
quand, en tant que psychanalyste, vous avez aidé un
boxeur célèbre à gagner un combat très important!*

Ah! oui...

197

C'est étonnant, non?

Que ça ait marché?

Non, ça non, parce que je crois à la psychanalyse et à la force de votre parole. Mais c'est étonnant que quelqu'un – comment vais-je dire cela? – aille faire le psychanalyste à cet endroit-là!

Mais non! Boris le soignait. Il l'avait connu parce qu'il s'était fait une fracture de la main, du carpe. Il ne s'en était jamais bien guéri, et, à l'occasion de ses combats, il souffrait à nouveau de cette main. Donc, il fallait absolument le guérir, et quelqu'un a dit à son entraîneur : « Il faut aller chez Dolto! » Dolto était alors très connu pour sortir définitivement d'affaire les danseurs du ballet de Cuevas qui, du monde entier, venaient chez lui quand ils avaient eu un accident osseux ou musculaire : il les remettait sur pied complètement, définitivement. Ils n'avaient jamais de ces défauts qui restent comme séquelles d'une foulure guérie, d'un ligament forcé, etc. Donc, ce boxeur consulta Boris. Il était impossible, parce qu'il ne pouvait pas, à ce moment-là, se séparer de sa maîtresse. Si elle n'était pas avec lui, il était insupportable, il n'écoutait rien, il ne travaillait pas. Or, le métier de Boris, c'était le traitement par le mouvement, ce n'était pas le massage d'un patient passif. C'était un travail effectué avec le patient de manière que celui-ci sente ce qu'on faisait et qu'il fasse lui-même la moitié du travail en même temps que le kinésithérapeute faisait l'autre moitié, en lui donnant toutes les explications sur ce travail. Or, ce boxeur n'écoutait pas si sa maîtresse n'était pas là. Et si elle était là, il roulait des yeux d'amour et n'écoutait pas davantage. Alors, Boris a gueulé et il a dit à cette femme : « Est-ce que vous voulez qu'il gagne son championnat du monde ou est-ce que vous vous en foutez? Sérieusement...! » Elle a été secouée par ce monsieur qui lui parlait sur ce ton. «Vous vous comportez comme quelqu'un qui veut faire échouer celui qu'elle aime.» Alors elle s'est mise à pleurer : «Bon, c'est très bien. Pleurez un bon coup. Mais toi, écoute ce que je te dis parce que, elle, elle t'aime bien mais si tu rates ton championnat, tu seras un con pour elle!» Il parlait comme ça et c'était très bien.

De son côté, l'entraîneur a finalement confié à Boris : «Il est en colère contre moi. Il ne gagnera son championnat que s'il est vraiment en confiance avec moi; et je n'y arrive pas! Il y a toujours quelque chose qui ne va pas. Comme vous l'avez vu, il veut se faire soigner la main et, en même temps, il se dérobe. Quelque chose ne se met pas en place, il ne joue pas vraiment le jeu de s'en sortir.» Boris lui a répondu : «Venez dîner avec nous, vous raconterez à ma femme ce qui se passe.» Il me téléphone : «Tu mets un couvert de plus, il y aura l'entraîneur de Untel.»

Ce que nous avons alors appris par l'entraîneur c'est que le père de ce boxeur était d'une violence épouvantable. Il pendait son fils par les pieds pour le frapper! Et le petit enfant, étant ainsi terrorisé par son père, s'était juré qu'il deviendrait plus fort que son père. Quand il voyait son père furieux, il se carapatait; mais, quelquefois, le père le rattrapait, et donc, pour arriver à le battre comme il voulait, il le suspendait par les pieds comme de la viande, et il tapait dessus. C'était dramatique. Par la suite, cet homme est devenu un merveilleux boxeur : d'abord dans les rues de sa ville, puis en s'entraînant pour disputer des championnats. C'est qu'il était fort! Et le père commençait à sentir que son fils était plus fort que lui, qu'il pourrait le pendre par les pieds à son tour. Cependant, ce qu'il y avait de particulier avec ce boxeur, même quand il était enfant, c'est qu'il n'arrivait pas à terminer ce qu'il entreprenait. S'il ne gagnait pas rapidement par knock-out, c'était fini! Mais, en fait, il avait très peur de mettre son adversaire knock-out. Il ne voulait pas gagner par knock-out; il disait que ça démolissait pour la vie et qu'un sport, ça ne devait pas démolir pour la vie; ça devait démolir pour l'heure, juste le temps d'un combat. Il avait scrupule à nuire à l'autre pour la vie, mais enfin, il devait gagner rapidement, sinon, au bout d'un moment, il plafonnait et le combat pouvait s'éterniser jusqu'à ce qu'il gagne finalement aux points, dans un état d'épuisement non esthétique et dangereux. D'autre part, la femme de ce boxeur disait qu'ils étaient bien assez riches; et, selon l'entraîneur, elle était furieuse quand il ne couchait pas avec elle, car elle était d'une telle jalousie qu'elle croyait que s'il ne couchait pas avec elle, c'est qu'il couchait avec une autre. Remarquez, elle avait de quoi être jalouse puisqu'il y avait une maîtresse dans son histoire! Mais, pour lui, la préparation d'un match de championnat, c'était vraiment l'entrée en cellule : c'était la diététique, l'ascèse complète pour ne pas perdre son énergie en baisant, les aliments intensifiants, etc. C'est tout un entraînement obligatoire, à la fois psychique et physique, et qui est accepté quand l'entraîneur est crédible : alors il est le mentor qui vous assiste tout le temps, qui joue aux cartes avec vous, qui vous distrait, qui vous fait entendre de la musique. Il faut beaucoup de psychologie pour être l'entraîneur d'un crack.

Et donc cet entraîneur me dit : «Je ne sais pas comment lui permettre de finir ses matches.»

Je lui ai répondu : «Écoutez, je crois que pendant les soins précédant le round où vous sentirez qu'il doit forcer l'avantage et que c'est là qu'il doit l'emporter, vous allez lui dire au moment où il se relève : "Tu peux y aller, c'est pas ton père!"» Et, c'est ce qui s'est passé! Puis, immédiatement après le combat, il a dit à son entraîneur : «Quelle idée tu as eue de me dire ça! Mais, du coup, je n'avais plus aucun scrupule à taper dedans!»

10

A bâtons rompus

Il vous est arrivé d'intervenir dans d'autres domaines tout à fait non psychanalytiques?

Sans doute! Mais si l'entraîneur n'avait pas confié à Boris après le match : «Ça a été formidable, ce que ta femme m'a dit!», je ne me souviendrais même pas d'avoir dit cela. Vous savez, je dis des choses qui découlent d'une logique, et après je les oublie. Par exemple, j'ai reçu, il y a une dizaine de jours, une lettre à la signature illisible, d'une femme – une mère – qui m'écrit : «Vous ne savez pas que vous nous avez sauvé la vie, à moi et à mon fils, il y a trente ans. Je sais que vous êtes souffrante, et ça vous fera peut-être plaisir de savoir que tout le monde a envie que vous viviez parce qu'il n'y a pas que pour nous que vous avez fait cela. En tout cas, nous, c'est il y a trente ans que vous nous avez sauvé la vie : je suis arrivée chez vous avec un enfant fou et définitivement hors-jeu dans la vie, et je suis repartie avec un enfant adorable, tout à fait sain, qui l'est resté et qui est maintenant ingénieur électronicien. Entrée désespérée je vous dois d'être sortie joyeuse comme tout.» Je ne saurai jamais ce que je lui ai dit. Ce devait être un enfant normal, dont on disait qu'il était fou... Et il était «hors-jeu». Mais ce qui est drôle, c'est que, comme je ne peux pas lui répondre, je ne saurai jamais ce que je lui ai dit.

En tout cas, la formule est jolie : « entrée désespérée, sortie joyeuse ». C'est un peu aussi l'histoire de votre vie...

Oui ! Mais je ne suis pas entrée désespérée parce que, quand j'étais enfant...

Et vous n'êtes pas sortie !

Je ne suis pas encore sortie... Donc, quand j'étais enfant, j'ai pu compter sur une vieille amie de la famille, qui a d'ailleurs été merveilleuse avec moi au moment de l'histoire terrible avec mon soi-disant fiancé. Là, j'étais désespérée. Ma mère me disait que cet homme serait toute sa vie un ivrogne et un drogué à cause de moi, simplement parce que je ne voulais pas continuer les fiançailles. Cela me semblait tout de même étonnant, et je ne comprenais pas du tout pour quelle raison, si c'était quelqu'un d'aussi fragile, elle trouvait que c'était un bon mari pour moi. Curieux ! C'est ce que me disait ma mère qui a fait que, jusqu'au moment où il a été reçu à l'agrégation de lettres, je me suis sentie engagée à son égard. Quand j'ai vu son nom sur la liste – tous les ans je regardais la liste des agrégatifs qui avaient réussi – et que j'ai su qu'il avait donc eu l'agrégation, je lui ai écrit une lettre de félicitations pour lui dire : « Si vous voulez que nous nous rencontrions pour reparler de la parole réciproque que nous nous étions donnée, selon laquelle nous ne nous permettrions pas d'être heureux sans que l'autre le soit, je veux bien vous rencontrer. Je ne sais pas du tout ce que sera cette rencontre mais j'ai le souvenir d'une merveilleuse amitié avec vous à une époque difficile de ma vie. » Il ne m'a pas répondu.

Un jour, je dis à maman : « Tu sais, D. a été reçu à l'agrégation. – Bien sûr ! Je le savais. – Et, pourquoi ne me l'as-tu pas dit ? – Je pensais que ça ne t'intéressait aucunement. – Ça m'intéressait beaucoup, parce que je me sentais retenue à lui par une parole. Maintenant, en revanche, je suis libérée. Tu aurais pu me le dire parce que ça prouve qu'il s'en est sorti; qu'il n'est pas devenu l'ivrogne et le drogué que tu m'avais prédit qu'il deviendrait. – Tu es une imbécile!»

Quand j'ai rencontré Boris – c'est très drôle, je ne vous l'ai pas raconté – j'ai prévenu mes parents. C'est une histoire folklorique aussi de dire aux parents que j'aimais Boris. J'avais trente-trois ans! C'était pour Noël et, à la maison, il fallait passer toute la journée de Noël en coction familiale. Cette fois-là, j'ai prévenu : «J'ai mieux à faire. – Qui est ce mieux? – C'est Boris Dolto.» Quand j'ai eu dit qu'il était originaire de Crimée, papa est allé consulter son atlas avec sa loupe et il a dit : «Naturellement, elle ne pouvait nous amener dans la famille qu'un Tartare!» Maman, elle : «Je veux bien qu'on l'invite à déjeuner, je veux bien! Mais, le jour de Noël, l'inviter à déjeuner... Qu'est-ce que dira Victor?» (Victor, c'était le valet de chambre). Alors, mon père a tranché : «Écoute, Suzanne, Victor est notre employé; il n'a rien à dire sur les personnes que nous invitons. – Oui, oui; mais le qu'en-dira-t-on, c'est la réputation d'une maison! Et recevoir un monsieur quand on n'a qu'une fille et que ce monsieur a l'air de venir pour cette fille et qu'on ne sait pas ce qu'il en est au juste, de quoi ça a l'air?» Alors mon père : «Ça a l'air qu'on fait ce qu'on veut!» Mais il a tout de même ajouté à mon intention : «Qu'est-ce que tu en penses? Tu crois que ce monsieur pense à t'épouser un jour? – Je n'en sais rien. Nous n'en avons jamais parlé. Nous sommes heureux ensemble, alors, pourquoi pas? Moi, j'en serais très heureuse. – Écoute, tu lui en parleras et s'il veut venir nous voir, moi je veux bien le recevoir.» Le truc de papa, c'était toujours de me taper dans le dos, sans dire grand-chose : «Je suis très content pour toi.» Il voyait que j'étais heureuse.

C'est ainsi que Boris est venu leur rendre visite et il a trouvé cela merveilleux. Pour lui, c'était tchékhovien, fantastique! C'était tout à fait comme en Russie. Les gens avaient les idées tournées ainsi : on allait demander la main de la fille, même si

elle avait quarante ans et qu'elle en était à son quatrième mariage! Enfin, c'était mignon!

C'est de cette façon que je suis sortie de l'inhibition consciente que je n'avais pas le droit de faire ma vie avant qu'il soit clair que je n'avais pas gâché celle de D., de même que je m'étais dit que, si nous étions faits l'un pour l'autre, nous nous retrouverions une fois matures tous les deux. Cette année-ci[90], une de ses sœurs est morte, l'aînée; elle s'appelait F. et avait l'âge de Jacqueline. Une autre de ses sœurs m'a écrit en me disant : «Est-ce que vous ne croyez pas, Françoise, que nous pourrions nous revoir? Nous avons eu ensemble de si beaux moments d'amitié. Nous avons tous beaucoup de peine. Nous vous aimions beaucoup. Cette histoire malheureuse, c'est du vieux passé. Nous sommes tous maintenant grand-mère, grand-père. Pourquoi ne pas se revoir?» J'ai répondu : «Non! le passé est le passé.»

Est-ce que c'est Enfances *qui a pu leur donner envie...?*

C'est possible, mais je ne sais même pas s'ils savent que je m'appelle Dolto. Qui sait? Ils étaient anti-médecine, anti-psychanalyse : la psychanalyse, c'était à sauter au plafond!

S'ils vous ont contactée, tout de même!

C'est possible. Je crois plutôt que c'est à cause de la mort de la sœur. Je ne sais pas. En tout cas, je n'ai pas donné suite. Pour moi, ça n'avait pas de sens de les revoir. Ça vous semble peut-être drôle, mais ce qui est terminé est terminé.

Non, non, pas du tout! Je trouve cela très bien.

Sans aucune nostalgie.

Ça prouve que c'était vraiment tout à fait terminé.

Oui, tout en gardant un très bon souvenir de cette époque difficile pour tout le monde et qui a dû être très dure pour lui. Pour lui, ce fut sûrement affreux parce que j'étais vraiment son premier amour; et puis, j'avais l'âge d'être une de ses sœurs aînées. J'étais sûrement pour lui très phallique, à respecter, très déifiée, très idéalisée. Sans cela, il m'aurait tout de même embrassée un jour! Il passait son temps à me raconter qu'il m'aimait, à me lire son journal. Et moi je lui disais : « Mais, qu'est-ce que ça peut me foutre que vous écriviez tous les jours que vous m'aimez? Moi, je m'emmerde! C'est un mot que je ne devrais pas dire, mais nous nous embêtons! Vous ne vous rendez pas compte que nous nous embêtons dans cette chambre, à nous dire que nous nous aimons? Allons au concert, allons faire une balade au bois! – Non, je suis fatigué; et puis, j'aime mieux être avec vous. J'ai le droit puisque nous sommes fiancés. – Bon, vous avez le droit, alors restons ensemble! » Et, on lisait perpétuellement son journal intime où il ne parlait que de moi! C'était bizarre! Je ne sais pas du tout comment il s'en est sorti, ce garçon. Pour lui, c'était un premier amour idéalisé, et pour moi, eh! bien, c'était, tout d'un coup, l'enfermement, sous prétexte d'un mot juridique «fiancés», qui ne veut plus rien dire à partir du moment où on se barbe avec quelqu'un qui vous dit qu'il vous aime alors qu'on s'en fiche.

Bien sûr, c'était flatteur, mais cinq minutes! En revanche, c'était culturellement passionnant. C'est vrai qu'ils m'ont ouvert l'horizon sur une musique que, jusque-là, je n'écoutais pas; sur des livres que, jusqu'alors, je n'avais pas lus; sur la vie, la vie rurale de Provence, qui était pleine d'odeurs, de couleurs, de paix; sur les protestants. Ils étaient tous protestants. C'était quelque chose qui comptait aussi pour maman. Ils étaient même très protestants; et moi ça me faisait marrer, leurs chansons XVIIᵉ siècle à leur temple, qu'ils trouvaient marrantes eux aussi. Mais, moi, je ne trouvais pas que c'était une liturgie. Je trouvais que ça ressemblait à des cantiques d'enfants le jour de leur première communion. Or, c'étaient des adultes, des gens de l'Action française, qui chantaient : «Le seigneur machin-chouette... m'a choisi... etc.» Évidemment, à côté de ça la liturgie romaine avait une autre classe! C'était social, c'était gentil avec les gens; mais il n'y avait pas de mystique. Il n'y a pas la dimension du mysticisme chez les protestants. Enfin, avec tout cela, j'apprenais beaucoup. C'était la première vraie famille que je voyais. Jusque-là, je n'étais jamais, jamais sortie de l'enfermement.

Ça a constitué une ouverture sociale, pour vous...

Absolument!

...et culturelle.

Sociale et culturelle, voilà. Jusque-là, moi, j'adorais la médecine et j'avais lu de la psychanalyse; pour eux, c'était absolument du chinois. Ils se tordaient de rire quand je leur disais que j'aimais la médecine, que c'était intéressant. La médecine, pour eux, c'était de l'art vétérinaire : aucun intérêt! Alors, quand je parlais de l'influence des passions, je prenais en retour Racine, les classiques. Lui, étant agrégatif de lettres connaissait les classiques. Moi, je disais que Phèdre ne dormait pas parce qu'elle était dans un état de passion mais qu'avec des calmants elle se serait peut-être endormie, qu'elle aurait moins aimé Hippolyte. Je disais n'importe quoi, tout ce qu'on peut raconter quand on est gosse : car, en vérité, j'avais douze ans, je n'avais pas vingt-trois ans. J'avais douze ans de maturité. J'étais prise dans les mots, les croyances, les verbigérations des jeunes : l'Idéal! Le coucher du soleil, c'était le bon Dieu! Ce n'étaient que des perceptions optiques, mais ça ne faisait rien. On vaticinait. Tel poète dirait cela ainsi, tel peintre le peindrait de telle façon, telle époque le penserait comme cela. Aussitôt ils avaient des références en peinture, en musique, en une autre langue, en poésie, etc. Et puis, c'étaient des jeunes. On courait dans la garrigue, on grimpait la nuit sur les dentelles de Montmirail. Dans le Vaucluse, les rochers, la nuit, sont comme des dessins de Victor Hugo représentant un clair de lune. Nous étions toute une bande à monter sur ces rochers. Et il fallait être le premier au clair de lune, sur les dentelles de Montmirail. On avait un peu peur parce qu'on ne voyait rien, qu'il y avait des bêtes qui couraient... C'était passionnant!

Et l'alouette du Verdon?

L'alouette du Verdon, c'est un souvenir impérissable! Une alouette est sortie des gorges du Verdon et est montée en chantant presque à la verticale pour s'épanouir dans un chant extraordinaire, en pleine lumière, une fois sortie de l'ombre du Verdon. Pour moi, c'est inoubliable. Et tout cela se passait dans une ambiance de jeunes car nous étions une dizaine de jeunes. Pour aller au Verdon ou pour aller aux dentelles de Montmirail, d'autres jeunes se joignaient à nous. C'était très, très sympa.

Un jour, parlant de l'alouette du Verdon, vous avez dit: «Ce chant d'alouette m'a fait croire en Dieu.»

Oui, absolument. C'était vraiment une aube virginale de premier jour du monde. La Création... Tout le monde dormait. C'était très tôt le matin. J'étais éveillée et j'ai vu ce spectacle, seule...

Pour en revenir à cette vieille amie qui a été si bonne avec moi parce qu'elle entendait mon désespoir quand j'étais jeune, elle me disait: «Tu sais, ta pauvre mère passe un moment difficile. Et puis, dis-toi que tu n'as jamais été comme les autres dans cette famille. Quand tu es née, je me suis dit: «Mais, qu'est-ce que vient faire cette grenouille dans la mare aux canards (ou ce canard dans la mare aux grenouilles, je ne sais plus comment elle le disait), dans le sens où tu étais toujours gaie, tu riais tout le temps. Tu étais étonnante de présence quand tu étais petite, au point que nous étions gênés quand tu nous regardais. J'étais presque gênée de moi, de ce que tu pouvais lire en moi quand tu me regardais. » Là, elle parlait de l'époque où j'avais deux-trois ans.

Cette femme avait des enfants de l'âge de ceux de maman. Son mari, qui avait été un camarade de Polytechnique de papa – ils étaient de la même année –, était mort très tôt, en laissant trois enfants. Elle était extrêmement musicienne, et lui aussi. Ma mère, qui était pianiste, aimait beaucoup ces gens-là parce qu'elle allait au concert avec eux et qu'ils faisaient des réunions de musique, comme on en a toujours fait à la maison. C'est tout de même cela aussi qui donnait une cohésion à la famille, cette musique quotidienne, tous les soirs.

> *Qui donnait non seulement une cohésion à la famille, mais qui constituait, enfin, le langage de la tribu, le langage commun.*

Le langage commun.

> *Là, c'était le seul moment où vous parliez tous le même langage.*

Non! C'était le langage «mamien», le langage de maman parce que mon père n'avait pas de culture musicale, même s'il adorait la musique.

> *Il ne jouait d'aucun instrument?*

Non, mais il avait une voix admirable, il chantait juste, il chantait tout. Ma mère se mettait au piano et mon père chantait toutes les opérettes, les mélodies de Duparc, les mélodies de Strauss. Il avait une voix naturelle. Et moi, je me mettais sous le piano pour écouter avec bonheur la voix de papa et le piano de maman.

Donc, avec la musique, vous n'étiez ni différente, ni folle, ni rejetée.

Non! En effet, pas du tout. C'était en commun. Quelque chose qui était un accord : on ne se disputait pas. Et, dans la vie de famille, c'était important la musique. Ainsi, quand il y avait un anniversaire important, maman invitait des musiciens. Après le dîner, avec le gâteau d'anniversaire, on ouvrait les portes vitrées qui donnaient sur le salon et le concert commençait en l'honneur de la personne dont on fêtait l'anniversaire ce jour-là.

Je me souviens des trente-trois ans de mon oncle Pierre qui est mort à la guerre, l'oncle œdipien, le frère de maman[91]. Lors de sa dernière permission, il y a eu un concert superbe donné par une pianiste, un violoncelliste et un violoniste qui ont joué pendant une heure, une heure et demie pour lui, et qui ont chanté aussi pour lui souhaiter son anniversaire. Et de même, pour mes douze ans. C'était plus tard donc, Jacqueline était morte le 30 septembre et j'ai eu douze ans le 6 novembre suivant. Maman devait se sentir coupable de la façon dont elle m'écrasait. Alors, comme elle ne voulait pas donner une fête gaie, ce fut une fête en musique pour me souhaiter mes douze ans, parce que douze ans, c'est important. Un pianiste et un violoniste sont venus jouer pour moi des duos – je ne sais plus de qui. Mais, c'était important. C'était une circonstance où on vous honorait comme un être humain et non comme un enfant. C'était très mélangé, cette éducation à la façon aristocratique de petite Cour, de petite Cour furstembergeoise...

Ensuite, il y a eu, pour fêter les vingt et un ans de Pierre ou de

211

Jean, je ne sais plus, une fête où a été invitée Yvette Guilbert avec ses gants noirs...

Vous savez que c'était une copine de Freud?

Oui, mais à ce moment-là, je ne le savais pas[92]. Yvette Guilbert a donc été invitée à venir chanter dans la soirée pour fêter les vingt et un ans de Pierre, oui, c'est ça, de Pierre, où maman avait invité des amis. Elle a chanté : « Elle avait un nombril en forme de sein », vous devez connaître...

Non, pas du tout! Excusez-moi...

« Elle avait un nombril en forme de sein; une autre s'en serait vantée, elle se serait crue... Mais Mme Untel, elle trouvait ça tout naturel, d'avoir un nombril en forme de sein, et elle n'en faisait pas mystère! Tout le monde pouvait voir son nombril en forme de sein... Elle se prenait pas pour ça pour une personne extraordinaire », etc.

Et puis il y avait « Le fiacre qui trottine »; enfin, toutes les chansons de son répertoire qu'elle interprétait d'une manière exquise. Elle était déjà âgée et assez obèse mais elle avait une présence, une intelligence d'expression! Voyez, c'est assez curieux : d'un côté, nous étions très renfermés sur nous-mêmes, et de l'autre il y avait cette ouverture culturelle sur le monde, d'une certaine manière, tout de même.

Dans certaines familles, on faisait peindre aussi des portraits. C'était le cas de la vôtre?

Non, mais moi, je faisais de la peinture.

N'y a-t-il pas eu un peintre de l'époque, renommé, qui ait fait votre portrait?

Non! On a juste recherché, pour faire le portrait de Jacqueline, des peintres qui ont tôus produit des horreurs plus grandes les unes que les autres, à partir de photos.

Par la suite, personne n'a fait votre portrait? Aucun peintre?

Que moi! Mais le sculpteur qui a fait le buste que vous voyez là[93], c'était Lipchitz, qui est devenu par la suite un sculpteur très connu. Là, c'est une époque où il était encore étudiant, avant la guerre de 40.

C'était un analysant de Spitz. Et Spitz m'avait demandé si je ne voudrais pas poser pour lui parce qu'il n'avait pas d'argent. Il était très pauvre et il avait besoin de modèles. J'avais accepté. Puis, lorsque la guerre (la «drôle de guerre») et l'exode sont arrivés, étant juif et sachant qu'il risquait d'être pris, il est parti pour l'Amérique. Spitz était déjà en Amérique et lui a facilité le passage par Lisbonne. Et il est devenu un des très grands sculpteurs modernes. Mais là, il a réalisé une étude naturaliste.

Et vous, vous avez fait des autoportraits?

Moi, j'ai fait mon autoportrait à plusieurs reprises quand je ne savais pas quoi peindre. En fait, j'aimais peindre des intérieurs et des natures mortes, à l'aquarelle ou à la peinture, mais je n'ai jamais vraiment travaillé. J'ai travaillé les affiches. J'aurais voulu faire de la peinture, mais ma mère avait peur que je rencontre les rapins, commme elle disait[94]. Elle avait peur pour moi depuis mon enfance. Elle disait : «Qu'est-ce qu'elle deviendra quand on lui lâchera la bride, celle-là?» C'est ce que disait justement cette vieille amie : «Ta mère a toujours eu peur de toi, parce que tu étais prête à t'intéresser à tout. Ta pauvre mère, avec ses idées bornées!»

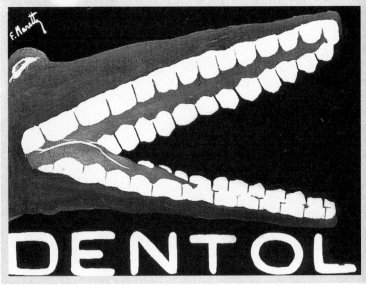

Et si vous n'aviez pas été psychanalyste, qu'est-ce que vous auriez voulu être?

Je ne sais pas... Certainement céramiste. J'aimais beaucoup cela, j'étais très douée de mes mains et j'ai fait de la céramique. J'ai même exposé. Mais, pour en revenir à ma mère, elle me disait que j'étais monstrueuse. Mais elle me le disait – comment dire? – bien sûr, pas avec amour, mais avec résignation. C'est ça, avec résignation. Elle me regardait puis, au bout de deux minutes, je lui disais : « Mais, qu'est-ce qu'il y a, maman? – Je te regarde. Tu es monstrueuse, tout simplement. Tu n'y peux rien, tu es ainsi faite. » Je disais : « Mais, ça n'est pas très agréable! » Elle répondait : « C'est comme ça, tu n'y peux rien. Ce n'est ni agréable ni désagréable. Tu es monstrueuse! » Je ne savais pas ce qu'elle voulait dire. C'était sûrement une vérité. C'était parce que je ne pensais pas comme elle. Ce qui était drôle, c'est quand elle voulait me faire plaisir. Elle me disait : « J'ai cherché ce qui me paraissait le plus laid. J'espère être tombée sur ce que tu aurais trouvé de plus beau puisque tu as toujours des idées tout à fait contraires aux miennes. » Mais c'était pour me faire plaisir, vraiment! Quelquefois, elle voyait juste : il lui est arrivé de tomber, en effet, sur un tissu que je trouvais magnifique et qu'elle trouvait horrible. Quelquefois, elle tombait sur quelque chose que je trouvais aussi horrible qu'elle. C'est drôle, hein? Comment comprendre cela? Car, en même temps, elle m'aimait beaucoup.

Enfin, il devait y avoir plusieurs éléments en jeu. D'une part, pour avoir peur de tout ce qui pouvait vous arriver, elle devait se sentir d'une culpabilité sans bornes par rapport à vous. D'autre part, pour avoir peur de tout ce que vous pourriez entreprendre, elle avait certainement peur que vous réalisiez ses propres désirs, à sa place.

C'est ce qu'elle m'a dit. Quand j'ai été fiancée officiellement avec Dolto et que j'étais sur le point de me marier, ma mère est venue

217

me voir et m'a dit : « Mais enfin, qu'est-ce que c'était cette histoire avec D.? – Il n'y a jamais eu la moindre histoire avec D. Rien!» Et je lui raconte ce que nous faisions ensemble. « Mais, alors, pourquoi t'es-tu laissé fiancer? – Parce que tu ne me donnais pas le droit de le revoir si nous ne nous appelions pas "fiancés". – Bien sûr, parce qu'une fille qui fréquente un garçon doit être fiancée. Quand elle l'a vu trois ou quatre fois, ou bien ils sont faits pour se fiancer ou bien alors ils se séparent. – Pourquoi? – Parce que ça n'existe pas l'amitié entre hommes et femmes. – Mais, écoute, ça existe bien entre frère et sœur! J'ai cinq frères et je suis très amie avec eux. On ne se ressemble pas, on a des opinions différentes mais je les estime, je les aime et je ferai tout ce qui peut les aider s'ils ont besoin de moi. C'est de l'amitié, ce n'est pas du désir sexuel. » Elle, à la fin : « Je ne te comprendrai jamais! Moi, à dix ans, je ne rêvais que de cela!» D'ailleurs, c'est curieux, elle m'a raconté à ce moment-là, qu'à dix ans, elle avait connu un Philip Marett, M.A.R.E.T.T., sans E, qui était de parents anglais et protestants; sa mère était une amie de son père à elle. Et elle flirtait, elle se tripatouillait, elle se masturbait dans les coins avec lui et elle trouvait cela tout à fait normal. Ajoutant : « Moi, je n'ai jamais pensé que tu ne connaissais pas toute la vérité sensuelle quand tu avais seize ans!»

Elle a eu la naïveté de dire cela?

Oui, oui! Mais je lui ai répondu : « Je te l'avais pourtant dit. Tu m'avais demandé ce que je faisais avec D. Je t'ai dit : rien! Il me suce la pomme et ça m'emmerde! Voilà ce que je t'ai dit. Mais tu m'avais répondu : "Je ne te crois pas! Tu es une hypocrite!" Que tu me croies ou que tu ne me croies pas, ça ne change rien! Je ne veux plus le revoir le dimanche. Je veux bien qu'on s'écrive, mais se voir, non! L'idée de le voir me fait plaisir, mais la réalité me met les nerfs en pelote. Et, lui, ne comprenait pas : il ne savait même pas ce qu'il éveillait en moi, qui n'avais pas de mots pour le dire. »

Alors, quand j'ai dit cela à maman : « Mais alors, c'est fou! Tu ne l'as plus vu? – Je ne l'ai plus vu parce que tu m'as dit que je n'avais plus le droit de le voir! Et puis, qu'est-ce que tu veux, moi je m'embêtais avec lui! Mais si nous n'avions pas été fiancés, ça aurait continué comme avant. Et puis, peut-être nous serions-nous fiancés un jour. – Je ne t'ai jamais comprise et je ne te comprendrai jamais. Et alors, avec Dolto, c'est peut-être la même chose? – Avec Dolto, c'est tout autre chose. Il est vraiment mon amant. – Comment, il est ton amant? Tu me le dis comme ça! – Oui! Sans cela je ne me marierais pas avec lui! – Je ne te comprends pas. Et la parole donnée? Il n'y a plus de parole si vous êtes déjà ensemble! – Je donnerai ma parole le jour de Monsieur le Maire et de Monsieur le Curé, ne t'en fais pas, maman! » Je ne la comprenais pas et elle ne me comprenait pas. Le vrai des choses, en fait, c'est qu'elle avait pris pour argent comptant les touche-pipi d'enfants de dix-douze ans, avec son Philip Marett. « Tu vois, m'a-t-elle dit, j'étais dédiée aux Marett(e) déjà quand j'avais dix ans! »

Boris et moi, nous avions décidé ensemble de nous marier au mois de mai. Ainsi, maman aurait le temps de ramasser des tickets pour faire une fête le jour du mariage de sa fille. Là-dessus, Boris décide qu'il ne pouvait pas attendre! C'était un jaloux terrible, extraordinaire! Je me suis aperçue, après, qu'il a pris sur lui toute sa vie! Nous avons d'ailleurs failli nous séparer à cause de cela au début; et c'est justement cette vieille amie qui m'avait dit : « Écoute, ne continue pas avec lui. Un homme jaloux à ce point souffrira tellement qu'il te rendra malheureuse et ça gâchera votre vie. »

Or, c'est le jour où nous devions rompre, ce qui me faisait un chagrin énorme, que nous nous sommes fiancés définitivement, comme ça arrive souvent! A partir de là, il a pris sur lui. Moi, ça ne me faisait ni chaud ni froid, je ne comprenais pas! Je n'ai jamais compris! Je n'ai jamais été jalouse.

L'affect, ce n'est pas votre dimension, vraiment pas! Je

crois que vous êtes même la personne la plus extraordi-
nairement sans affect que j'ai jamais rencontrée!

Sans affect? C'est drôle, ça!

Je veux dire sans pathos psychologique.

Peut-être... Mais, c'est monstrueux ce que vous dites là!

Écoutez, vous ne vous querellez pas, vous n'êtes pas
jalouse: où est votre affect?

En fait, quand il essayait de me rendre jalouse, ça me faisait
du chagrin, mais je me disais: « Je ne lui suffis pas; ce n'est
pas étonnant, c'est un homme tellement complet, tellement
riche qu'une seule femme comme moi ne lui suffit pas. Heureusement qu'il y en a d'autres! Il est capable d'en rendre plusieurs heureuses. Moi, je n'ai rien de moins à ce qu'il en aime
une autre. » Ce qui était vrai. Parfois, il me disait: « Ce soir, je
ne rentre pas... Tu ne me demandes pas où je vais? – Je pense
que tu vas où tu dois aller. Je ne crois pas que ça regarde
toujours l'épouse de savoir où va son époux. Tu restes libre.
Moi, je suis sûre de toi: je t'aime, tu m'aimes. Tu fais ce que
tu as à faire. Le jour où tu penseras que tu as à me le dire, tu
me le diras. Pourquoi me dis-tu que je ne te demande pas où
tu vas? Il faut que je te le demande? Eh! bien, je te le
demande: où vas-tu? – Et si j'allais voir une femme? – Ça ne
m'étonnerait pas, parce que tous les hommes trompent leur
femme. Je ne vois pas pourquoi je ne serais pas comme une
autre. Je suis peut-être trompée par toi. D'ailleurs, est-ce que
c'est tromper? Et tromper, ça veut dire quoi? Tu ne m'as pas
dit que tu serais fidèle. Ça n'empêche pas que tu pourrais être
fidèle à une autre personne. – Et toi? – Moi, c'est différent!
Moi, je t'ai choisi, toi. Je t'ai dit: c'est toi ou personne, défi-

221

nitivement.» Car, quand je l'ai rencontré, j'étais entrée dans la chasteté définitive depuis deux ans, parce que j'avais connu trop d'hommes qui voulaient se suicider! On couchait, ça marchait bien et puis ils voulaient se suicider parce que je ne les épousais pas! Et cela, sous prétexte qu'on avait couché cinq ou six fois et que c'était du tonnerre! Quand on est psychanalysé, on sait bien que quatre-vingts pour cent des femmes vont avec quatre-vingts pour cent des hommes. On sent très bien que si ça ne va pas, ça ne va pas. C'est la jeunesse : on est jeune, c'est normal! Et puis on ne peut pas toujours parler, ce n'est pas toujours intéressant! Coucher, c'est toujours intéressant, ça apporte du nouveau. Mais, c'était fini parce que j'en avais marre des histoires de suicide! «Mais comment? Ça va bien entre nous, alors pourquoi ne pas se revoir? – Ça va bien pour dormir ou pour coucher ensemble, pour dîner ensemble, mais nous n'avons pas passé un seul dimanche ensemble! – Parce que vous n'avez pas voulu! – Parce que je m'embêterais avec vous.» Et cela, je le disais franchement. Vous dites que je n'ai pas d'affect, j'en avais!

Justement, c'est quand on n'a pas – ou fort peu – d'affect qu'on est capable de parler aussi net. L'affect, c'est à la fois, c'est vrai, le pathos dans lequel on s'empêtre, dont on ne se dépêtre pas : les disputes quand on joue aux cartes, la jalousie, la rivalité, l'ambition, le carriérisme, tout ça...

Ça, ça ne m'intéresse pas! C'est du temps perdu pour moi.

En effet, ce n'est pas intéressant, ce n'est pas riche,... mais, en même temps, et paradoxalement, l'affect implique un certain respect des formes de la vie sociale, une certaine manière de ne pas parler cru.

Ne pas exprimer ce qu'on ressent...

> *Exactement! Quelqu'un qui est prisonnier de son affect,*
> *c'est quelqu'un qui est à la fois capable de faire, par*
> *exemple, une scène de ménage épouvantable, en tenant*
> *des propos invraisemblables et puis d'être d'une exquise*
> *urbanité et de ne pas dire, sur un autre point, ce qu'il*
> *ressent et ce qu'il pense vraiment...*

Et ça, ça veut dire une personne sans affect?

> *Non! Ça c'est une personne en plein dans l'affect!*

Je cherche à me documenter, vous comprenez... C'est une
structure qui a des affects?

> *Vous avez une vitalité[95]...!! Mais effectivement, l'affect, ce*
> *n'est pas votre mode de fonctionnement, pas du tout!*

Non, pas du tout! Donc, après avoir décidé de me marier avec
lui, ça n'a jamais marché quand il voulait me rendre jalouse.
J'ai même connu une de ses amies qui était sûrement sa maîtresse, une femme remarquable que je comprenais tout à fait.
Elle est morte maintenant. Une merveilleuse kinésithérapeute
médecin, très intelligente, un peu lesbienne, un peu les deux,
et qui a absolument voulu savoir si je savais qu'il couchait
avec elle. Je lui ai fait comprendre que cela ne m'intéressait
pas : « Écoute, ce qui se passe entre toi et Boris, c'est votre
affaire d'amis, d'amants, de ce que vous voulez. C'est moi qui
suis sa femme, et je n'ai pas du tout besoin d'en entendre
parler. Ça ne m'étonne pas qu'il te rende aussi heureuse que
moi. » Et c'est la vérité. C'est le « matter of fact », comme
disent les Anglais; c'est l'anglais qui le dit le mieux. En français, on ne peut pas le dire aussi bien. Les faits sont les faits.

Vous êtes une réaliste, Françoise.

Oui, oui. Et cette réalité, je ne peux pas la recouvrir. Les désirs et les besoins de rencontre que pouvait avoir Boris, j'en souffrais. J'en souffrais mais ce n'est pas ce qui aurait pu m'en faire vouloir à l'autre. Je souffrais de mon insuffisance. J'essayais de me rattraper en cultivant autre chose qui pourrait l'intéresser. Mais je sentais que j'étais la seule femme pour lui. Et, d'ailleurs, je le lui disais : « Je ne peux pas être jalouse puisque je sais qu'il n'y a que moi qui peux être ta femme. Tu as besoin de moi, j'ai besoin de toi ; et, même si tu en as d'autres, tu es mon homme et puis c'est tout. » Lui : « Ce n'est pas vrai du tout, tu te fous pas mal de moi ! », mais les quinze derniers jours de sa vie ont été extraordinaires : un viatique d'amour. Étonnant. Il m'a dit : « Alors, c'est vrai ? Tu ne m'as jamais trompé ? » C'était extraordinaire ! « Comment voulais-tu que je le croie ? Une femme comme toi ! Je ne t'arrivais pas à la cheville ! » Et moi : « Mais c'est moi qui ne t'arrivais pas à la cheville ! Tu ne te rends pas compte ! » C'est très curieux, cette vie. Et c'est cela qui fait que je ne peux pas ne pas espérer le rencontrer quand je serai morte. C'est pour cette raison que mourir me rend joyeuse autant que vivre.

Vivante, je suis très heureuse avec les enfants. Mais, morte, je ne serai pas tellement séparée des enfants, nous serons ensemble. J'en suis convaincue, c'est une chance. Peut-être que je me casserai le nez. Au moins, j'aurai vécu heureuse ; et puis, j'espère pouvoir continuer à assister les enfants qui en ont encore besoin.

Ça me semble bête de le dire, mais c'est pourtant ce que je crois profondément : je vis de cette croyance en la présence des êtres qui se sont aimés. Il se trouve que ça a été Dolto en amant et en alter ego et, pour moi, c'est quelque chose d'irremplaçable dans l'éternité des temps ; c'est quelque chose qui est sans temps et sans espace et qui est dans un actuel éternel. Alors, pourquoi est-ce que je ne rencontrerais pas cet actuel éternel de l'autre côté de cet amas d'atomes qui vibrent ensemble comme les poussières dans le rayon de lumière et qu'on appelle un être humain? Nous savons que nous sommes formés d'atomes tellement séparés les uns des autres, que ça vibrillonne comme les mouvements browniens et que ça fait un corps avec ses os, ses tripes, etc. La seule chose importante, c'est la relation qui existe entre des êtres qui se croient des humains et qui, un beau jour, ne sont plus des humains. Et qui sont où? On ne sait pas, mais ils sont toujours dans la relation.

Mais cette conviction – enfin, pour ce que j'en entends, moi – vous ne la séparez pas de votre être analyste. Et même, je la sens plus profonde, plus fondamentale...

... que d'être analyste? Oui, sûrement! Sûrement! C'est plus fondamental. Pour moi, la vie avec les invisibles que je ne connais pas – et je ne vais pas inventer, chercher comment ils sont – est aussi importante que la vie avec les visibles. Je ne suis pas curieuse du tout de parapsychologie, mais je vis avec des gens invisibles autant que visibles. Et, certaines fois, je me dis : « Je ne sais pas du tout qui sont ceux-là qui m'entourent mais ils ne sont pas mauvais, ils ne me veulent pas de mal. Mais, qu'est-ce qu'ils viennent faire autour de moi? » Et puis ça passe. C'était juste un petit moment où j'étais entourée, comme ça, de tas de choses un peu embrouillaminées... Alors, je me pense, je me pense avec moi et je me dis : « Boris est-ce que ce n'est pas une clique avec toi? » Et puis, ça passe, parce que je pense à autre chose et que je suis occupée dans la vie.

Je suis un peu folle, vraiment. C'est vrai. En tout cas, comparée à d'autres gens. Je vous le dis parce que nous sommes là en intimité et que je n'en ai plus pour longtemps à vivre. Et puis, c'est peut-être cela l'important aussi pour un psychanalyste : quand il ne sait pas ce qu'il y a, il ne dit pas qu'il n'y a pas. Il dit qu'il a des perceptions qui sont probablement des fantasmes, pourquoi pas? Et c'est pour cela aussi, qu'appliquant la méthode, je sens que j'ai fait tout ce que j'avais à faire. Que le reste n'est pas mon affaire. Quand des gens s'en vont dans des états qui me bouleversent, comme cela se produit parfois en fin de séance, eh bien, j'ai une espèce de quitus! Maintenant, c'est l'affaire des invisibles : «Occupez-vous de lui parce que moi, je m'occupe de quelqu'un d'autre.» Et je ne suis pas préoccupée par les patients, jamais! Parce que j'ai chargé un monde invisible de les prendre en charge. Avec leur méthode à eux. Moi, je n'ai que la mienne, ma salade : je ne peux pas faire autre chose...

> *Moi, je les charge, eux, de se prendre en charge eux-mêmes parce que je ne crois pas à ce monde invisible.*

Oui, mais c'est pareil! C'est la même chose : arrêter l'idée de son pouvoir à l'usage honnête de la méthode.

> *Tout à fait! Nous avons une fonction, et puis ça s'arrête là.*

Voilà. Absolument.

Mais, tout de même, pour en revenir à notre mariage, à Boris et moi : finalement, nous en avons hâté la date. Au lieu du mois de mai, nous nous sommes mariés le 12 février. Nous avions passé huit jours dans la forêt de L'Aigle. C'est formidable, la Normandie, en plein hiver! Nous avions eu l'adresse d'un garde-forestier qui possédait une petite maison au milieu de la forêt et qui louait, l'été, des chambres à des Parisiens, aux R. , entre autres. Catherine R. était une de mes camarades de promotion. Elle m'avait dit : «Vous savez, les B. dans la forêt de L'Aigle, l'hiver, ils vous hébergeraient bien, si vous voulez. Et puis, vous y auriez des poules et des lapins.» C'est que c'était pendant la guerre. Nous étions contents d'y aller. Et quand

nous sommes revenus huit jours plus tard de ce petit voyage
de noces, si je puis dire, Boris me dit : « Nous n'allons pas
attendre jusqu'au mois de mai pour nous marier! – Mais,
qu'est-ce que ça changera? Nous vivons ensemble. – Non,
non! Nous n'allons pas attendre pour nous marier, parce que,
moi, je veux habiter sous le même toit que vous. Je ne veux
pas qu'on habite l'un d'un côté, l'autre de l'autre ». J'allais
chez lui d'habitude, mais il voulait qu'on trouve un appartement. « On peut trouver un appartement sans être mariés. On
le prendra au mois de mai. – Ah! non, non, il faut que les
papiers soient en règle. » Je dis : « Bon, pourquoi pas? Alors,
quand nous marions-nous? » Après avoir calculé : « Au début
de février. » Je lui réponds : « Vous êtes si pressé? – Mais oui!
– Et de quoi? – Que vous soyez à moi! » C'est drôle, hein?
J'ai donc prévenu les parents : « Le mariage va avoir lieu bien
avant le mois de mai. » Alors, maman prenant un air
entendu : « Bon, c'est très bien, c'est vous qui décidez... »
Puis, après un silence : « Alors, le bébé, c'est pour bientôt? –
Mais quel bébé? – Comment, tu n'es pas enceinte? – Non!
– Mais, alors pourquoi vous mariez-vous plus tôt? – Parce
que Boris veut que je sois sa femme. – Comme il est drôle! »
   Par la suite, quand Jean est né, maman est venue à la cli-
nique me voir. Boris me demanda : « Est-ce que tu veux que
ta mère vienne t'assister pour l'accouchement? – Surtout pas!
A quoi elle servirait? »

> *C'était en usage, autrefois en effet, que ce soit plutôt la
> mère que le mari qui assiste à l'accouchement.*

Oui, en Russie aussi ce devait être ainsi. Mais j'ai dit à Boris :
« On n'est plus dans Tchekhov! Ce n'est pas la peine. Maman
n'est plus à Paris, c'est la guerre. Comment viendrait-elle? Les
métros ne fonctionnent guère, il faudrait marcher beaucoup.
Elle va s'angoisser. Ça sert à quoi? Tu la préviendras quand
l'enfant sera né. » C'est ce qu'il a fait. Maman est arrivée; elle

restait là, toute timide devant son petit-fils. J'avais le bébé dans les bras et je lui ai dit : « Tu ne veux pas le prendre ? – Je n'osais pas. – Mais, pourquoi ? – Je pensais que tu ne voudrais pas que je touche à ton enfant. – Mais, enfin, tu es sa grand-mère ! – Oui, c'est vrai ! » Je n'ai pas compris pourquoi elle pensait que je ne voudrais pas qu'elle touche à mon bébé. J'étais tout heureuse de lui donner un petit-fils. C'est drôle, hein ?

Une autre chose drôle s'est passée un jour, ici. Elle venait déjeuner tous les jeudis avec papa. Or, une fois, après réflexion, elle me dit, comme ça : « Plus je vous vois vivre, ma pauvre fille, plus je suis convaincue que tu ne sais pas ce que c'est que d'être mariée. » Je dis : « Ah ! Pourquoi ? – Parce que ton mari est merveilleux ! – Les maris, ça doit être épouvantable ? – Tu ne sais pas ce que c'est qu'un mari ! Il est merveilleux, il t'aime, il s'occupe de toi. – Oui, mais papa était comme ça ! – Oh ! il était si secret, si secret ; il ne parlait pas. » Alors elle, elle explosait ! Et ça le ratatinait. Et il l'adorait.

Quand Boris se fâchait contre les enfants, je laissais passer, puis, à un moment, je disais : « Ça suffit ! Tu as fait le pater familias, maintenant, sortons-en ! » Il me disait : « Oui, tu as raison », et puis c'était fini, on n'en parlait plus ! Il ne boudait pas parce que je lui avais dit cela. Il acceptait très bien. Il avait fait ce qu'il avait à faire, il avait grogné comme l'ours doit grogner contre les oursons, après on parlait d'autre chose. C'était vivant. Maman disait : « Il s'occupe de ses enfants. – Mais, c'est normal, ce sont ses fils ! – Oui, mais ton père me laissait tout faire. Et puis, ton mari ne te demande pas de comptes ! » Il est vrai que ma pauvre mère passait son temps à écrire : « Gigot... chaussettes... blanchisseuse, etc. » Et elle notait n'importe quoi. Alors, je lui disais : « Mais, pourquoi écris-tu n'importe quel chiffre ? – Pour que ça fasse le compte juste au bout, sinon ton père n'est pas content. Tu penses que les notes de la blanchisseuse, je m'en fiche complètement mais il faut que ce soit plausible. – Mais, maman, c'est une vie imposée! Pourquoi ne lui dis-tu pas que tu ne les feras pas, ou que les comptes seront comme ils seront, ou que tu as dépensé tant et que tu ne veux pas savoir comment, que tu n'as pas acheté de choses pour toi. D'ailleurs il sait très bien que c'est pour nous, tout ça! – Ah! mais ton père n'est pas comme cela. Il faut que les comptes soient justes au centime près, sinon il me faut chercher pendant deux heures où est passé l'argent.»

Et c'était vrai. Mais elle le laissait faire, au lieu de l'avoir prévenu au début en lui disant : «C'est à prendre ou à laisser. Je ne fais pas mes comptes de cette façon, je ne suis pas une cuisinière.» Mais non! Et lui, il était obsessionnel pour ses comptes. Il achetait le journal, il sortait son calepin et il écrivait : «Journal, 0,20 f.» Moi, ça me faisait rigoler. Je lui disais : «Il faut que tu écrives : journal, 0,20 F? – Il faut toujours savoir où passe l'argent, sinon c'est le coulage!»

Mais, à côté de ses économies de bouts d'allumettes, il nous faisait des cadeaux complètement inutiles et grandioses. Papa était comme ça. Quand je parle de «cadeaux inutiles», je pense par exemple au fait qu'il ne pouvait pas voir une mallette de voyage superbe, avec des cabochons aux flacons, des brosses en ivoire, sans l'acheter. Ainsi, tous les deux ans, il nous achetait une mallette de voyage qu'on n'utilisait jamais! Ça ne servait à rien du tout. Mais pour lui, c'était le cadeau qu'on fait à la femme qu'on aime : on lui offre une valise. Quand maman est morte, elle avait six mallettes de voyage accumulées. Moi, depuis l'âge de douze ans, j'en avais eu trois. C'était très curieux.

Et puis il y avait aussi les bijoux : il aimait beaucoup rapporter un collier de perles ou une bague. Et il le faisait par surprise, ce qui entraînait une réaction ambivalente de maman. Je me rappelle un jour, il lui dit : «J'ai vu une bague superbe.» Elle lui fait raconter comment elle est. Le soir, il lui apporte la bague «superbe». Et maman : «J'aurais mieux aimé choisir! Il y avait peut-être chez Heurgon une autre bague qui m'aurait plu davantage...» Alors, le pauvre homme, il était tout dépité. Et, en effet, le lendemain, elle réussissait à aller avec lui chez Heurgon; et elle changeait ou ne changeait pas la bague.

Voilà ce qu'étaient leurs relations : celles de deux personnes qui s'aimaient, mais d'une manière si compliquée! Moi, ça m'épatait, et je me disais : «C'est parce que c'est un mariage arrangé.» Si son père l'avait laissée décider par elle-même, je pense qu'elle aurait tout de même épousé papa. Mais son père avait tellement insisté que, finalement, elle avait épousé mon père, dans l'amour de son père à elle. Mon père, qui avait perdu son père à quatre ans, adorait son beau-père qui l'avait formé au point de vue éthique et culturel.

Papa a été, de cinq ans à vingt et un ans, pensionnaire au lycée Michelet. Il rentrait le dimanche chez sa mère pour faire le ménage, tout astiquer, les carreaux et le reste pour qu'elle n'ait pas trop de travail. Car à quatre ans, il s'est trouvé orphelin de son père, un grand architecte : l'architecte de la cour d'Espagne, l'architecte de l'avenue Kléber. Il avait une étude avec son frère. L'un s'appelait Henry Marette, mon grand-père; l'autre, Charles Marette, le frère qui le suivait immédiatement. Ils bâtirent les toutes premières maisons de rapport de Paris. Avec le plan Haussmann, autour de l'Étoile, ce sont eux qui ont construit la place des États-Unis, leur nom y est marqué d'ailleurs : «Les Frères Marette.»

Puis, mon grand-père est mort dans un accident de chemin de fer, près de Levallois-Clichy, dans la direction d'Asnières. Il habitait Asnières, où il était d'ailleurs conseiller municipal. C'était un homme de valeur. Il est mort à quarante-deux ans, après avoir sauvé cinq femmes sous les décombres de wagons en flammes. Il est reparti pour tenter d'en sauver une sixième et il n'est pas revenu. On l'a retrouvé mort asphyxié. J'ai ici des coupures de journaux de l'époque, où on parlait de l'héroïsme de M. Henry Marette, qui avait sauvé cinq mères de famille et qui, lui, y avait laissé sa vie. On lui avait dit : «Ce n'est pas prudent», lorsqu'il voulut y retourner encore, au milieu des flammes... Par la suite il y eut un deuxième accident, tout à fait analogue, et exactement au même endroit. Je crois que cet accident s'est passé en 1878[96]. En tout cas, pour moi, dans le folklore familial, c'est un accident tout à fait lié au *Déjeuner sur l'herbe* de Manet, parce que le dernier souvenir de mon père avec son père est un souvenir douloureux et épouvantable, quand il avait quatre ans, au cours d'un pique-nique. Mes grands-parents allaient souvent piqueniquer. Mon grand-père adorait sa femme, ma grand-mère, une femme exquise et très intelligente, mais qui n'était pas «née». Pour la famille, c'était terrible. Elle était fille de médecin, mais pas un «vrai» médecin : un accoucheur qui avait le diplôme de médecin, mais qui était marié avec une sage-femme. Ce n'était donc pas un «vrai» médecin car il n'avait pas fait un mariage avec une fille «née». Elle était vivante mais elle n'était pas «née». Lui, adorait cette jeune femme, ma grand-mère, dont vous voyez la photo là-bas[97], et il vivait, jeune architecte, tout à fait dans le vent à l'époque, à la manière de Monet et de Manet, qui étaient ses amis. Aussi bien, ils faisaient très souvent des déjeuners sur l'herbe.

Le souvenir dramatique se situe lors du dernier déjeuner sur l'herbe. Combien de fois notre père nous a raconté cette histoire! En la ponctuant de «tous les architectes sont des crétins!» en référence à son père. Mon père ne pouvait pas parler simplement d'un architecte. Il avait rencontré quelqu'un : «Ah, oui? C'est qui?» disait ma mère. «Écoute, pour un architecte, il n'est pas trop idiot», quand c'était quelqu'un de possible. Sinon : «C'est tout dire, c'est un architecte, donc c'est un crétin!» Moi, j'entendais cela en sachant que mon grand-père avait été architecte... Mais ce n'est pas le même jour qu'il disait que son père était un crétin. Un jour, il nous parlait des architectes qui étaient tous des crétins et le lendemain de son père et de cet affreux souvenir. «C'est terrible d'avoir un dernier souvenir de son père comme celui que j'ai. Un souvenir où j'étais un con, mais alors quel con! quel con!»

Quand il parlait de son père il disait que c'était un crétin, mais de lui-même qu'il était con! Il racontait cela sur un ton très tendu : «Tu comprends, j'avais quatre ans. J'étais un imbécile, il paraît, à quatre ans. Je ne sais pas comment on est à quatre ans. Moi, j'aimais beaucoup les pique-niques, aller faire un déjeuner sur l'herbe – tout à fait comme *Le Déjeuner* de Manet. C'était la gaieté même. Mes parents étaient très gais. Et puis, cette fois-là, mon père m'a dit : "Eh bien, Henri, tu es chargé d'aller rafraîchir le vin. Mets le vin dans le ruisseau", parce qu'ils choisissaient toujours un endroit près d'un ruisseau. Et alors moi, j'ai versé le vin dans le ruisseau. Et quand est arrivé le moment de boire : "Henri, va chercher le vin!" Alors, je suis allé au ruisseau, mais je ne pouvais rien rapporter. "Et alors, ce vin?" Je ne revenais pas, parce que le vin... il n'y en avait plus! Alors mon père est venu voir : les six bouteilles étaient vides! "Mais quoi, je t'avais dit de rafraîchir le vin! – Non, tu m'as dit de le mettre dans le ruisseau. – Mais quel con, quel imbécile!"»

On imagine ce pauvre gosse de quatre ans, avec ces hommes privés de leur bon pique-nique, en compagnie des dames avec leur petit chapeau, leur corselet! Pour lui, ce fut la honte de sa vie d'avoir été traité d'imbécile par son père devant tout le monde et d'avoir été un imbécile. Ça l'avait marqué pour la vie. Voilà l'histoire de papa dans ses rapports à son père. Aussi, quand il a rencontré son futur beau-père, qui l'a apprécié tout de suite alors qu'il n'avait rien pour cela (si ce n'est son titre d'ancien élève de Polytechnique, en tout et pour tout), il a tout de suite accepté de travailler pour lui; car, dans les autres boîtes où il s'était présenté – il a appris après pourquoi – on lui répondait : «On verra, on verra, on garde votre nom», mais on ne donnait pas suite. C'est maman qui lui a fait comprendre pourquoi. La première fois qu'ils ont déjeuné ensemble, elle s'est foutue de lui. «Mon-

sieur Marette, répétez : les chaussettes de l'archiduchesse
sont-elles sèches ?» parce qu'il zézayait. Mon père zézayait
comme un enfant, mais il ne savait pas qu'il zézayait. Il
n'avait jamais entendu de sa vie, ni sa mère, ni aucun médecin, ni aucun professeur, ni aucun instituteur quand il était
petit, lui dire qu'il zozotait et qu'il fallait qu'il change sa
manière de parler. Donc, il zozotait et, en plus, il était myope,
ce qui l'obligeait à porter de gros verres pince-nez, des lor-
gnons.

Il n'a donc pas compris du tout ce que disait cette jeune
fille qui l'intimidait. Il était chez son patron qui l'avait invité à
rester dîner. Il n'a pas compris, mais il a vu qu'elle se foutait
de lui. Il en est devenu tout rouge de honte et Suzanne a été
grondée par son père : «Écoute, on peut avoir un défaut de
prononciation sans être un imbécile pour autant. Je t'interdis
de te moquer d'Henri Marette.» Alors, elle a rentré son rire.
N'empêche que lui, il nous l'a raconté : de retour à Montbard
il s'est mis à s'examiner tous les jours devant la glace sans
comprendre. Puis il a fini par demander à son futur beau-
père : «Qu'est-ce que j'ai donc ? – Mais, Marette, vous avez
un cheveu sur la langue, comme on dit. On ne vous l'a jamais
dit ? – Non ! Je ne savais pas !» Alors, mon grand-père lui a
dit : «Essayez de faire des exercices devant la glace, vous allez
peut-être arriver à vous en corriger.» C'est ce qu'il a fait. Et
quand il est revenu, huit jours après, il ne zozotait plus. Ce
qui impressionna beaucoup ma mère. Il lui a dit : «Pour qui
sont ces six saucissons-ci ?» Et mon grand-père a éclaté de
rire en disant : «Bravo ! C'est formidable ! En huit jours, vous
vous êtes corrigé ! – Mais, si on me l'avait dit, je me serais
corrigé plus tôt ! Je ne le savais pas.»

Il faut que je vous raconte aussi l'histoire de la myopie de
mon père qui m'a beaucoup intéressée. Ma mère me l'avait
racontée et je la lui ai fait raconter de nouveau après que j'ai
été psychanalysée. Lui-même m'en a parlé, d'ailleurs. Il était
soi-disant devenu myope vers sept ans, sept ans et demi ; cela

correspondait (mais il n'avait pas du tout fait le rapprochement) à une amitié qu'il avait nouée avec un «pion» de
Michelet où il était pensionnaire depuis l'âge de cinq ans.
Quand il eut à peu près sept ans, un des «pions», comme on
disait, un étudiant aux Beaux-Arts, s'est intéressé à ce jeune
garçon qu'il trouvait intelligent. Puis, de fil en aiguille, ce
jeune homme, graveur sur cuivre, originaire de la ville de
Reims, a connu la mère et la famille de mon père; il est
devenu le fiancé et le mari d'une sœur de papa. Or, il portait
des lunettes. Si bien que ce petit garçon qu'était alors papa
trouva que c'était le fin du chic de porter des lunettes.

Identification à un trait du substitut du père?

Sûrement! C'est sûrement cela. Mais il ne s'en est rendu
compte qu'en me racontant cette histoire, après coup. Donc,
vers sept ans et demi ou huit ans, on l'a conduit, grâce à ce
surveillant, qui en avait parlé à sa mère un jour où elle était
venue le chercher au lycée, chez un ophtalmologiste lequel a
trouvé qu'il était myope. A la suite de quoi, il a porté des
verres jusqu'à la naissance de son fils Pierre, son deuxième
enfant. Il était tellement myope, disait-il, ce que confirmait
ma mère, qu'avant de se lever, il tâtait pour trouver ses
lunettes et les mettre, sinon il se serait soi-disant cassé la
figure en se levant. Il portait des pince-nez dès son entrée à
Polytechnique, ensuite à l'école d'artillerie de Vincennes et
quand il s'est marié. Lorsque sa fille aînée est venue au
monde, il portait des pince-nez.

Et puis, un jour, il se trouve, – circonstance très rare à
l'époque – que mes parents avaient trois jours devant eux.
D'habitude, il n'y avait pas de week-end, il n'y avait de repos
que le dimanche. Pour la naissance de mon frère Pierre, ils
avaient trois jours devant eux. Et ma mère qui était très
impulsive lui a dit : «Écoute, puisque tu veux me faire plaisir

(il lui offrait une très jolie bague à chaque naissance), eh bien, ce n'est pas une bague que je veux, je veux que tu n'aies plus de pince-nez. – Mais, comment veux-tu que je fasse? – Voilà!» Elle a pris son pince-nez et l'a cassé. Et comme il n'y avait pas de magasin ouvert, il fut bien obligé de s'en passer pendant trois jours. Il était navré, et, en même temps, heureux d'avoir ce fils que toute la famille fêtait. Tout le monde lui disait combien il était plus beau en ne portant plus de verres! «Oui, mais je ne vois rien!» Et puis, en trois jours... il n'en a plus eu besoin du tout! Le fait est que le troisième jour, il a dit: «Mais, je vois très bien! Je n'ai plus besoin de lunettes.» C'est comme ça qu'il s'est débarrassé de ses lunettes, sinon, il les aurait gardées toute sa vie en se croyant myope.

Grâce à une interprétation de votre mère, de sa femme en tout cas.

Oui.

Qui a interprété le symptôme comme n'étant pas d'origine médicale...

Pas du tout médicale, en effet! Simplement, ma mère était impulsive et ce pince-nez l'embêtait! Elle disait: «Tu comprends, embrasser quelqu'un qui a des lunettes, ce n'est pas drôle.»

Ce fut pour faire plaisir à sa femme.

Pas pour faire plaisir, il a subi! Il ne pouvait pas faire autrement. Il n'y avait pas de magasin ouvert, il ne pouvait pas s'en faire faire d'autres avant trois jours, donc il a vécu pendant trois jours sans lunettes, à la fois très fâché et, en même temps, heureux à l'occasion de ces fêtes pour la naissance de mon frère aîné, qui est né le 31 décembre 1903[98].

C'est amusant aussi, cette histoire de la naissance de mon frère aîné : il est donc né le 31 décembre vers 21 heures. Mon père, très fier d'aller déclarer son fils, s'est précipité tout de suite à la mairie. C'est d'ailleurs à propos de cet événement que j'ai appris qu'à l'époque on pouvait déclarer une naissance la nuit dans une mairie. Je ne sais plus qui de la famille l'a accompagné pour lui servir de témoin (puisque c'était nécessaire). Il trouve le préposé à l'état civil qui lui dit : « Non, monsieur, vous n'avez pas de fils né aujourd'hui. – Comment ?! Mais je viens déclarer mon fils ! – Non, monsieur, je ne peux pas prendre la déclaration de votre fils aujourd'hui, je ne la prendrai pas. » Mon père le regarde, effaré. Et l'autre : « Enfin, monsieur, vous lui accordez un an de plus avant de faire son service militaire si vous revenez dans deux heures. Revenez donc dans deux heures et il sera du 1er janvier. » Et, c'est ce qu'ils ont fait. C'est ainsi qu'il a été enregistré le 1er janvier 1904 qui est sa date de naissance officielle, alors qu'il est né le 31 décembre. C'est amusant. Et mon père est revenu à la maison pour les réjouissances avec les oncles, les tantes et tout le monde en l'honneur du premier fils de Suzanne. C'est dans ces circonstances qu'il a cessé d'avoir besoin de lunettes. Il a très bien vu toute sa vie. Il avait une excellente vue. Mais, ce qui est intéressant, c'est que c'est quand même sa vue qui l'a empêché de faire ce qu'il aurait voulu faire : non pas Polytechnique mais Navale.

Là encore, il y a quelque chose d'intéressant par rapport à l'Œdipe. De même que le zozotement, c'était pour rester l'enfant de sa mère : le père étant mort, la mère n'étant plus gardée, il était le seul fils ; de même, les lunettes, c'était en identification au mari de sa sœur. Or, il avait une véritable passion : être marin. Mais cette perspective désespérait sa mère. L'idée qu'il entrerait dans la Marine, qu'il voyagerait, qu'il serait séparé d'elle très longtemps, n'est-ce pas ? Lui m'a

236

dit : «C'est terrible! Si j'avais su que je n'étais pas myope, j'aurais pu faire Navale...»

Là, le symptôme a servi, en plus, de prétexte pour rester auprès de la mère, en répondant à sa demande.

C'est en parlant avec moi, une fois analysée, qu'il s'en est rendu compte. Et d'ailleurs, ça l'a beaucoup intéressé qu'on puisse comprendre tout cela comme une prudence œdipienne. Car ça faisait impossibilité : quelqu'un qui ne voit pas clair, n'est pas pris dans la Marine.

Très intéressant, en effet! Et votre mère, quand elle vous l'a raconté, elle pensait quelque chose de son intervention et du résultat?

Elle pensait qu'elle avait bien fait. Elle était toute contente. Elle m'a dit : «J'étais désolée le lendemain, parce que, vraiment, il était tout empoté. Mais, quand j'ai vu le résultat, je me suis dit que j'avais bien fait!» C'était une impulsivité qu'elle avait eue comme ça et qui a eu un bon résultat.

Mais alors, elle qui, d'après ce que vous avez déjà dit plusieurs fois, n'était pas du tout favorable à la psychanalyse[99]...

Non, pas du tout!

...elle avait là tout de même un exemple frappant et probant de travail de l'inconscient, si je puis dire. Et ça ne l'a pas fait changer un peu d'avis?

Non, pas du tout!

Tout de même, elle n'a pas pu penser qu'elle avait fait

237

une intervention médicale! C'était une guérison par
d'autres voies que médicales.

Pour elle, ce n'était pas une guérison, c'était une constatation : il n'en avait pas besoin, et c'était pour s'identifier à son beau-frère à elle, qu'il avait mis des lunettes. Elle n'était pas du tout ouverte à la dimension de l'inconscient, à laquelle mon père était très ouvert, puisque c'est lui qui nous a permis de faire une analyse, à Philippe et à moi.

Donc, dans la rencontre avec sa future femme, la fille de
son employeur et futur beau-père – cet employeur qui
joue tellement, manifestement...

Un rôle paternel.

...le rôle d'un père –, il se libère auprès de lui et d'elle,
petit à petit d'éléments infantiles...

D'éléments infantiles demeurés.

...d'éléments infantiles œdipiens demeurés à l'état de
symptômes qui gênaient un peu sa vie mais qui lui per-
mettaient de vivre en même temps : zozotement et myopie.

Des défauts qui sont tout de même embarrassants!

Mais qui n'étaient des défauts qu'en tant que c'était
des éléments de l'enfance qui avaient survécu.

C'est cela.

Et, en l'occurrence, qui s'étaient somatisés.

Et qui faisaient partie de sa personne. Et voyez-vous, pour

moi, c'est cela, les structures où on est fou! Il avait un défaut
de prononciation qui était une folie localisée dans la langue.
Et ce qui était drôle, c'est ce qui se passait quand il était
occupé par une activité manuelle qui accaparait son attention.
Papa n'était pas un manuel. Il savait vous expliquer ce qu'il
fallait faire mais il ne le faisait pas lui-même. Très tôt, c'est
moi qui faisais à sa place. J'étais très agile et toujours prête à
démarrer pour tout. Ce que j'appelle le «gène TGV», je l'ai
toujours eu, et mes frères étaient ravis : «Qui veut faire ceci? –
Moi! Moi! Moi!» Alors papa disait : «Pourquoi pas elle,
après tout? On peut remettre un plomb quand on est une
fille. Allez, monte sur l'échelle. Tu vois?», et il m'expliquait :
«Descends-moi le petit truc.» Je le descendais, et puis :
«Avec le plomb, tu vas faire le tour comme ça, et puis tu
remettras le plomb, voilà.» Je le faisais et il était très content.
«Ce n'est pas des histoires de fille!», disait mon frère aîné.
«Alors, fais-le! – Oh! moi, ça m'embête! – Et pourquoi tu ne
le fais pas, papa? – Parce que je veux que vous appreniez à le
faire, mes enfants. Ce sont des choses utiles dans une maison.»

Eh bien, quand mon père était occupé à quelque chose de
ce genre, j'avais remarqué – parce que je remarquais tout –
qu'il mordait sa langue. Je trouvais ça drôle. Et quand je le
voyais mordre sa langue, je me disais qu'il pensait à quelque
chose d'important. Ça lui arrivait parfois quand il était tout
seul ou qu'il lisait son journal. Je me disais : «Tiens! Ça doit
être quelque chose qui le fait penser.» C'est drôle. Il y avait
quelque chose avec sa langue qui venait peut-être de la langue
qu'il n'avait pas comprise : «Mettre le vin dans la rivière.» Le
douloureux souvenir de son père avait scindé son récit en
deux : il était un con à cause de cette histoire, son père savait
qu'il était un imbécile, et lui savait que les architectes étaient
des crétins. Mais ce n'était pas en même temps ou le même
jour que ça se disait.

De la même façon dans la vie quotidienne, il avait deux

aspects bien tranchés : le sérieux et le rigolo. Ainsi, quand il a rencontré son futur beau-père, celui-ci, mon grand-père, a beaucoup apprécié ce jeune homme qui était parfaitement «réglo». Par exemple, c'était la première fois qu'il voyait un ingénieur faire les deux rondes de nuit dans l'usine. Tous, théoriquement, devaient faire deux rondes mais ils notaient sur le calepin qu'ils n'en avaient fait qu'une, que tout était en ordre, qu'ils avaient jugé inutile de faire la deuxième. Et Henri Marette, lui, faisait ses deux rondes à l'heure exacte, notait l'heure à laquelle il la faisait comme il tenait son journal : «Atelier 3, tout va bien; atelier 4, tout va bien. Rien à signaler.» Mon grand-père trouvait cela formidable car tout était noté méticuleusement pour le patron : «Mais, vous êtes le patron! Vous avez le droit de savoir tout ce qui se passe», lui disait mon père. Donc, mon grand-père avait un ingénieur tout à fait remarquable, et consciencieux.

Et puis, chez mon père, il y avait l'autre versant. D'abord, comment mon père se réjouissait-il quand il était jeune marié? Bon, ils faisaient leur «petite affaire», comme disait maman qui m'a raconté tout cela une fois que j'ai été mariée, et après : «Ton père inventait un problème de maths, et il riait, et il s'amusait...!» Mon père reprenait en précisant : «Oui, c'étaient des problèmes marrants. Je cherchais à calculer la courbe tracée par une casserole accrochée à la queue d'un chat, le moment où elle va cogner le sol, et, étant donné le métal de la casserole, la note de musique que ça va donner.» C'était cela, ses problèmes de mathématiques! Il mettait tout cela en formules et il passait une partie de la nuit, jeune marié, à résoudre des problèmes de mathématiques drôlatiques, qu'il inventait. On aurait dit des images à la Benjamin Rabier[100] qu'il mettait en mathématiques. Et il disait : «C'est passionnant les mathématiques! On ne s'ennuie jamais! On n'a qu'à poser un problème et, après, on a des heures de travail pour s'amuser.» Pour une jeune mariée, ce devait être rigolo!

D'autant plus qu'elle avait beaucoup à faire. Elle devait s'occuper aussi de son père, des tantes, des oncles. C'était une famille très nombreuse : maman avait onze tantes et oncles, alors, elle avait beaucoup à faire parce qu'ils mouraient, ils se mettaient en deuil, en demi-deuil, en maladie, etc. Elle était très occupée par sa famille et puis par ses enfants, notamment elle les allaitait. Pendant ce temps-là, mon père s'occupait de son travail et il faisait ses maths pour le plaisir.

Voilà pour toutes ces histoires de famille. Et maintenant, pour conclure, je voudrais en venir à la technique que m'a apportée Laforgue.

11

La technique de Laforgue

La technique qu'a utilisée Laforgue sur un point précis de mon analyse m'a, moi aussi, servi une ou deux fois, mais dans certains cas très particuliers. J'avais commencé, comme je vous l'ai dit, mon analyse dans le désespoir, le chagrin et, surtout, la culpabilité vis-à-vis de D. et de ma mère que je désespérais. Mais, je ne voyais pas comment faire autrement. Or, Laforgue ne m'a jamais parlé de la culpabilité de ma mère. Il m'a parlé de mon sentiment de culpabilité à moi. Il mettait toujours sur moi ce qui m'arrivait, toutes mes difficultés, mes sentiments de culpabilité.

Ce qui se passait vis-à-vis de ma mère, j'en parlais avec cette vieille amie dont j'ai parlé plus haut, forcément aussi en analyse. J'avais beaucoup de chagrin de voir l'état dans lequel était ma mère, qui, par exemple, invitait des gens le jour où je devais travailler un examen; et ce, pour que je ne puisse pas travailler, espérant ainsi me le faire rater. Enfin, elle faisait tout ce qu'elle pouvait pour obtenir que je ne continue pas mes études, qu'elle avait pourtant, au début, acceptées, puisque j'avais un chaperon. D'autres fois, elle me poursuivait dans l'escalier quand je m'en allais à mes cours, quitte à me faire rater mon autobus. Elle me poursuivait pour me dire des choses...! Des injures, des sottises. C'était terrible ce que je souffrais pendant cette période de mon analyse, déjà très engagée, et alors que j'étais déjà tout à fait au clair sur ce que je voulais. J'avais de la compassion pour maman, mais j'étais obligée de la subir.

J'en parlais donc à Laforgue, et, un jour, il m'a répondu : « Mais vous ne vous rendez pas compte que vous exacerbez la névrose de votre mère en ne lui répondant pas et en subissant tout ce qu'elle vous impose ? Rien n'est plus mauvais pour les obsessionnels que de voir l'autre se laisser soumettre à leurs obsessions et à leurs idées obsédantes. – Mais que voulez-vous que je fasse ? – Eh bien, il faut que vous teniez tête à votre mère et que vous lui fassiez une scène. Le jour où vous aurez le courage de faire une scène à votre mère en lui disant : "C'est fini, je t'interdis de me parler comme ça et dorénavant, je ne t'écouterai plus quand tu me parleras de cette façon", vous aurez résolu le problème. – Je ne peux pas faire ça à ma mère ! C'est ma mère. » J'avais un grand respect pour la fonction de fille. « Alors, cette relation durera inchangée. Mais ce serait charitable de le faire, parce que ça la soulagerait. » Pendant des séances et des séances, j'ai tourné autour de ce qu'il m'avait suggéré, pour comprendre. Et un beau jour, je lui ai dit : « Peut-être avez-vous raison ». Car je voyais monter, monter la fureur de ma mère contre moi et je ne savais plus qu'en faire. Finalement, j'ai dit à Laforgue : « Bon, j'ai décidé qu'à la prochaine scène je tiendrais tête. » C'est ce qui s'est passé. « Je t'interdis de me parler comme ça. Tu n'en as pas le droit. Je n'ai jamais rien fait qui t'ait déshonorée. Je suis une fille honnête et travailleuse. Je sais ce que je veux et ce n'est pas interdit par la loi. J'ai le droit de ne pas être traitée par toi comme une putain, ce que tu racontes à tout le monde. » Voilà ce que j'ai dit à ma mère. Elle racontait à mes frères qu'il ne fallait pas me fréquenter parce que j'étais une putain, qu'elle avait pris des renseignements sur moi, que je vivais comme une salope, au quartier Latin, n'importe quoi ! Elle me racontait tout ça, ça n'arrêtait pas, elle me jetait de la merde au moment où je partais pour mes cours en faculté. Je lui ai donc fait une scène. Mais, j'avais le cœur qui battait de parler

244

à ma mère sur ce ton! Puis je suis partie à toute allure là où j'avais à aller. Je reviens le soir : ma mère, mais alors, transformée! «Tu as passé une bonne journée? Ça s'est bien passé? – Oui.» Je n'en revenais pas! Mais gentille! Plus que gentille : sainement affectueuse. Je me dis : «C'est extraordinaire, ce complet revirement! Il avait raison Laforgue : c'est une névrose obsessionnelle. Maman a besoin de quelqu'un qui soit plus fort qu'elle parce qu'elle est débordée par l'énergie passionnée et – comment dire? – purulente qui est en elle, qui la fait se déchirer elle-même, en vomissant tout ce qu'elle a à vomir, et dont elle ne croit pas un mot. C'est de la passion, ce n'est pas ce qu'elle pense.»

Elle est restée dans ces bonnes dispositions presque deux mois. Puis, elle a recommencé à hausser le ton, à me tenir des propos à double sens : «Il y a des filles qui s'en foutent de leur mère!... L'honneur d'une famille, ça peut être bafoué!...» N'importe quoi! Des phrases lancées comme ça, qui recommençaient à courir et qui étaient juste de l'agressivité à mon égard. Alors, une fois je lui ai dit : «Maman, tu veux que je recommence à te faire une scène?» Tout de suite : «Oh! tu ne sais pas ce que tu dis!» et hop! elle a attrapé des objets et elle est rentrée dans sa chambre.

Et c'est juste après que mon père m'a dit : «Écoute! Il faudra que tu quittes la maison, parce qu'il y a eu un moment où ta mère était mieux, j'ai pris espoir, mais...» Je lui ai expliqué pourquoi son état s'était amélioré. «Ah! je ne savais pas qu'il s'était passé tout cela entre vous. C'est vrai qu'elle a été tout à fait apaisée pendant deux mois mais maintenant ça recommence. Et je crois que tant que tu seras sous ses yeux, elle ne s'en sortira pas. Il faut que tu quittes la maison. Qu'est-ce que tu en penses? – Pourquoi pas? Si c'est ce qu'il faut! Mais, je n'ai pas d'argent! – Je vais te donner ta dot sous forme d'obligations (c'est là qu'il me l'a donnée) et puis je vais te trouver un logement.» Et il m'a trouvé un petit rez-de-chaussée, rue Dupuytren, où j'ai habité de novembre 1936 à juillet 1937, le temps de finir mes études[101]. Depuis un an et demi, j'étais externe des hôpitaux[102]; donc je gagnais un salaire de neuf francs par jour et mon loyer était payé par mon père. C'était tout et c'était très dur, mais enfin... C'est à cette époque que j'ai commencé à ne venir avenue du Colonel-Bonnet que le dimanche où, suivant les fois, ma mère était calme ou tendue, et interdisait à Jacques de me parler...

La technique que m'avait inculquée Laforgue en comprenant que la névrose de ma mère avait besoin d'être limitée, sous peine de se trouver débordée par ses pulsions anales et phalliques, exprimées par des colères que personne ne refrénait, cette technique m'avait provoqué une peine énorme, mais, en même temps, m'avait donné une ouverture extraordinaire sur ce qu'est la névrose, et fait comprendre comment on peut même rendre les gens plus fous ou plus névrosés qu'ils ne sont en laissant déborder tout, au lieu d'arrêter. Cependant cette réaction m'avait demandé un effort surhumain parce qu'elle était contraire à mes exigences surmoïques de respect pour la mère. Je me souviens d'avoir pensé : « Ce n'est pas ma mère! C'est une malade mentale ou du moins une malade affective. C'est une névrosée. » Et je lui avais dit : « Maman, tu devrais aller voir Laforgue pour toi; ou un autre, il y a d'autres psychanalystes. Tu verrais comme tu serais apaisée et tu n'aurais plus ces problèmes (elle avait de l'hypertension, beaucoup d'hypertension). Je suis sûre que ton hypertension vient de tout ce que tu ne peux pas dire, tant tu es passionnée et véhémente. »

Elle était capable de se révolter, de se passionner à un degré incroyable. Par exemple, nous avons tous été privés de fromage et de dessert pendant huit jours, pour mettre de l'argent de côté pris sur les comptes de papa, afin d'acheter une Victoire de Samothrace que nous sommes allés porter rue Franklin, chez Clemenceau, pour le remercier d'avoir pris les rênes de la France. Maman, qui était royaliste, était contre Clemenceau; mais comme il avait sauvé la France, elle était tellement passionnée qu'il fallait qu'elle aille offrir une Victoire de Samothrace, en plâtre, à ce pauvre Clemenceau! C'est vous dire! Maman était intelligente, mais elle se comportait comme une enfant et nous étions tous pris là-dedans. C'était une passionnée. C'est très, très curieux, pour moi; car, cette histoire de la Victoire de Samothrace m'a bien fait rire quand je suis devenue adulte, mais enfant, à la fin de la guerre, j'ai joué le jeu: c'était un héros, et toutes les familles de France devaient faire quelque chose pour Clemenceau...

De la même façon, au moment de l'affaire Caillaux[103], nous avons tous mangé de la crème au chocolat un jour de la semaine alors que c'était d'ordinaire réservé au dimanche. Caillaux était un salaud, Calmette avait bien fait, voilà! Alors, comme il avait bien fait, ce jour-là: « Mes enfants, c'est la fête! Caillaux a été démasqué par un journaliste qui a eu bien raison. » Du coup, on a eu de la crème au chocolat! C'était ça, maman! Elle était tout de même à moitié irlandaise et amérindienne, ce que je suis aussi, car elle était descendante d'Amérindiens et d'Irlandais par sa mère et originaire par son père d'Allemagne du Sud.

> *C'est Jean Rostand, qui en vous regardant dans les yeux, vous l'a dit...*

Et c'est la dentiste qui m'a confirmé que j'ai la tache amérindienne dans la bouche. Deux de mes enfants l'ont aussi. C'est une tache bleue dans les muqueuses de la bouche. Rostand, lui, avait regardé la prunelle de mes yeux et de ceux de Philippe. Philippe et moi, nous avons des iris qui sont des iris amérindiens. C'est une question de dimension, c'est tout. Ils ont l'air grands et sur les photos, on dirait même des pastilles! Maman, elle, avait de tout petits yeux qui bougeaient tout le temps: elle avait un nystagmus[104] de naissance.

Pour en revenir à la technique que Laforgue m'avait donc conseillée, je l'ai utilisée pour un garçon que j'avais en ana-

lyse. C'était un bègue. Mais un bègue comme j'ai rarement vu
un bègue, jusqu'au trognon! Il est venu faire une analyse pour
son bégaiement; il était, à ce moment-là, en classe de philosophie. Enfant, il était devenu bègue, l'analyse l'a montré et
sa mère l'a confirmé, vers deux ans, deux ans et demi.

Une fois par semaine, sa mère l'emmenait, quand elle allait
prendre le thé avec sa belle-sœur, la sœur de son mari. Elles
allaient dans un grand magasin où on prenait le thé; et l'enfant avait une glace. Un jour, ils étaient attablés au salon de
thé de ce grand magasin, quand le petit a disparu sous la
table. Au lieu de rester assis, il a disparu sous la table et personne n'a compris pourquoi. Le serveur est venu, a ramassé le
jeune enfant et l'a remis sur sa chaise légèrement surélevée
par un petit Bottin, pour qu'il soit à la hauteur, et... il était
bègue! Il est devenu définitivement bègue, à deux ans et demi.
Définitivement bègue jusqu'à l'âge auquel il est venu chez
moi, à dix-huit ans.

Alors, que s'était-il passé? Est arrivé dans son analyse ce
qui s'était passé : sa mère et sa belle-sœur – ça rappelle les
histoires de Courteline, les sketches où deux femmes rigolent
d'un monsieur – riaient et se moquaient du père de l'enfant
pour je ne sais plus quelle raison. Elles se moquaient de lui en
imitant ses travers et en riant toutes les deux comme des
folles, trouvant très malin, l'une de se moquer de son mari,
l'autre de son frère. Au moment où l'on se moquait de son
père, le petit de deux ans et demi a commencé à se sentir
pisser, comme on dit, et il a perdu la possibilité de rester
assis. Il s'est allongé puis il a disparu sous la table (comportement que j'ai observé plusieurs fois, pas en analyse, mais dans
la vie courante). A chaque fois que des gens me racontaient
une histoire de ce genre, on s'apercevait que ça s'était passé
pendant une conversation où on tenait des propos qui détrac-
taient le père.

C'est très curieux, cette perte de la possibilité de rester
assis, du tonus assis. Il faut se phalliciser l'image du corps,

sinon, naturellement, on ne peut pas rester assis, on tombe par terre.

Le garçon était donc en classe de philo. Quand il faisait des dissertations en classe ou ses compositions au lycée, il avait de très bonnes notes. C'était un littéraire; il a d'ailleurs passé l'agrégation d'histoire et il est certainement devenu professeur d'histoire. Mais quand il avait des dissertations de philo à faire à la maison, son père, comme pour le français les années précédentes, l'obligeait à remettre les dissertations qu'il lui dictait. Or, en composition, il avait toujours 16 ou 17, tandis que ses notes aux devoirs faits à la maison étaient toujours en dessous de la moyenne! Il en était navré. Enfin, heureusement, ses compositions étaient bonnes. Mais, quand il rentrait d'une composition, son père lui demandait son brouillon. Il le lui montrait et le père passait la soirée à le traiter de con, à lui donner des claques, à lui dire que c'était idiot ce qu'il avait écrit, etc. Puis, le garçon revenait avec une bonne note à sa composition : « Ton prof est un con, etc. » Le père avait des réactions paranoïaques et le fils encaissait. Et il n'en sortait pas. Et ce garçon qui en était alors au deuxième trimestre, avait été battu à coups de ceinturon par son père le jour où celui-ci avait découvert qu'il n'avait pas rendu en classe ce qu'il lui avait dicté mais le devoir qu'il avait fait lui-même. Il avait eu une bonne note et son père avait dit : « Ah! j'ai eu une bonne note cette fois-ci! Montre-moi ça! » et il avait vu que ce n'était pas ce qu'il avait dit à son fils d'écrire. Alors le père lui avait fait une scène et l'avait battu comme un chien. Le garçon était arrivé ici en larmes, me demandant ce qu'il pouvait faire. Je lui ai dit : « Écoutez, vous n'en sortirez que lorsque vous serez capable d'affronter votre père. Vous êtes plus fort que lui? – Oui, je fais presque une tête de plus que lui maintenant. – Je comprends très bien que vous ne veuillez pas battre votre père que vous respectez, mais si vous ne prenez pas ce risque, vous n'en sortirez jamais. » Son père était médecin commandant dans l'armée, après avoir été « riz-pain-sel », c'est-à-dire

dans l'intendance. En réalité, il avait eu la vocation de la
« biffe », de l'infanterie, mais il n'avait pas pu devenir biffin en
sortant de Saint-Cyr, parce qu'il bégayait quand il avait à donner un ordre. Cela, nous ne l'avons appris que dans le cours
de l'analyse, parce que la mère en a parlé à son fils. Il avait
donc dû se rabattre sur l'intendance par impuissance à donner des ordres sans bégayer. Cela l'avait blessé profondément.
Comme il avait épousé une femme qui avait de l'argent et qui
pouvait un peu l'aider, il avait entrepris des études de médecine, tout en restant militaire par goût de la hiérarchie. Ce qui
était remarquable, c'est qu'il ne bégayait pas dans la vie courante, mais seulement dès qu'il avait à donner un ordre,
comme officier. A Saint-Cyr, on lui avait dit : « Il n'est pas
possible que vous preniez la biffe, car il faut donner des
ordres, il faut pousser des coups de gueule, et chaque fois que
vous avez à pousser un coup de gueule, vous vous mettez à
bégayer. Un officier qui bégaye pour donner des ordres, ce
n'est pas possible. » Alors, il était entré dans l'intendance,
mais c'était une blessure pour cet homme, qui se croyait aussi
littéraire. Eh bien, le fils a fait comme moi vis-à-vis de ma
mère : il a tourné un moment autour du comment faire. Et
puis, un beau jour, je reçois un coup de téléphone : « Ça y est!
– Quoi? – Ça y est! Ça s'est passé avec mon père! Est-ce que
je peux venir vous voir? – Vous ne pouvez pas attendre
demain? – Non! Non! Je ne pourrai pas dormir si je ne vous
ai pas vue. – Bon, venez! » Il vient et me raconte ce qui s'est
passé : il a maintenu les poignets de son père qui tenait la
ceinture et il lui a dit : « Non, c'est fini, tu ne me battras plus,
parce que quand tu me bats, c'est toi que tu déshonores. Je
suis ton fils, je ne suis pas un chien. » Ajoutant : « Ça a été
épouvantable! Mon père s'est laissé tomber à mes pieds, m'a
embrassé les pieds en sanglotant : Mon petit! Mon petit! Mon
chéri! Bats-moi! Je t'en supplie, bats-moi! bats-moi! Prends la
ceinture, bats-moi! » Et il termine son récit : « Je ne savais pas
quoi faire. Je me suis sauvé. C'est pour cela que je vous ai

téléphoné. » Et ça a été définitivement terminé. Son père, il l'avait vaincu. Mais lui, ne comprenait rien! Enfin, nous avons travaillé autour de ce problème et il ne bégayait plus. C'était fini. C'est extraordinaire! Et c'était la technique de Laforgue, qu'il m'avait transmise. Cette maladie névrotique, relationnelle du père à son fils, et d'abord probablement du père à son père, avait été enfin jugulée de cette manière.

L'histoire s'est terminée curieusement : le père n'a jamais voulu me payer! Ce qui gênait beaucoup le garçon. Le père me considérait comme un confrère et, à cette époque, c'était la coutume que l'on fasse payer un confrère moins cher. Mais, tout de même, deux ans de traitement, ce n'était pas comme aller chez un confrère pour trois consultations! Enfin, le père a demandé à me voir. Je ne l'avais jamais vu. Je n'avais vu que le fils qui était venu seul à dix-huit ans, mais je n'avais jamais vu le père ni la mère. Tout s'était passé entre le fils et moi seulement; je lui disais parfois : « Il faudrait tout de même que vous payiez vos séances! Vous aviez dit que votre père était d'accord. – Oui, mais c'est impossible! Impossible de lui tirer de l'argent. Quand je lui demande de me signer un chèque, il ne veut pas. Je suis très gêné. – Écoutez, tâchez, vous, de gagner un peu d'argent, comme vous pourrez, et vous me donnerez ce que vous donnerez, mais il faut donner quelque chose. Vous avez beau être le fils d'un médecin, je ne peux pas vous soigner complètement gratuitement. Ce n'est pas possible et ce serait mauvais pour vous. » Alors, il faisait des extras, il allait chez Gibert, il livrait des fleurs, etc. Et il m'apportait ce qu'il pouvait : « Cette semaine, j'ai eu quinze francs. – Bon, c'est très bien! »

Le père est donc venu me voir : « Oh! je ne resterai pas longtemps. Je n'ai pas grand-chose à vous dire! Bien sûr, mon fils ne bégaye plus. Je ne comprends rien à la psychanalyse; je crois que c'est une méthode louche qui aborde les côtés obscurs des humains. Mais enfin, mon fils, ça lui a réussi. » Alors, moi : « Vous savez que ça fait deux ans que je soigne votre fils et que vous ne m'avez jamais payée. Vous n'avez rien payé pour lui. » Il me répond : « Mais enfin, vous êtes un confrère! Entre médecins, on ne se fait pas payer les soins qu'on donne. – Mais moi, je n'ai pas besoin de vos soins, et je ne suis pas militaire!» Alors, il me dit : « Je trouve très gênant ce que vous dites là. Ce n'est pas du tout confraternel. Ce n'est pas du tout déontologique. – Écoutez, c'est ainsi! En tout cas, votre fils est guéri, et c'est bien le principal. » Il se met alors à bégayer des gestes et sort une bouteille de la sacoche qu'il avait avec lui : « Je vous ai apporté une bouteille de banyuls pour vous remercier du traitement de mon fils. » Et il m'a donné la bouteille de banyuls... Puis il est parti, en ayant donné pour deux ans de traitement de son fils une bouteille de banyuls!

Mais, ce qui est amusant, c'est que deux ou trois ans plus tard, j'ai rencontré le garçon qui, entre-temps, m'avait envoyé un camarade en analyse. Je ne savais d'ailleurs pas que c'était par lui que j'avais reçu un agrégatif tiqueur; pas bégayeur, mais aboyeur, un petit peu aboyeur. Comme il voulait devenir professeur et qu'il aboyait un peu dans les cours, c'était plutôt gênant! Mon ancien patient lui avait dit : « Écoute, moi, j'ai été guéri d'un bégaiement en allant voir Mme Dolto, peut-être pourra-t-elle te guérir de ton tic d'aboyer. » C'était un tic d'œsophage. Et, en effet, ce garçon a vite guéri mais je ne me souviens pas du tout de son cas, à celui-là. Et je n'ai appris que quand j'ai rencontré le premier, que l'autre était un de ses copains à qui il avait donné mon nom, et qui ne m'avait pas dit qu'il était venu par lui. Simplement : « C'est un copain de la Sorbonne qui m'a donné votre adresse. »

Alors, ce qui est amusant, c'est que, lorsque je l'ai rencontré, rue Le Goff[105], dès qu'il m'a vue, il m'a interpellée : « Ah! madame Dolto! Je suis content de vous voir! » Là-dessus, il descend dans le ruisseau – moi, je reste sur le trottoir – alors que nous étions tous les deux sur le trottoir. Je lui dis : « Pourquoi, si vous êtes content, descendez-vous dans le ruisseau? » Il éclate de rire :

«Ah oui! pourquoi? Je ne sais pas. – Alors, comment ça va? –
Eh bien, je prépare l'agrégation. Ça marche bien. J'ai été collé
l'année dernière, mais je crois que cette fois-ci sera la bonne.»
Et il redescend dans le ruisseau. Alors, je lui dis : «Vraiment,
il faut que vous soyez dans le ruisseau! Est-ce que ce n'est pas
parce que votre père ne m'a payé que d'une bouteille de
banyuls? – Comment!? Il ne vous a jamais payée? Moi, il m'a
dit qu'il vous avait payée avec un chèque, bien plus largement
qu'il ne devait. – Eh bien, gardez cela pour vous, car il est
sûrement convaincu de m'avoir payée bien plus qu'il ne
devait. Mais, ce n'est pas parce que vous avez été guéri par la
psychanalyse que vous allez toute votre vie être dans le ruisseau à côté de moi! Vous êtes mon égal, dites-le-vous bien
maintenant! Vous êtes bientôt professeur à la Sorbonne ou
ailleurs, enfin agrégé d'histoire, ce que je vous souhaite.»
Nous avons ri un moment tous les deux, puis nous nous
sommes dit au revoir et je ne l'ai jamais revu. C'est comme
ça...

Ce que je veux dire, c'est que la technique que j'avais
employée avec lui, je ne l'aurais jamais employée si Laforgue
ne m'avait donné cette clé et en somme, par suggestion,
convaincue que je devais le faire si j'étais une fille qui était
conséquente avec sa découverte de la psychanalyse : comprendre comment aider ma mère de cette façon et faire un
acte qui, pour moi, était de lèse-majesté, une faute vis-à-vis du
respect filial; mais qui, en vérité, fut le soulagement de la douleur et de la souffrance névrotique de ma mère qui, ainsi, a été
charmante toute la fin de sa vie. Tout à fait charmante!

Voilà, mes amis, je crois que je vous ai dit ce que je voulais,
à mon tour, vous transmettre.

Notes

1. Cf. *Enfances,* Paris, Éd. du Seuil, « Points Actuels », 1986, p. 50-52.

2. Il s'agit du jardin de la clinique du docteur Blanche située en face et en contrebas, dont il sera longuement question un peu plus loin.

3. Cf. *Enfances, op. cit.,* p. 19-22.

4. *Le Sans-Fil,* hebdomadaire illustré qui commence à paraître en 1913, 20 boulevard Poissonnière. La livraison coûte 5 centimes.

5. Les publicités lumineuses de Citroën sur la tour Eiffel, en lettres de trente mètres de haut, datent de l'époque des grandes croisières Citroën qui se sont échelonnées de 1922-1923 au Sahara à 1934, avec la traversée de l'Amérique du Nord, entre Chicago et l'Alaska.

6. Charles Richet, physiologiste et penseur, né à Paris en 1850, mort à Paris en 1935, fils du célèbre chirurgien Alfred Richet. Ses principaux travaux ont porté sur la chaleur animale, les sérums, et surtout l'anaphylaxie (accidents résultant de la réintroduction dans un organisme d'une substance introduite une première fois sans incident, et provoquant la seconde fois une réaction de rejet plus ou moins forte) dont il découvrit le principe avec Paul Portier. Par ailleurs, ses centres d'intérêt furent multiples : ce fut un précurseur de l'aviation, un militant pacifiste, un fervent de métapsychique et même d'occultisme. Il fut, en 1913, lauréat du prix Nobel de médecine.

7. Rappelons que, comme le dit Françoise Dolto dans *Enfances,* p. 108, Jacqueline est morte d'un ostéosarcome (cancer des os). Le Dr Philippe Marette nous a précisé que non seulement cette maladie était alors incurable mais que le diagnostic même en était très difficile. Voici, par ailleurs, les conditions, jamais rapportées jusqu'ici, dans lesquelles est morte Jacqueline. L'été 1920, sachant leur fille perdue, M. et Mme Marette lui demandent où elle souhaite aller en vacances. Elle choisit le lac d'Annecy. Henri Marette loue alors pour l'été l'ancienne abbaye bénédictine de Talloires, alors inoccupée et aujourd'hui devenue auberge réputée.

Mme Marette y séjourne avec les enfants, aidée de « Mademoiselle », de la cuisinière, d'un chauffeur et d'un médecin toujours présent auprès de

Jacqueline. L'état de celle-ci empirant, ils décident de rentrer à Paris, en prenant le train à Annecy. Pour aller jusque-là, le médecin pense qu'une voiture à cheval sera préférable à l'automobile, en raison de l'état de Jacqueline...! Mme Marette, Jacqueline et le médecin partent donc en avant, le reste de la famille plus tard. Sur le chemin, l'automobile rejoint la voiture hippomobile arrêtée sur le bas-côté. Tout le monde en descend et Mme Marette apprend à ses enfants que Jacqueline vient de mourir. Elle est alors emmenée à l'hôpital d'Annecy, autopsiée parce que morte sur la voie publique, puis ramenée en cercueil à Paris et enterrée dans le caveau de famille de Bourg-la-Reine.

8. Le premier émetteur français privé fut le groupe CSF-SFR (usine de radio électrique) qui sollicita, le 20 février 1922, l'autorisation de créer une radio privée.

Les premières émissions régulières furent inaugurées le 6 novembre 1922 par Marcel Laporte qui se présentait ainsi : « Voilà votre serviteur Radiolo! » D'après *Histoire de la radio en France* (Alain Moreau, 1980). 6 novembre 1922 : jour du quatorzième anniversaire de Françoise Marette!

9. La SDN ou Société des Nations. Ce fut, dans la filiation du Congrès de Vienne de 1815, la première organisation politique *permanente* à vocation universelle, pour tenter de résoudre par la négociation les conflits qui pourraient se poser entre les nations.

Elle fut fondée en 1919, au lendemain donc de la guerre de 1914-1918, comme « Société générale des nations ayant pour objet de fournir des garanties réciproques d'indépendance politique et territoriale aux petits comme aux grands » (Wilson, message du 8 janvier 1918).

Cette institution témoigne de la première atteinte à la souveraineté exclusive de l'État. La Seconde Guerre mondiale mit fin à son existence et engendra, dans l'après-coup, l'ONU : Organisation des Nations unies.

10. Voici la synthèse de ce que nous avons trouvé, in *Le Grand Livre des inventions,* Club France-Loisirs, 1986, p. 40 et au chapitre « Électronique-industrie », in *Encyclopaedia universalis* 870 c : A la fin du XIXe, la communication à longue distance par câble sous-marin est réalisée, utilisant le morse. Marconi, lui, réalise une liaison entre un navire et la terre. Pour ce faire, il utilise un générateur d'ondes (émetteur à étincelles) fonctionnant par "tout ou rien" et émettant un message codé en morse qui, reçu par un détecteur à galène, faisait dévier un galvanomètre sensible. Ce détecteur – ou récepteur – fut le premier poste de radio – à galène donc, mis au point en 1906 par deux Américains, Dunwoody et Pickard. Galène est la transcription d'un mot grec signifiant "plomb", matériau utilisé – sous forme de sulfate – pour la construction du poste.

Par ailleurs, la première lampe de radio en service fut la lampe TM (triode militaire, lampe à trois électrodes), mise au point notamment par le général Ferrié. Elle permit de construire des amplificateurs qui, associés à un poste à galène, équipèrent l'armée française dès 1915.

11. Il faut se représenter la situation ainsi : l'avenue du Colonel-Bonnet et la rue Singer sont parallèles et commencent rue Raynouard, laquelle les

borde donc toutes les deux à angle droit. Le premier immeuble – ils sont tous rigoureusement identiques tout au long de l'avenue du Colonel-Bonnet, des deux côtés –, numéroté au 2 avenue du Colonel-Bonnet donne donc sur les trois artères et comme il n'y a qu'un seul appartement par étage, chaque appartement donne sur ces trois rues.

12. Voici le texte exact qui figure toujours sur l'immeuble, à l'angle des rues Raynouard et Singer, où a été aménagé un pan coupé et où s'étale verticalement le texte suivant, entre le quatrième et le deuxième étage :

Ici
s'élevait
un
pavillon
dépendant
de
l'hôtel de
Valentinois

———

De
1777 à 1785
B. Franklin
l'habita
et y fit placer
le premier
paratonnerre
construit
en France

———

Dédié par
C.L. Charley
à la
Société historique
d'Auteuil et de Passy
anno 1910

Puis, vient en dessous un médaillon ovale représentant le profil gauche de Benjamin Franklin.

13. Françoise Dolto fait sans doute allusion au vers fameux d'Alfred de Musset, in *Poésies nouvelles,* Pléiade, 1951, Rolla, I, vers 55, p. 282.

Mais, deux constatations s'imposent : en le citant, F.D. y introduit une opposition de sens ; ce vers est précédé par un vers énonçant une position absolument contraire aux siennes !

Je ne crois pas, ô Christ, à ta parole sainte :
Je suis venu trop tard dans un monde trop vieux.

14. L'appartement, de dix pièces, comporte quatorze fenêtres : quatre avenue du Colonel-Bonnet, quatre rue Raynouard, six rue Singer.

15. Vérifications faites, ces dates, ici citées de mémoire, sont exactes, mais appellent quelques précisions.

257

Réadmis à la clinique du Dr Blanche le 7 janvier 1893, à la suite d'une tentative de suicide au cours de laquelle il a essayé de se trancher la gorge à l'aide d'un coupe-papier, Guy de Maupassant y meurt le 6 juillet de la même année.

Antoine-Émile Blanche (1820-1893) prend la direction de la maison de santé de Passy le 15 novembre 1852, jour de la mort de son père Esprit-Sylvestre Blanche (1796-1852) qui a fondé cette clinique en 1846, dans les locaux de l'ancien hôtel particulier de la princesse de Lamballe. Il y travaille jusqu'à sa mort.

Émile Blanche meurt bien le 15 août 1893 et Jean-Martin Charcot... le 16 août 1893!

Il faut noter que, de son vivant, Émile Blanche est surtout célèbre par sa vie mondaine. Silhouette toujours vêtue d'une longue redingote et coiffée d'un chapeau haut-de-forme, il défraie la chronique culturelle par ses «dîners des philosophes» du samedi soir où se retrouvent: Lamartine, Renan, Berlioz, Gounod, Michelet, Pasteur, les Halévy, George Sand, Pauline Viardot, Tourgueniev, la Castiglione, la princesse Mathilde, etc. Il fut aussi membre fondateur des concerts Colonne.

C'est en septembre 1913 que la famille Marette s'installe à Passy, 2 avenue du Colonel-Bonnet (alors avenue Mercedes).

Tout en y travaillant jusqu'à sa mort, Émile Blanche vend la clinique en 1872 à un certain Dr Meuriot; les descendants de celui-ci mettront le lieu en lotissement en 1901, à sa mort. La clinique va toutefois rester active en ce lieu jusqu'en 1925-1926. En 1927, elle est installée 161 rue de Charonne avant de déménager à Villeneuve-Saint-Georges, dans un quartier qui fait aujourd'hui partie de Crosne. C'est donc à tort que dans un article paru dans le fascicule 3, 1988, de l'*Évolution psychiatrique,* « La maison de santé du Dr Blanche », le Dr Jean-Max Lavollay écrit (p. 623) : « Bien plus tard, la famille de Françoise Dolto habitera à proximité, et la petite Françoise aurait pu contempler de sa fenêtre les allées et venues des pensionnaires de l'établissement devenu la clinique du Dr Blanche, si celle-ci n'avait pas été alors déplacée à Villeneuve-Saint-Georges. »

16. L'hérédosyphilis – ou par abréviation l'hérédo – désigne la syphilis transmise par la mère à son fœtus; un hérédosyphilitique – ou un hérédo – désigne l'enfant atteint de syphilis dans ces conditions.

17. Guy de Maupassant est mort célibataire et sans enfant reconnu. Toutefois, il semble avoir reconnu de fait trois enfants de Joséphine Litzelmann : Lucien, Lucienne et Marguerite.

Lucien (1883-1947) se maria mais mourut sans enfant. Il ne peut donc s'agir du fils de Maupassant ici désigné par Françoise Dolto.

Toutefois, cet extrait du conte intitulé *Un fils* (daté du 19 avril 1882) peut certainement être considéré comme autobiographique. Un membre de l'Académie française parle à un sénateur : « De dix-huit à quarante ans, en faisant entrer en ligne les rencontres passagères, les contacts d'une heure, on peut bien admettre que nous avons eu des rapports intimes avec deux ou trois cents femmes (...) Voyez-vous, mon cher, il n'est guère d'homme qui ne possède des enfants ignorés, ces enfants dits *de père inconnu,* qu'il a faits, comme cet arbre reproduit, presque inconsciemment. »

18. Gibbosité : courbure anormale du rachis, se manifestant par une saillie de la cage thoracique, observée dans le mal de Pott (tuberculose vertébrale).

19. La ville de Berck, dans le Pas-de-Calais, est depuis le XIXᵉ siècle un centre réputé de cure marine contre la tuberculose osseuse. Ceux qui y venaient en traitement gardaient ensuite le nom de « Berckois ».

20. Voici ce qu'indique Jacques Hillairet dans son *Dictionnaire historique des rues de Paris,* 1985, Éd. de Minuit : « L'avenue du Colonel-Bonnet, longueur 170 m, largeur 15,05 m. Avenue ouverte en 1909 sous le nom de Mercedes. A reçu en 1931 celui de Colonel-Bonnet, tué à Soissons en novembre 1914. »

21. La passerelle n'existe plus au bout de la rue du Ranelagh, mais un passage souterrain, un peu décalé par rapport à l'ancienne passerelle, à la place de laquelle a été posé un passage bitumé pour piétons, qui recouvre les voies et que bordent des grillages.

De la petite ceinture, ne restent que rails et traverses. Mais, étonnante survivance, toujours au même endroit, même sans passerelle ni trains, aujourd'hui encore et bien plus visible, une jolie petite bicoque toute blanche renseigne en grosses lettres vertes sur sa raison d'être : CORDONNERIE.

22. Allusion à l'œuvre de Maeterlinck, féerie en six actes et douze tableaux, représentée, après son passage à Moscou en 1908, à Paris sur la scène du théâtre Réjane à partir du 2 mars 1911.

Dans le troisième tableau, Tyltyl et Mytyl se rendent au « pays du souvenir » qu'enveloppe « un épais brouillard » donnant une « clarté laiteuse, diffuse, impénétrable ». « Bientôt, dans une lumière de plus en plus transparente, on découvre sous une voûte de verdure, une riante maisonnette de paysan, couverte de plantes grimpantes. (...) Près de la porte un banc, sur lequel sont assis, profondément endormis, un vieux paysan et sa femme, c'est-à-dire le grand-père et la grand-mère de Tyltyl et de Mytyl. »

23. Impressionnant humour ! Il faut rappeler qu'à l'époque de cet entretien, Françoise Dolto était sous assistance respiratoire permanente, nécessitée par la fibrose pulmonaire qui devait l'emporter.

La fibrose pulmonaire consiste en un épaississement fibreux de tous les éléments de la paroi alvéolaire qui empêche la diffusion de l'oxygène et entraîne une insuffisance respiratoire. Cette maladie auto-immune, qui n'est pas un cancer, peut être d'origine virale.

24. Il n'est peut-être pas sans intérêt de noter que Suzanne Demmler était née un 4 octobre, jour de la Saint-François-d'Assise, et que cette coïncidence est de nombreuses fois soulignée dans les agendas personnels de Françoise Dolto.

25. Françoise Dolto nous désigne alors une des photos qui se trouvaient dans la bibliothèque de son cabinet, face à son fauteuil.

26. Il existe encore aujourd'hui un Institut métapsychique international

qui tient une permanence le mardi après-midi au 1 place Wagram, Paris 17e.

27. Jacques Marette interrompt ses études à la rentrée 1942-1943, pour s'engager à plein temps dans la Résistance. Il devient P_2, c'est-à-dire agent permanent dépendant du BCRA de Londres. Il est, plus précisément, lieutenant dans le réseau « Vélites-Thermopyles ».

Par ailleurs, le Dr Philippe Marette nous a rapporté l'histoire suivante. A vingt ans, Jacques est réquisitionné pour le STO (service du travail obligatoire, imposé par les Allemands à tous les hommes valides des territoires occupés, au service de l'industrie allemande). Philippe Marette, qui est alors engagé lui-même dans la Résistance au Front national, tente de dissuader son frère de partir en lui promettant de le cacher si besoin est. Rien n'y fit! En désespoir de cause, il l'accompagne à la gare en compagnie d'un ami commun, Rémy Morin, et, catastrophé, regarde son frère partir. Quinze jours plus tard, Rémy Morin est arrêté, déporté, puis il meurt en camp.

Ce n'est que beaucoup plus tard que Philippe apprendra que si son frère tenait tant à aller au STO, c'est qu'il emportait, dans ses bagages, avec une folle audace, un poste émetteur destiné à des résistants allemands qu'il devait arriver à rencontrer, grâce aux connaissances de sa famille, notamment dans l'industrie. Ce qu'il réussit à faire! Puis son temps de STO terminé, il revient à Paris, pour devenir permanent de la Résistance.

Par ailleurs, Pierre, le frère aîné, militaire de carrière, démissionne de l'armée à l'armistice et entre dans la Résistance où il devient directeur des services secrets de l'aviation. Il est donc clandestin, comme Jacques, alors que Philippe demeure psychiatre à Sainte-Anne. A la Libération, de Gaulle charge Pierre Marette de remettre en marche le ministère de l'Air, et le fait nommer général de brigade aérienne et réintégrer l'armée.

Enfin, il faut noter que ces trois frères Marette se sont engagés séparément dans la Résistance, chacun ignorant jusqu'à la Libération les activités des autres!

28. Friedrich Fröbel, 1782-1852. Pédagogue allemand qui s'intéressa surtout aux enfants d'âge pré-scolaire et qui demeure célèbre pour avoir ouvert, en 1837, le premier jardin d'enfants. S'inspirant de Jean-Jacques Rousseau et de Pestalozzi, il encourageait dans l'éducation des enfants les exercices et les jeux de plein air, accompagnés de chants.

29. *Les Babouches de Baba Hassein*, H. Balesta, Paris, Éd. Delagrave, 1902, illustrations de J. Geoffroy. Il s'agit d'un recueil de courtes histoires portant le titre de la première (p. 5 à 49).

Dans *La Cause des enfants*, Paris, Éd. Robert Laffont, 1985, Françoise Dolto raconte longuement son apprentissage de la lecture (deuxième partie : « Un être de langage », chapitre 1 : « L'initiation », p. 159-169). Elle parle abondamment de l'ouvrage qu'elle voulait lire et le nomme : *Les Babouches d'Aboukassem*. Nous avons très minutieusement vérifié et pouvons affirmer que ce titre n'existe pas et doit être remplacé par celui que nous donnons.

30. Juste après la capitulation de l'Allemagne, Jacques Marette devint correspondant pour l'Europe de l'Est de *France-Soir* et de *Combat* dont il avait connu les fondateurs dans la Résistance. Son siège permanent fut d'abord Berlin, puis Varsovie, puis Prague. Très vite, il cumula ces fonctions avec celles de correspondant de la Radiodiffusion française.

31. Fils de Grégoire Dolto.

32. Pour aller rue Dupuytren, le 3 novembre 1936.

33. *Enfances, op. cit.,* p. 88-94.

34. Le séjour chez les D. s'est déroulé selon des modalités un peu différentes mais qui ne changent rien au sens et à l'importance de l'événement vécu par Françoise Marette : elle part *seule* de Paris et revient *seule* à Paris ; le séjour a duré deux semaines pleines.

Voici ce que Françoise Marette a consigné dans son agenda personnel de 1931, que nous reproduisons avec l'autorisation du Dr Dolto-Tolitch, exécuteur testamentaire de sa mère :

Lundi 21 septembre 1931. Mistral de 22 h. Arrivée à G. par P. Vaucluse.
Mardi 22 à 8 h 30. Sont là M. et Mme D., F., C., T. et E. [F., C. et T. sont les trois sœurs de E.]
Mercredi 23. Mistral et beau temps. A déjeuner, le gros Léon et son fils François. Prodigieux ce gros Léon ! S'est emballé sur l'Angleterre. Pas parlé médecine. François très bien.
Jeudi 24. Départ de M. D. Vendanges.
Vendredi 25. Escalade rochers. Le Grand Turc dans les dentelles de Montmirail au clair de lune.
Samedi 26. Éclipse de lune. Dessin à l'aquarelle. Allons chercher des amandes.
Dimanche 27. Aller messe à P. à pied avec F. et C. Retour auto. Finir aquarelle terrasse. Cache-cache. Balle.
Lundi 28. Ballade colline au-dessus de P.
Mardi 29. Une carte de Jean. Lettre de Philippe. Cueillette du jujube. Je vais à P. Télégramme maman : il y a onze ans !
Mercredi 30. Journée lourde. Annonce de pluie. Cueillette du raisin. F. fait confiture de coings. Soirée très douce. Marché une demi-heure avec F. sous les pins.
Jeudi 1. Tempête. Vent S.E. pluie toute la journée. Reçois lettre de maman. Promenade avec F. Lecture. Proust : *Les Plaisirs et les Jours.*
Vendredi 2. Beau temps malgré les prévisions défaitistes. Promenade dans les dentelles. Le Grand Turc au jour. Retour par plein sud.
Samedi 3. Écris à maman. Promenade tous ensemble. Écris le soir à maman. Changement d'heure.
Dimanche 4. Sᵗ François d'Assise. Anniversaire de maman. Je n'y suis malheureusement pas pour l'embrasser. Départ pour messe à P. 8 h. Pour Nîmes à 10 h. Déjeunons au Pont-du-Gard. Course de taureaux avec mise à mort.
Lundi 5. Sur le perron de la terrasse, parlé de machines avec M. S. F. vient dans ma chambre.
Mardi 6. Avant le dîner avec C. conversation très intéressante et affectueuse. Départ en auto avec E. et F. pour aller chercher tante E. à Dieulefit dans la Drôme. Passage inoubliable. Tante E., une artiste formidable en dehors du temps et de toutes conventions. Pascal son chien.
Mercredi 7. Retour à G. : mauvais temps. Quelques gouttes, à Lyon seaux d'eau. Départ en auto avec F. et tante E. pour Avignon. Train Midi 12, 22 h 40 à Paris, papa à la gare.

Ce texte appelle quelques commentaires :
- « Le gros Léon » désigne évidemment Léon Daudet.
- L'aquarelle représentant G. a été retrouvée et nous la publions (p. 93).
- « Mardi 29. Télégramme maman : il y a onze ans ! » : désigne l'anniversaire de la mort de Jacqueline, décédée le 30 septembre 1920.
- La « course de taureaux avec mise à mort ». Une lettre à sa mère nous apprend le nom des toreros : Chicuelo, Villalta et Lalanda et nous livre quelques pensées de Françoise Marette sur la corrida : « 1 heure 25 de boucherie ». Et un peu plus loin : « Quel étrange spectacle que cette foule trépidante et *hurlante* devant un animal vivant et souffrant pour l'amuser jusqu'au moment où cette vie est arrachée de force au pauvre corps exténué de rage et de douleur. Cette même foule se passionne au jeu de boules... »
- « Tante E. » : c'était une sœur de Mme D. Elle publia un recueil de poésie, *La Nuit claire* (Paris, Delesalle, 1912) tiré à 300 exemplaires.
35. Nous avons retrouvé dans les archives de Françoise Dolto des catalogues d'exposition de cette époque, certainement offerts par D. Notamment : « Exposition de dessins italiens des XIVᵉ, XVᵉ et XVIᵉ siècles », musée de l'Orangerie, novembre-décembre 1931 ; « Manet 1832-1883 », préface de Paul Valéry, musée de l'Orangerie, 1932.
36. PCN : Certificat d'études physiques, chimiques et naturelles. Année d'étude et de formation obligatoire préalable aux études de médecine. L'obtention de l'examen de fin d'année était obligatoire pour entrer en première année de médecine, mais un candidat pouvait se présenter autant d'années de suite qu'il le souhaitait pour l'obtenir.
37. En réalité, comme nous l'a confirmé après recherches la direction de l'école d'HEC, à cette époque-là, le baccalauréat complet était exigé pour s'inscrire en classe préparatoire au concours d'entrée à HEC.
La situation se présentait ainsi : l'important dirigeant d'industrie, groupe familial, Henri Marette avait un fils, Jean, le second, déjà diplômé de Centrale, qui pouvait prendre la direction technique du groupe, ce qu'il fit d'ailleurs. Pour le père, la perspective d'un autre fils assurant la direction de la gestion était bien tentante et « naturelle » – mais elle ne correspondait pas au désir du futur médecin et psychanalyste Philippe Marette. Celui-ci fut déclaré bachelier le 23 octobre 1931.
38. Voici ce que dit son livret d'infirmière : « Françoise Marette a obtenu le diplôme simple le 6 juin 1930. Mlle Françoise Marette, par acte signé en date du 6 juin 1930, s'est engagée à remplir, en temps de guerre, les fonctions de Dame Infirmière dans une des formations sanitaires de l'Armée ou de la Société, et à observer les règlements édictés par la Société. »
39. Angelo Hesnard, *La Psychanalyse,* Paris, Éd. Stock, 1924 (119 p.) ; 2ᵉ édit., 1928 (223 p.).
40. *Psychopathologie de la vie quotidienne,* Paris, Éd. Payot, 1922, trad. du Dr Serge Jankélévitch.
41. *Cinq Leçons sur la psychanalyse,* Paris, Éd. Payot, 1921, trad. d'Yves Le Lay.

42. Allusion à l'émission «Apostrophes», entièrement consacrée à Françoise Dolto, le 2 janvier 1986.

43. Colette Yver, *Princesses de science,* Paris, Éd. Calmann-Lévy, 1907; réédité en 1940. Sous ce pseudonyme, la femme de l'influent critique littéraire Auguste Huzard fit une carrière retentissante dans l'entre-deux-guerres. Née en 1874 à Rouen, elle vint à Paris en 1903 avec son premier manuscrit. C'est là qu'Auguste Huzard épousa Antoinette de Bergevin, et prit en main sa carrière. La mort rapide (1911) de ce dernier n'interrompit pas la production de sa femme qui occupa une situation étonnante par son ambivalence. Passant pour prendre la défense des femmes et militer en faveur de leurs droits, elle s'opposait vivement à la possibilité pour elles d'avoir une profession, notamment libérale, pour... ne pas accroître le chômage des hommes! Elle alla jusqu'à saluer, en 1935, les lois d'exception allant dans ce sens mises en place par Hitler! Ses œuvres eurent ainsi de nombreuses rééditions de 1940 à 1944.

44. L'école de Summerhill fut fondée par A. S. Neill en 1921, dans le village de Leiston, dans le Suffolk, en Angleterre. Le principe en est une école *autogérée* par des enfants «normaux», de 5 à 16 ans, garçons et filles, de nationalités mêlées, au nombre d'une cinquantaine.

L'histoire de cette école fut narrée par son initiateur dans un livre qui connut un immense succès dans le monde entier, et qu'il publia à New York en 1960. En français, *Libres Enfants de Summerhill,* Paris, Éd. François Maspero, 1970.

45. Marc Schlumberger était le fils de l'écrivain Jean Schlumberger, un des membres fondateurs du groupe de la NRF, dirigé par Gide. A son mariage, ses deux témoins furent André Gide et Philippe Marette.

46. Le mardi 24 novembre 1931. Françoise Marette est inscrite sous le n° 914.

Le résultat de l'examen de fin d'année figure dans l'agenda de 1932, au samedi 2 juillet: «Affichage PCN. Moi 1re du groupe B avec 90 points. 2e du PCN. Philippe reçu.»

47. CGS: Centimètre, gramme, seconde. Système d'équivalence de mesures utilisé autrefois en physique, aujourd'hui remplacé par le système MKSA: mètre, kilo, seconde, ampère.

48. Colles: interrogations orales d'entraînement dans les diverses matières en vue des examens et concours de fin d'année, en vigueur dans les classes préparatoires aux grandes écoles et dans certaines facultés.

49. C'est-à-dire durant l'année scolaire 1932-1933.

50. Voici ce qui est consigné dans l'agenda de 1934.

Jeudi 15 février. Papa va voir Laforgue. Revient et me parle *très gentiment* quelques minutes. Laforgue me traitera. Papa est bon.
Samedi 17 février. 7 h 15 premier entretien.
Mardi 20 février. 4 h 30 L.
Vendredi 23 février. 4 h L.
Lundi 26 février. 4 h L.

51. Le Dr Philippe Marette nous a affirmé avoir commencé sa cure psychanalytique avec Laforgue en novembre 1932 et l'avoir poursuivie durant

deux ans. Elle était à coup sûr, dans son souvenir, terminée lorsqu'il partit en sanatorium entre le 4 mars 1935 (date du mariage de son frère Jean) et le 14 du même mois, date de son anniversaire. Il fera néanmoins un séjour à La Roquebrussanne (cf. note 60) fin août, début septembre 1936, selon la méthode habituelle de Laforgue. Celui-ci, après avoir manifesté le désir de guérir sa tuberculose par l'analyse, convient qu'il n'a plus besoin de continuer sa cure du moment qu'il est parti de chez ses parents.

52. Voici comment est consignée la rupture définitive – que Françoise avait souhaitée par lettre dès le 24 septembre 1933 – en date du dimanche 11 février 1934 : « Brusquement à six heures et quart D. me dit qu'il avait décidé aujourd'hui de tout rompre avec moi. »

Il est ce jour-là de passage à Paris, en permission lors de son service militaire effectué à Saumur.

Six jours plus tard, Françoise commence son analyse.

53. Il s'agit de Marie Bonaparte, princesse Georges de Grèce, un des membres fondateurs de la Société psychanalytique de Paris en 1926.

Marie Bonaparte avait fait une analyse avec Freud en 1925, sur les recommandations de Laforgue.

54. Une fois de plus, les agendas de Françoise Dolto nous permettent de dater à coup sûr. Jusqu'à fin juin 1936, le rythme de trois séances par semaine est respecté. Au mois d'août, séances quotidiennes à La Roquebrussanne du 11 au 30 août (cf. note 60). Reprise des séances, lundi 8 octobre : il n'y en a plus qu'une par semaine jusqu'au 12 mars 1937, la dernière.

En ce qui concerne le prix, le Dr Philippe Marette, interrogé par nos soins, se souvient, de manière catégorique, que la séance coûtait, à ce moment-là, chez Laforgue... 300 francs!

L'INSEE admet, entre décembre 1936 et décembre 1988, un taux de correction de 275 %, soit un prix de séance actuel, selon Françoise Dolto, d'environ 70 francs, selon Philippe Marette, d'environ 800 francs!

Ce que nous savons, c'est que Laforgue était *le* grand psychanalyste français de l'avant-guerre, grand bourgeois du seizième arrondissement, dont les consultations étaient fort chères. A titre de comparaison, Jacques Lacan – renommé aussi pour ses tarifs – demandait 500 à 600 francs en 1980.

En revanche – autres temps, autres mœurs – Laforgue ne faisait payer que demi-tarif ceux de ses patients qui étaient étudiants en médecine.

55. Voici un extrait, concernant cet aspect de la cure psychanalytique de Françoise Dolto, d'une très intéressante lettre à son père datée :

« La Roquebrussanne, Var, 16 août 1936.

(...) » Je suis très contente d'être venue ici. Excellent travail avec Laforgue. Quel bond j'ai fait en comparant avec l'année dernière, à mon dernier séjour dans ce pays. En même temps, une tout autre attitude devant l'analyse.

» L'an dernier et il y a encore quelques mois je considérais cette situation comme inférieure et de dépendance en quelque sorte. Actuellement je travaille avec Laforgue en égale. C'est un travail de collaboration. C'est d'ailleurs la période ennuyeuse, du moins qui en dehors des vacances le serait, car pour moi j'ai l'impression d'être entrée en complète possession de mes moyens mais ce travail final, de synthèse doit-on dire, est indispensable si on veut être à l'abri pour les autres de déficiences préjudiciables (surtout après quelques années). Naturellement, la direction d'analyste que je veux prendre commande à mon avis une compréhension encore plus approfondie de ses propres difficultés si on veut être assez libre pour mettre le doigt sur celles des malades.

» Mais maintenant – et Laforgue est de mon avis – il est inutile d'avoir des séances nombreuses d'affilée. Le meilleur est de vivre et de faire de temps à autre quelques petites séries de mise au point» (...).

56. La dernière séance inscrite sur l'agenda de 1937 figure à 6 h le vendredi 12 mars. A la date du samedi 20 mars, on peut lire : «Visite de L. une heure et demie.» Françoise Marette habite alors le 7, rue Dupuytren.

57. Françoise et Philippe Marette furent donc, *en même temps,* en analyse chez Laforgue entre février et décembre 1934.

58. Passy est une commune de Haute-Savoie, traversée par l'Arve, comportant une station climatique située au plateau d'Assy, à 1 000 mètres d'altitude. Celle-ci était très réputée pour le traitement des maladies pulmonaires, et notamment la tuberculose, à une époque où les soins ne pouvaient guère excéder repos, bonne alimentation, air sain et pneumothorax.

Aujourd'hui, elle est reconvertie en station de convalescence et de traitement des maladies de longue durée.

On peut rappeler qu'en outre, pour les patients parisiens, la Faculté recommandait vivement un retour progressif à la ville, marqué par une assez longue étape-transition à Saint-Germain-en-Laye, qui s'était acquis ainsi une réputation d'adjuvant thérapeutique.

Le Dr Philippe Marette nous a rapporté avoir suivi cet itinéraire.

59. Bien que pouvant revenir de temps en temps à Paris pour passer ses examens, Philippe Marette va néanmoins rester deux années pleines en séjour à Passy.

60. La Roquebrussanne est le petit village où Laforgue avait une propriété avec exploitation vinicole, dans le Var. Laforgue souhaitait qu'au cours de leur analyse ses patients viennent au moins une fois, durant l'été, y faire un séjour lors duquel ils avaient une séance quotidienne. Pour ce faire, ils prenaient pension à l'hôtel du village, nommé «La Loube», et que les habitants avaient fini par surnommer «Le club des piqués»...

61. Alain Cuny, interrogé par nos soins, n'a pas conservé le souvenir des modalités de cette première rencontre. L'histoire lui en paraît fort séduisante, mais il se défend d'avoir jamais porté sur lui une arme à feu... Faut-il saluer son talent d'acteur naissant qui sut, déjà, créer l'illusion... comique ?

En tout cas, nous tenons à le remercier de nous avoir permis de déroger à la règle de l'anonymat que nous nous sommes fixée.

62. Voici les notations au jour le jour que nous avons trouvées dans les agendas de 1935 et 1936 :

Samedi 14 décembre 1935.
Début du remplacement à Maison-Blanche.
Départ de Paris à 6 h 20, arrivée à 8 h 15.
1re visite seule avec Baudoin. Travail conférence.
3 entrantes. Je commence à 3 h 10 les examens. Je mets 1 h 30.
Je n'arrive à Paris qu'à 6 h 30 exténuée, à bout de nerfs.
Une aphasique initiale (?).
Une mélancolique vieille qu'il faut promettre de punir pour qu'elle parle.
Une cyclothymique qui revient agitée.

Dimanche 15 décembre 1935.
Neige. — 1 degré.
Valises.
Quitte la maison, papa me hait et en souffre.
Maman profondément désagréable.
Pierre me conduit à Maison-Blanche en 402.
C'est catastrophique mon installation!

Lundi 16 décembre 1935.
1er réveil à Maison-Blanche.
Pas d'entrantes.
T.P. Vulpian.

Nota.
— L'hôpital psychiatrique dit de « Maison-Blanche » se trouve situé dans une ville de la proche banlieue de Paris : Neuilly-sur-Marne.
— Dans l'agenda de 1936, les dates des autopsies sont indiquées : le 9 janvier, puis le 10 janvier, etc.
— La date précise de la fin du stage n'a pas été notée. Le remplacement effectué par Françoise Marette ne figure pas, par ailleurs, dans les archives de l'hôpital.
63. Jenny Aubry (1903-1987). Née Jenny Weiss, devenue par ses mariages Jenny Roudinesco puis Jenny Aubry, elle fut la deuxième femme en France à être nommée médecin des hôpitaux en 1939, comme neurologue. C'est après la guerre, pendant laquelle elle eut des activités dans la Résistance, qu'elle entreprend une analyse pour venir en aide aux jeunes psychotiques d'un service d'enfants abandonnés de l'Assistance publique.
Analyste en formation à la Société psychanalytique de Paris, elle fut le porte-parole des étudiants contre les réformes imposées par Nacht, lors de la dissolution de 1953. Elle donna sa démission pour rejoindre Lacan, Dolto et Lagache à la Société française de psychanalyse, puis en 1964 rejoignit l'École freudienne de Paris fondée par Lacan, où elle demeura jusqu'à sa dissolution (en 1980) qu'elle combattit en compagnie de Françoise Dolto.
Par ailleurs, elle dirigea le service de pédiatrie de l'hôpital des Enfants-Malades où elle créa la première consultation hospitalière de psychanalyse en France.
64. En fait, il s'agit d'un exposé fait dans le cadre du séminaire de John Leuba, portant sur le cas d'un patient contrôlé par lui et intitulé « Un cas de névrose de caractère à base d'auto-punition ». Cet exposé fut prononcé

266

le lundi 25 avril 1938 à 22 h et publié dans la *Revue française de psychanalyse*, 1938, t. X, n° 4. Après quoi, Françoise Marette fut élue membre adhérente le 20 juin 1938.

En revanche, malgré les recherches effectuées par Mme Mac Lean, bibliothécaire de la Société psychanalytique de Paris, il n'a pas été possible de retrouver les archives de la période 1939-1945. Celles-ci ont été dispersées par précaution, et n'ont jamais été reconstituées. Nous ne pouvons donc connaître avec certitude la date à laquelle Françoise Marette a été élue membre titulaire. Elle-même croyait se souvenir du 12 ou 13 juillet 1939.

65. Voici le texte de la lettre adressée à Françoise Dolto par Jean Rostand :

Madame   *30 juillet 1939*
Je vous remercie beaucoup d'avoir pensé à m'envoyer votre belle thèse, *Psychanalyse et Pédiatrie*. Je m'intéresse tout particulièrement aux questions que vous y traitez avec tant de pénétration et de finesse et je ne doute pas qu'un tel ouvrage – où la science du psychologue collabore sans cesse avec l'observation du clinicien – réussisse à éclairer bien des esprits, encore obnubilés par d'injustes et tenaces préventions. Il contribuera puissamment à répandre dans les milieux médicaux les enseignements essentiels de cette «Physiologie affective» qui devraient être familiers à tous ceux dont le souci est de comprendre quoi que ce soit à l'âme humaine.
Avec mes plus sincères compliments, veuillez trouver ici, Madame, l'assurance de mes sentiments respectueux. JEAN ROSTAND.

En réalité, Françoise Dolto pèche par modestie car, malgré les tragiques circonstances, un grand nombre de psychanalystes la félicitèrent par écrit pour son travail. Toutes ces lettres ont été conservées et retrouvées.

66. Rappelons pour le lecteur non averti d'histoire de la psychanalyse que Sophie Morgenstern fut la première psychanalyste en France à s'occuper d'enfants, avant Françoise Dolto.

67. Nous avons retrouvé la liste – forte de 118 noms – des personnes à qui fut adressé un exemplaire de cette thèse.

68. Elle décida de se suicider le 13 juin 1940, à l'entrée des nazis dans Paris.

69. XVIII° congrès de l'Association psychanalytique internationale, tenu en 1953; président : Hartmann.

70. XXIII° congrès de l'Association psychanalytique internationale, tenu en 1963; président : Maxwell Gitelson.

71. «Autocritique. La psychanalyse, idéologie réactionnaire», in *La Nouvelle Critique*, n° 7, juin 1949, p. 52-73.

Ce texte a neuf signataires, dont huit médecins. Mais cette palinodie ne fut pas un acte isolé comme on peut le lire dans la lettre interne de la SPP du 16 juin 1953 où Lagache, J. Favez-Boutonnier et F. Dolto expliquent pourquoi ils démissionnent : «Il y a trois ans, la Société, en séance administrative, a refusé de prendre en considération une candidature de membre adhérent parce que la personne en question avait signé un manifeste "La psychanalyse, idéologie réactionnaire" [...]. Mais ce manifeste était signé par l'un des membres titulaires de la Société qui, après avoir gardé le silence durant la séance, quand fut attaquée la personne co-signataire, n'a jamais été amené à préciser sa position sur ce point! Et ce membre titulaire se trouve ensuite, non seulement toléré, mais investi de charges importantes témoignant qu'on lui fait confiance. S'agit-il d'incohérence ou d'encouragement à une certaine duplicité apparente?»

72. Pour éclairer les rapports que Lebovici entretenait avec Françoise Dolto, nous reproduisons, *sans en rien changer,* ce texte retrouvé dans les archives de Françoise Dolto:

Le 31 mai 1953

Note

Je ne devais pas aller à la réunion car, dimanche, nous partons pour la journée avec les enfants.

D'ailleurs, samedi 30 à midi tél. de Lebovici qui tombe sur Boris à l'appareil à qui il fait la communication suivante pour moi: inutile que votre femme se dérange demain pour une réunion à laquelle elle se croit peut-être convoquée. Il s'agit d'une réunion *d'élèves.*

Comme j'avais répondu par écrit, je ne comptais pas y aller. Mais le 31 il pleut à verse et je reste à Paris. A 11 h coup de téléphone de? (Guitton semble-t-il) disant: «Venez à l'institut si vous pouvez car Lebovici, Diatkine, Benassy et les titulaires qui ont toute autre orientation que vous et les autres qui vous on [*sic*] répondu sont venus se disant convoqués par l'institut. Venez soutenir votre point de vue. »

J'arrive vers 11 h 15 et j'entre, pendant que Lebovici parle (et ne me voit pas) et dit tex: uellement «je suis venu croyant avoir été convoqué régulièrement par l'institut de psychanalyse et je tombe sur une rébellion (mutinerie, a-t-il dit) d'élèves»!!! Après lui, je dis combien je suis surprise qu'il soit venu après m'avoir avertie de ne pas venir et que ce n'était pas une réunion officielle, ce qui d'ailleurs ne faisait aucun doute, et n'était que pour avoir une réponse orale ou écrite sur la façon d'envisager la formation didactique de la part des titulaires.

On juge de l'effet produit par ce flagrant délit de mauvaise foi de Lebovici.

73. René Laforgue. Né à Thann (Haut-Rhin), le 5 novembre 1894, mort à Paris le 6 mars 1962. Il est donc par le lieu et la date de sa naissance, d'abord, de nationalité et de langue maternelle allemandes.

Il fait ses études à Berlin, puis à Strasbourg où il soutint sa thèse en 1919 sur «L'affectivité des schizophrènes».

En 1923 à Paris, il est l'assistant du professeur Claude avec qui il crée la consultation psychanalytique de Sainte-Anne.

En 1924, il prend contact avec la Société internationale de psychanalyse et avec Freud à Vienne. Il fait une analyse didactique avec Mme Sokolnicka qui fut contrôlée par Freud, Ferenczi et Hans Sachs.

En 1925, il met Marie Bonaparte en relation avec Freud.

En 1926, il participe à la fondation de la SPP dont il est le premier président, de la *Revue française de psychanalyse* et de *L'Évolution psychiatrique* avec Pichon, Codet et Minkowski.

En 1942, il fait paraître un ouvrage en Allemagne, *Psychopathologie de l'échec.*

En 1949, un livre sur Talleyrand.

Il part au Maroc après la guerre. Quand il revient à Paris, il reprend ses activités d'analyste et organise des séminaires à son domicile, rue de la Tour.

Il faut signaler qu'à la Libération, il fut traduit devant un tribunal en raison de son attitude pendant l'Occupation et bénéficia d'un non-lieu. Françoise Dolto apporta au tribunal un témoignage en sa faveur. Le Dr Philippe Marette, à qui il demanda la caution d'un FFI, s'abstint de toute intervention.

74. Françoise Dolto fait ici allusion au fameux « comité secret ».

C'est Jones qui, le premier, eut l'idée de former autour de Freud une « vieille garde » de fidèles entre les fidèles, peu après les défections d'Adler et de Stekel et au moment des tensions avec Jung (juillet 1912). Ferenczi, puis Rank donnent leur accord. L'idée est soumise à Freud par lettre de Jones et reçoit une approbation enthousiaste : la perspective d'un comité secret dont il ne fera pas partie l'enchante. Il en nomme aussitôt les membres : Jones, Ferenczi, Rank qui en ont eu l'initiative, Sachs en qui il a toute confiance, et Abraham appelé un peu plus tard.

La première réunion a lieu, chez Freud, le 25 mai 1913. Jones est président.

Le but de ce comité est de faciliter la tâche de Freud en toute situation difficile pour le mouvement psychanalytique et, à plus longue échéance, d'en assurer la survie après la mort du fondateur.

La seule règle que les membres s'imposaient était que si l'un d'entre eux souhaitait renoncer à l'un des principes fondamentaux de la théorie psychanalytique il devait en débattre avec les autres avant de rendre publique sa décision. On sait que ni Ferenczi ni Rank ne respectèrent cette règle.

En tout cas, Freud fêta cette première réunion en offrant à chacun des cinq membres une intaille grecque de sa propre collection que chacun fit monter en chevalière. Freud portait lui-même souvent une tête de Jupiter.

Enfin, en octobre 1919, Freud fit entrer Eitingon dans le groupe et lui offrit aussi une intaille. Le groupe est alors au complet : six, plus Freud.

De là, vient le titre d'un chapitre du livre de Hans Sachs : *Freud, Master and Friend*, « Les sept anneaux ».

Le lecteur intéressé trouvera tous les détails sur cet épisode dans *La Vie et l'Œuvre de Sigmund Freud*, Ernest Jones, t. II, chap. VI, « Le comité », p. 162-178.

75. Stage d'externat effectué à Bretonneau du 1.05.1935 au 1.05.1936.

76. « Le 16 juillet 1942, plus de 12 000 juifs immigrés, y compris des femmes, des enfants, des malades et des vieillards furent arrêtés par la police française. » Jacques Adler, *Face à la persécution*, Paris, Calmann-Lévy, 1985, p. 20.

Le Centre de documentation juive contemporaine a dénombré dans cette rafle : 3 031 hommes, 5 802 femmes et 4 051 enfants.

77. Rappelons que c'est le 11 novembre 1942 que les armées nazies envahissent la zone libre et que la France est alors entièrement occupée.

78. *Je suis partout*, hebdomadaire fondé par les éditions Arthème Fayard dont le n° 1 paraît le 20 novembre 1930. Dirigé par Pierre Gaxotte, on y trouve notamment Giraudoux, Rebatet, Brasillach, Claude Roy,

Drieu La Rochelle. En 1936, du fait de son extrême virulence de ton, les éditions Arthème Fayard l'abandonnent. Il cesse de paraître en juin 1940 pour renaître en février 41, en zone occupée, contre l'avis de Maurras, et dirigé cette fois par Brasillach qui sera à son tour débordé en 1943 par les extrémistes de la collaboration, ce qui entraînera sa démission. Cette revue dont une des spécialités est la dénonciation – généralement en page 2 – disparaît définitivement avec la Libération.

79. Nous avons retrouvé ces lettres et nous avons pu les lire. Elles appelleraient quelques commentaires dont nous nous abstiendrons car elles se trouvaient dans une enveloppe indiquant : « Ne doit pas sortir de mon bureau. »

80. Haptonomie : science de l'affectivité et du toucher qui permet d'établir un contact psychotactile prénatal. Mise au point par Frans Veldman, elle est aussi pratiquée notamment par Catherine Dolto-Tolitch.

81. Je m'étais engagé auprès de Françoise Dolto à lui en offrir le manuscrit pour ses 80 ans, le 6 novembre 1988... (Alain Manier).

82. L'Infirmerie spéciale du dépôt est devenue Infirmerie spéciale près la préfecture de police le 28 février 1872. En 1950, elle prend son nom actuel d'Infirmerie psychiatrique près la préfecture de police. En 1970, elle est transférée dans des locaux contigus à l'hôpital Sainte-Anne.

L'Infirmerie psychiatrique est un service interne de la préfecture de police. Elle dépend de la Direction de la prévention et de la protection civile. Elle est chargée de recevoir « toute personne, interdite ou non interdite, dont l'état d'aliénation compromettrait l'ordre public ou la sûreté des personnes » (article L.343).

Personne ne peut être conduit à l'Infirmerie psychiatrique en dehors d'un « ordre d'envoi » établi par le commissaire de police. Personne ne peut s'y rendre de lui-même.

Le séjour à l'Infirmerie psychiatrique ne peut excéder quarante-huit heures, sauf prolongation de vingt-quatre heures éventuellement renouvelable, établie par un médecin du service.

Ce sont les infirmiers de l'Infirmerie psychiatrique qui effectuent le transfert jusqu'à l'hôpital psychiatrique de secteur, en cas de placement d'office.

D'après *L'Hôpital à Paris*, 1982, n° 72.

83. Marguilliers : « Chacun des membres du conseil de fabrique d'une paroisse (président, secrétaire, trésorier) chargé de présenter le budget de la paroisse au conseil, d'exécuter les mesures qu'il a votées, etc. », *Dictionnaire général de la langue française*, Hatzfeld et Darmesteter.

84 Serge Lentz, *Vladimir Roubaïev ou les provinces de l'irréel*, Paris, Éd. Robert Laffont, 1985.

85. Rash (mot anglais) : désigne une éruption transitoire, généralement réactionnelle à une infection (variole notamment) ou à une prescription médicamenteuse.

86. Ischémie : occlusion complète et brutale d'une artère, créant une situation critique qui requiert un traitement médico-chirurgical en urgence.

87. Voici la chronologie des implantations de la Maison Verte.

1) Ce lieu fut ouvert le 6 janvier 1979, place Saint-Charles où il demeura jusqu'à la fin de l'été 1980.

2) Il s'installa, à titre provisoire, en sous-sol, 16 rue Linois, de l'automne 1980 à l'été 1981.

3) Depuis juin 1981, le local est situé 13 rue Meilhac.

Toutes ces adresses se trouvent dans le 15ᵉ arrondissement de Paris.

88. C'est le samedi 21 septembre 1940 que Françoise Marette se rendit à Trousseau pour prendre contact avec le service. La consultation commença le mardi 24 septembre 1940, et prit fin en décembre 1978 – à 70 ans révolus, pour Françoise Dolto.

89. La Maison Ouverte a cessé ses activités dans ce lieu au 1ᵉʳ juin 1989.

90. En 1988, durant le premier semestre. Nous n'avons pas retrouvé cette lettre dans les papiers de Françoise Dolto.

91. Cf. *Enfances, op. cit.,* p. 16 et p. 52-53.

92. Voici comment ils avaient fait connaissance, selon Ernest Jones (*La Vie et l'Œuvre de Sigmund Freud,* Paris, PUF, 1969, t. III, p. 155-156) : «Il fut ravi de recevoir en août [1927] un exemplaire des *Mémoires* d'Yvette Guilbert, la célèbre chanteuse. L'année d'avant, elle lui avait fait parvenir, par l'intermédiaire de sa nièce Éva Rosenfeld, sa photographie portant la dédicace suivante : "A un grand savant, d'une artiste", et il lui retourna immédiatement le compliment. Il était devenu un de ses fervents admirateurs depuis que, sur le conseil de Mme Charcot, il avait assisté à ses petits concerts à l'occasion des quelques jours qu'il passa à Paris en 1889. A partir de 1927, il ne manqua jamais les concerts annuels qu'elle donnait à Vienne, et ils devinrent bons amis. » Jones ajoute en note : «Je semble aussi avoir suivi Freud sur ce chemin ; à l'époque du Congrès de Paris en 1938, je rappelai à Yvette Guilbert une de ses spirituelles chansons du temps de ses concerts privés, trente-cinq ans auparavant ; avec son charme habituel, elle me la chanta à nouveau sur-le-champ. »

Étrange rencontre en tout cas en ce 31 décembre 1924 : Yvette Guilbert, à son tour, ignore qu'elle chante devant la future Françoise Dolto qui, élève de philosophie cette année-là, découvre la théorie psychanalytique...!

93. Françoise Dolto nous désigne un buste dans sa bibliothèque. Jacques Lipchitz (1891-1973) d'origine lituanienne, fait partie de l'École de Paris. Avant guerre, son œuvre est fortement marquée par le cubisme, puis dès 1941, aux États-Unis, il se tourne vers un lyrisme baroque et puissant. Tous les grands musées du monde possèdent de ses sculptures.

94. Par la suite, Françoise Dolto nous a confié avoir détruit tous ses autoportraits.

En revanche, nous avons retrouvé ses essais d'affiches publicitaires qu'elle semble avoir présentés à des concours.

95. Dans la même veine, l'anecdote de deux conversations téléphoniques vaut d'être rapportée.

Ce dimanche 29 mai 1988 à 20 h 30, la sonnerie du téléphone retentit. Arrêt du magnétophone. C'est Catherine qui dit bonsoir à sa mère et

s'étonne, voire s'inquiète, qu'elle soit encore au travail. Alors, Françoise :
« Ne t'inquiète pas ! Je suis en pleine forme. Et puis, je m'instruis. Dis
donc, il paraît que je suis ramollie de la structure ! » Éclats de rire de part
et d'autre du combiné.

Le lendemain, lundi 30 mai, nous sommes un peu inquiets des suites
possibles d'un tel travail. Appel téléphonique, Françoise répond instanta-
nément : « Ah ! c'est vous ? Je suis contente de vous entendre. Dites, je ne
vous ai pas trop fatigués hier avec toutes mes histoires ? » (Propos exacts.)
Nous conversons un bon moment, puis d'un seul coup : « Ah ! Vous savez,
j'ai réfléchi encore à votre histoire de structure psychotique. Ça ne tient
pas debout, parce que justement la psychose, c'est destructurant » [sic].

96. « Le 3 février 1880, vers sept heures du soir, le bruit se répandait sur
les boulevards qu'un épouvantable accident venait de se produire sur la
ligne de l'Ouest, à peu de distance de la station Clichy-Levallois (...).
» A six heures partait le train 127, train omnibus qui s'arrête à Asnières
(...). Forcément, les divers trains partent sur les mêmes voies (...). Il faisait
un atroce brouillard (...). Un choc terrible se produisit... », *in* Georges Gri-
son, *Les Accidents de chemin de fer,* Paris, Éd. Arthème Fayard, 1882
(2e édit.), p. 122-124.

Il y eut 8 morts sur le coup et à peu près autant dans les jours qui
suivirent dont « M. Marette, l'architecte de la reine d'Espagne, par qui il
avait été décoré tout récemment. M. Marette laisse une veuve et trois
jeunes enfants », *op. cit.,* p. 129.

Le Dr Philippe Marette nous précisa que son grand-père fut identifié
grâce à une bague – camée qu'il portait toujours sur lui et qui appartient
aujourd'hui à une de ses arrière-petites-filles.

97. Françoise Dolto nous montre un endroit de sa bibliothèque.

98. Le 31 décembre 1903 était un jeudi.

99. Nous avons, cependant, retrouvé ces lignes dans l'agenda de 1936,
en date du 6 mai : « Sorbonne, 80e anniversaire de Freud. Avec papa, maman,
Philippe. »

100. Benjamin Rabier (1869-1939), dessinateur comique mettant en
scène de façon fantaisiste des animaux. Il a ainsi illustré les œuvres de
Buffon et de La Fontaine. Mais son plus grand succès date de 1924, lorsqu'à la demande de M. Bel, il dessine pour sa marque de fromages, la
fameuse « Vache qui rit » qui subira un certain nombre de transforma-
tions.

101. Voici ce que l'on trouve dans l'agenda de 1936 :

Vendredi 2 octobre. Avec Alain 2 h 1/2, 7 rue Dupuytren. Papa et maman (!)
viennent aussi. Tête de maman devant le minuscule appartement. Alain me console,
heureusement.
Mardi 3 novembre. Matinée Mme Morgenstern. Trouve les fauteuils. Pose tapis.
J'emménage 7 rue Dupuytren. Joie.
Vendredi 6 novembre. Quel heureux anniversaire. 2 h 20 L. ne me reçoit pas.
Cadeau de ses cliniques.
Dimanche 8 novembre. Soir 9 h pendaison de crémaillère.

Nota : Alain désigne Alain Cuny, ami intime de Françoise.

102. C'est au concours de décembre 1934 que Françoise Marette est reçue. Elle avait été recalée au concours de décembre 1933, passé en pleine crise de rupture avec D.

Par ailleurs, à cette époque-là, un externe gagnait 9 F par journée de travail, présence signée matin et soir sur un registre, et payés en fin de mois. Ce qui permettait de gagner 250-300 F par mois. Un interne gagnait, lui, 800 F par mois. Ces traitements correspondaient, pour un externe, à celui d'une femme de ménage, pour un interne à celui de facteur ou d'instituteur.

103. Le directeur du *Figaro,* Gaston Calmette, lance dans son journal, en février 1914, une violente campagne contre la politique d'impôts sur le revenu du ministre des Finances Joseph Caillaux. Mais, très vite, cette campagne se mue en attaques *ad hominem,* et *Le Figaro* publie des lettres de 1901 adressées par Caillaux à sa maîtresse d'alors, devenue sa première femme. Cela, soi-disant, pour attester la préméditation ancienne de cette politique. Or, entre-temps, Caillaux a divorcé et s'est remarié. Et c'est sa seconde femme qui venge l'honneur de son mari en assassinant Calmette d'un coup de revolver, dans son bureau du *Figaro,* le 16 mars 1914.

Par ailleurs, il faut rappeler que le premier volume que fait paraître Proust (le 14 novembre 1913) de *A la recherche du temps perdu : Du côté de chez Swann* est dédié « A M. Gaston Calmette. Comme un témoignage de profonde et affectueuse reconnaissance ».

104. Nystagmus : désigne des mouvements oscillatoires et quelquefois rotatoires du globe oculaire, involontaires et saccadés. Affection congénitale ou due à une dégénérescence tissulaire.

105. La rue Le Goff est une petite rue du quartier Latin entre la rue Soufflot et la rue Gay-Lussac. Une de ses particularités est qu'au numéro 10 se trouve l'hôtel du Brésil où Freud prit pension lors de son séjour à Paris l'hiver 1885-1886. De là, il se rendait chaque jour à la consultation de Charcot à La Salpêtrière.

Annexes

Famille de Françoise Marette

| HENRI MARETTE *architecte* 1838 - 1880 | - | MARIE CHARLOTTE LANDRY 1847 - 1921 | ARTHUR DEMMLER *polytechnicien* 1844 - 1912 | - | HENRIETTE-MARGUERITE SECRÉTAN 1860 - 1938 |

| HENRI MARETTE *polytechnicien* 4 août 1874 21 mai 1947 | SUZANNE DEMMLER 4 octobre 1879 21 janvier 1962 | PIERRE D. *" oncle - fiancé "* 27 mars 1886 10 juillet 1916 |

mariage le 12 juin 1901

JACQUELINE 12 **avril** 1902 - 30 septembre 1920.

PIERRE 31 décembre 1903 - 22 mars 1981. Saint-cyrien. Général.

JEAN 4 juin 1906 - 18 mai 1985. Centralien. Ingénieur.

FRANÇOISE 6 novembre 1908 - 25 août 1988. Docteur en médecine. Psychanalyste.

PHILIPPE 14 mars 1913. Docteur en médecine. Psychanalyste.

ANDRÉ 27 décembre 1915. Docteur en droit. Cadre chez Philips. Directeur de la Caisse des cadres.

JACQUES 21 septembre 1922 - 25 avril 1984. Diplômé de l'École des sciences politiques. Sénateur. Député. Ministre (PTT).

277

Famille de Françoise Marette-Dolto

BORIS DOLTO	FRANÇOISE MARETTE
Simféropol : 22 juillet 1899	Paris : 6 novembre 1908
Antibes : 27 juillet 1981	Paris : 25 août 1988

Mariage civil : le 7 février 1942, mairie du 5ᵉ, Paris.
Mariage religieux : le 12, église catholique russe de Paris.

JEAN-CHRYSOSTOME   20 février 1943, Paris. "Carlos".

GRÉGOIRE, NICOLAS   28 novembre 1944, Paris. Architecte naval.

CATHERINE-MARIE   5 août 1946, Le Croisic. Médecin.

Études

– Primaire et secondaire de la dixième à la première incluse (octobre 1914 - juillet 1924) au cours Sainte-Clotilde, 119 rue du Ranelagh (n'existe plus).

– Terminale : classe de philosophie au lycée Molière, Paris, 16ᵉ (1924-1925).

– Infirmière diplômée le 6 juin 1930.

– Médecine
  • PCN : 1931 - 1932.
  • 1ʳᵉ à 5ᵉ année : 1932 - 1937.
  • Externat : décembre 1934.

– Stages d'externat
  • Bretonneau : 1ᵉʳ mai 1935 - 30 avril 1936. (Pr Leveuf.)
  • Vaugirard : 1ᵉʳ mai 1936 - 30 avril 1937. (Dr Heuyer.)
  • Enfants-Malades : 1ᵉʳ mai 1937 - 1ᵉʳ janvier 1938. (Dr Darre.)
    (Renonce à l'externat et à l'internat)

– Contrôleurs : Hartman, Garma, Loewenstein, Spitz, Leuba et Sophie Morgenstern (pour les enfants).

– Soutenance de thèse : 11 juillet 1939.

– Installation : 1ᵉʳ septembre 1939 (généraliste et pédiatre).

278

Habitations

– 18, rue Gustave-Zédé, 5ᵉ étage, Paris 16ᵉ.
Du 6 novembre 1908 à juin 1913. Lieu de naissance.

– 2, avenue Mercédès (Colonel-Bonnet), 5ᵉ étage, Paris 16ᵉ.
De la rentrée 1913 au 3 novembre 1936.

– 7, rue Dupuytren, rez-de-chaussée, Paris 5ᵉ.
Du 3 novembre 1936 au 1ᵉʳ juin 1937. Reçoit les trois patients de l'analyste en formation qu'elle était alors.

– 13, square Henry-Paté, 4ᵉ étage, Paris 16ᵉ.
Du 15 juillet 1937 au 6 août 1942. S'installe comme généraliste-pédiatre, puis psychanalyste.

– 260, rue Saint-Jacques, 2ᵉ étage, Paris 5ᵉ.
Du 6 août 1942 au 25 août 1988. Appartement et cabinet après son mariage. Meurt dans cet appartement.

Par ailleurs, Françoise hérita de la maison familiale de Deauville, « La Coccinelle » ; Boris et Françoise achetèrent ensemble une maison à Antibes « Soledad » - où mourut Boris dont les cendres furent, à sa demande, répandues au large.

Divers

Cure psychanalytique du 17 février 1934 au 12 mars 1937.

Chargée de consultations
Hôpital Trousseau : 1940 - 1978.
Centre Étienne-Marcel : 1962 - 1978.

Docteur *Honoris Causa* de l'université de Louvain (1979).

Institutions psychanalytiques dont F. D. fut membre :
- Société psychanalytique de Paris : 1938-1953.
Membre adhérent : 20 juin 1938.
Membre titulaire : 12 juillet 1939 ? (archives perdues).
- Société française de psychanalyse : 1953-1964.
- École freudienne de Paris : 1964-1980.

Ses dernières paroles :

Après avoir dit aux trois personnes présentes qu'elle allait les quitter et demandé de l'excuser auprès de ceux dont elle ne pouvait attendre le retour de vacances, notamment Denis Vasse, elle murmura d'une voix amusée et attendrie : « Les imbéciles, ils sont tous là, comme d'habitude. Mais c'est pas comme d'habitude, c'est pas comme d'habitude. »

Sur sa tombe, au cimetière de Bourg-la-Reine, elle a demandé que soit gravée cette parole de l'Évangile selon saint Jean :

N'ayez pas peur.
Je suis le Chemin, la Vérité, la Vie.

Remerciements

Les recherches concernant la biographie de F. D. nous ont été grande-
ment facilitées par l'extraordinaire et émouvante activité qu'ont déployée
tous ceux à qui nous nous sommes adressés pour obtenir des renseignements sûrs, dès qu'ils ont appris que l'enjeu était l'histoire de la vie de
Françoise Dolto et notamment :

Mme Bui du service des archives de l'Assistance publique centrale.

Le service du personnel des hôpitaux : Maison-Blanche, Vaugirard,
Bichat.

Mlle Molitor, bibliothécaire attachée à la faculté de médecine.

Mme Sionville du service des archives de la SNCF.

La secrétaire de la bibliothèque des Télécommunications.

M. André-Arnaud Fourny, journaliste à *L'Équipe* (service de la boxe).

Le Dr Colette Schermann, pédiatre, reçue à l'externat la même année
que Françoise Dolto et lui ayant succédé, avec son mari, dans le logement
de la rue Dupuytren.

Danièle Auger, maître de conférence de grec, à l'université de Nanterre.

Mme Mac Lean, bibliothécaire de la Société psychanalytique de Paris.

Mais nous devons de particuliers remerciements à :

Catherine Dolto-Tolitch, exécuteur testamentaire de sa mère, qui nous
ouvrit sans restriction aucune les archives de Françoise Dolto, et notamment la collection par elle conservée de ses agendas personnels de 1928 à
1988, où l'essentiel était noté au jour le jour, ainsi que sa correspondance,
en particulier à ses parents.

Colette Percheminier – « Coco » – qui aura consacré environ six mois à
trier, classer, rendre utilisables ces archives avec un dévouement et une
rigueur hors du commun. Nous l'avons sollicitée des dizaines de fois et
avons toujours reçu le même accueil chaleureux, le renseignement précis
qui levait la difficulté.

Nadine Mespoulhès, notre amie et consœur, qui a bien voulu consacrer
à ce travail des heures et des heures - notamment à la recherche de sources
exactes, à la Bibliothèque nationale.

281

REMERCIEMENTS

Le Dr Philippe Marette qui voulut bien nous recevoir, nous ouvrir ses archives personnelles et nous faire profiter de toutes ses connaissances concernant les dates, les lieux et personnes concernées aussi souvent que nous en eûmes besoin. Frère cadet (de quatre ans) de Françoise, il eut donc la même enfance, les mêmes parents, connut les mêmes lieux et vécut les mêmes événements. Mais en outre, il fit les mêmes études en même temps, eut le même analyste et en partie en même temps, enfin, exerça le même métier !

Ce qui explique que ce soit à lui que Françoise ait dédié en premier sa thèse *Psychanalyse et Pédiatrie* :

« A TOI PHILIPPE, tout spécialement, en témoignage de ma tendresse, en souvenir des peines et des joies partagées au cours de notre apprentissage confraternel de la médecine et de la psychanalyse. Ton affection, ta patience indulgente, ta compréhension généreuse ont été le soutien dans les moments de doute, de solitude morale, le réconfort toujours, dans le chemin de la vie où, pas à pas, fraternellement en me prenant la main tu me donnas confiance.

» A toi, je dédie ce travail qui est, à cause de tout cela, tien autant que mien. »

Illustrations

283

ILLUSTRATIONS

Archives Françoise Dolto (droits réservés).

Table

Du même auteur

AUX MÊMES ÉDITIONS

Le Cas Dominique
1971 et coll. «Points Essais», 1974

Psychanalyse et Pédiatrie
1971 et coll. «Points Essais», 1976

Lorsque l'enfant paraît
tomes 1, 2 et 3, 1977, 1978, 1979
en un seul volume relié, 1990

L'Évangile au risque de la psychanalyse
en collaboration avec Gérard Sévérin
tomes 1 et 2, coll. «Points Essais», 1980, 1982

Au jeu du désir. Essais cliniques
1981 et coll. «Points Essais», 1988

Séminaire de psychanalyse d'enfants
tome 1, en collaboration avec Louis Caldaguès, 1982
et coll. «Points Essais», 1991

La Foi au risque de la psychanalyse
en collaboration avec Gérard Sévérin,
coll. «Points Essais», 1983

L'Image inconsciente du corps
1984 et coll. «Points Essais», 1992

Séminaire de psychanalyse d'enfants
tome 2, en collab. avec Jean-François de Sauverzac, 1985
et coll. «Points Essais», 1991

Enfances
en collab. avec Alecio de Andrade, 1986
et coll. «Points Actuels», 1988

Dialogues québécois
en collab. avec Jean-François de Sauverzac, 1987

Séminaire de psychanalyse d'enfants.
Inconscient et Destins
*tome 3, en collab. avec Jean-François de Sauverzac, 1988
et coll. «Points Essais», 1991*

Quand les parents se séparent
en collaboration avec Inès Angelino, 1988

EN CASSETTES DE 60 MINUTES

Séparations et Divorces
1979

La Propreté
1979

D'AUTRES ÉDITEURS

L'Éveil de l'esprit de l'enfant
*en collaboration avec Antoinette Muel
Éd. Aubier, 1977*

L'Évangile au risque de la psychanalyse
*tomes 1 et 2, 1977, 1978
Éd. Jean-Pierre Delarge*

La Foi au risque de la psychanalyse
*en collaboration avec Gérard Sévérin
Éd. Jean-Pierre Delarge, 1980*

La Difficulté de vivre
*Interéditions, 1981
Vertiges-Carrère, 1986*

Sexualité féminine
Scarabée et Compagnie, 1982

La Cause des enfants
Robert Laffont, 1985

Solitude
Vertiges, 1986

Tout est langage
Vertiges-Carrère, 1987

L'Enfant du miroir
en collaboration avec Juan-David Nasio
Rivages, 1987 et 1990

La Cause des adolescents
Robert Laffont, 1988

Paroles pour adolescents
ou Le Complexe du homard
avec Catherine Dolto-Tolitch
en collaboration avec Colette Percheminier
Hatier, 1989

Correspondance, 1913-1938
réunie par Colette Percheminier
Hatier, 1991

IMPRIMERIE MAURY-EUROLIVRES MANCHECOURT (LOIRET)
D.L. : MAI 1992 – N° 16478 (92/04/M0537)